La coopération
des missionnaires
au développement
des peuples

AUTRES OUVRAGES DE JEAN PARE

La pensée missionnaire du pape Paul VI dans ses messages à l'occasion de la Journée mondiale des missions, IMC, Montréal, 1977. Non disponible

Esquisse de la pensée missionnaire de Jean-Paul II, IMC, Montréal, 1984.

Pauline-Marie Jaricot, Fondatrice de l'Oeuvre de la Propagation de la foi 1799-1862, La Propagation de la foi, Québec, 1987.

Jeanne Bigard, Fondatrice de l'Oeuvre pontificale de Saint-Pierre-Apôtre, La Propagation de la Foi, Québec, 1988.

Petit livre de prières missionnaires, IMC, Montréal, 1988.

Naître la mission. La vie de Joseph Allamano, fondateur des Missionnaires de la Consolata, IMC, Montréal, 1991.

The Building of an Ideology. The Consolata Missionary Society in North America, Roma, Edizioni Missioni Consolata, 1997.

Défis à la mission du troisième millénaire, Montréal, Missionnaires de la Consolata, 2002

Mondialisation et mission. La mission est-elle universelle ?, Montréal, Missionnaires de la Consolata, 2004

Réincarnation et résurrection ? Pour un nouveau message, Montréal, Missionnaires de la Consolata, 2008

EN COLLABORATION

PARÉ, Jean et CAROFF, *Yvonne, Liturgies de la Parole pour des messes d'enfants*, Éditions Sonodia, Paris, 1973-1975 (série de neuf fascicules avec textes et diapositives) Non disponible

ALLARD Gilles, PARÉ Jean et RONCO Joseph, *Prières missionnaires*, Montréal, Missionnaires de la Consolata (Canada), 2003

PARÉ, Jean, dir. *Cent ans de christianisme en Afrique : développement et promotion humaine ?* Montréal , Missionnaires de la Consolata (Canada), 2001.

PARÉ, Jean, dir. *Au service des plus démunis*, Montréal, Missionnaires de la Consolata (Canada) 2007

Jean Paré

La coopération des missionnaires au développement des peuples

Édition revue et corrigée

Missionnaires de la Consolata (Canada)

Correction et révision : Jean-Marc Crête et Ghislaine Crête
Graphisme : Cusmano Design

© Jean Paré 2015 et
© Missionnaires de la Consolata(Canada) Éditeur 2015
Dépôt légal – Bibliothèque nationale du Québec, 2015
Bibliothèque nationale du Canada
ISBN 978-2-923128-11-5 (2ᵉ édition, 2015)
ISBN 978-2-923128-08-5 (1ʳᵉ édition, 2009)

« Aux habitants des pays pauvres, nous promettons de travailler à vos côtés pour faire en sorte que vos fermes prospèrent et que l'eau potable coule, de nourrir les corps affamés et les esprits curieux.

Et à ces pays qui, comme le nôtre, bénéficient d'une relative abondance, nous disons que nous ne pouvons plus nous permettre d'être indifférents aux souffrances à l'extérieur de nos frontières ni consommer les ressources planétaires sans nous soucier des conséquences. En effet, le monde a changé et nous devons évoluer avec lui. »

BARACK OBAMA
discours d'investiture,
le 20 janvier 2009

PRÉSENTATION

En venant en Amérique du Nord en 1947, les Missionnaires de la Consolata visaient au moins trois objectifs : chercher des vocations, sensibiliser les populations à la cause missionnaire et recueillir des offrandes et des dons pour les missions. Il faut en effet se rappeler que nos missions en Afrique, de même que nos œuvres en Europe, avaient été passablement affectées par le second conflit mondial.

Dès les années 1960, la province canadienne des Missionnaires de la Consolata pouvait soutenir les missions financièrement et par l'envoi de divers équipements et matériaux.

Néanmoins, le secteur de l'animation missionnaire et vocationnelle a réellement acquis sa physionomie actuelle au début des années 1970, processus qui culminera en décembre 1976 avec l'inauguration du Hall Notre-Dame, comme centre de recherche et d'animation missionnaire. Ce secteur s'est de mieux en mieux organisé et défini, passant d'une aide générale à un financement de projets spécifiques de développement. À partir des années 1980, bon an mal an, le Hall Notre-Dame a pu faire parvenir dans le Tiers-Monde environ 250 000 $ par année.

Comment le Hall Notre-Dame recueille-t-il ses dons ? Au tout début, c'était grâce à des amis et à des parents, mais, à partir de 1966, la revue *Réveil Missionnaire* est devenue le principal outil de communication avec les bienfaitrices et les bienfaiteurs. La revue non seulement explique la situation des missions et des pays pauvres du monde, mais elle présente aussi des projets concrets à soutenir et, de temps en temps, elle rend compte comment ces projets ont été réalisés. C'est une revue d'animation, mais qui sert aussi de principal point de contact avec toutes les personnes qui soutiennent et encouragent les œuvres des Missionnaires de la Consolata.

J'ai bien écrit que « de temps en temps » nous rendions compte des projets financés et réalisés en mission. Cela a été fait essentiellement en publiant des articles qui expliquent comment ces projets ont été réalisés dans le Tiers-Monde, de même que les problèmes rencontrés et les besoins satisfaits. Nous ne l'avons jamais fait suffisamment. Avec raison, des bienfaitrices et des bienfaiteurs nous demandent, encore et toujours, de les informer « si leurs dons vont vraiment aider les plus pauvres », et « si les projets ont été réalisés ».

Ce livre vient répondre à ces attentes légitimes.

La première partie expliquera le secteur de l'aide aux missions et au développement, se concentrant essentiellement sur le Hall Notre-Dame, mais nous allons aussi ajouter quelques informations plus larges sur la contribution de l'Église catholique au développement international.

Depuis la deuxième guerre mondiale, le développement est devenu un thème de débat chez les missionnaires, aussi bien que dans la communauté internationale, spécialement auprès des Nations Unies. Il n'y a pas de doute que la vision du développement des peuples que nous avions en Occident en 1960 était passablement naïve ; tous ces débats et controverses vont la raffiner et la préciser, mais en même temps le développement deviendra de plus en plus la pâture de la politique. La deuxième partie de ce livre tente de présenter succinctement l'évolution de la compréhension et de la pratique du développement des peuples.

Au tournant du millénaire, les critiques sur le développement abondent. Il devient donc légitime de se demander ce que les missions et les Églises « allaient faire dans cette galère ». J'espère que cette expression n'offense personne ; comme on le sait, elle est tirée de la pièce *Les fourberies de Scapin* de Molière ; elle y fait référence à un des personnages qui est retenu dans une galère, un bateau turc. Elle est passée dans la langue courante pour signifier une « situation désagréable », selon *Le petit Larousse*. En effet, étant donné les pesantes critiques qui sont faites au sujet du développement, on peut se demander pourquoi les Églises et les missionnaires ont décidé de coopérer à cet effort international : ne sont-ils pas dans une situation gênante ? La troisième partie de cette étude essaiera de répondre à cette interrogation. Nous terminerons en proposant quelques éléments d'appréciation de cette contribution des missionnaires au développement des peuples.

Cette fois-ci, je désire remercier quelques-unes des personnes qui m'accompagnent dans ma production littéraire. En effet quelques confrères et amis, de même que mon frère, acceptent de lire les brouillons de mes manuscrits et de me soumettre des suggestions pour les améliorer et les rendre plus signifiants; parmi ces personnes, je me dois de mentionner le père Joseph Ronco, de même que mes amis, Ghislaine et Jean-Marc Crête. Ce sont aussi ces derniers qui procèdent à la dernière correction avec une patience inégalée...

Je remercie aussi les Missionnaires de la Consolata du Québec qui, jusqu'à présent, ont accepté de publier ces livres dans leurs collections.

Jean Paré
Montréal, Février 2009

PREMIÈRE PARTIE

LES PROJETS MISSIONNAIRES DU HALL NOTRE-DAME

Joseph Allamano, fondateur des Missionnaires de la Consolata en 1901, est un des derniers à avoir fondé une société missionnaire. Il a donc pu profiter de l'expérience des autres fondateurs. Un regard à sa compréhension de la mission montre qu'il acceptait le paradigme missionnaire dominant avec quelques bémols ; par exemple, déjà pour lui, il ne s'agissait plus seulement de convertir les païens, il fallait aussi contribuer à améliorer leurs conditions de vie. Dès le départ donc, les Missionnaires de la Consolata ont voulu promouvoir les personnes et les groupes humains. C'est dans ce sillon que s'inséreront les premiers IMC au Canada quand ils élaboreront des outils d'animation missionnaire. C'est ce que je désire expliquer dans le premier chapitre.

Le Hall Notre-Dame sera aussi influencé par le mouvement en faveur du développement des peuples qui se déploiera spécialement après la décolonisation des pays africains, en particulier sous l'égide des Nations Unies. Le deuxième chapitre tente de présenter, d'illustrer et de commenter les divers types de projets qu'avec l'aide des bienfaiteurs et des bienfaitrices, le Hall Notre-Dame a financés aux quatre coins du monde.

J'estime que ce chapitre, le plus long de ce livre, est au cœur de cette étude.

Les conclusions de la première partie proposeront une vision plus globale de la coopération des Églises au développement international.

CHAPITRE 1

LA PROMOTION HUMAINE CHEZ LES MISSIONNAIRES DE LA CONSOLATA

Joseph Allamano et la promotion humaine

Ce ne sont pas tellement les paroles, mais bien les actes du bienheureux Joseph Allamano qui révèlent comment pour lui l'évangélisation incluait la promotion des personnes et des sociétés.

Il fonda les Missionnaires de la Consolata en 1901 et, dès 1902, les quatre premiers missionnaires quittaient leur Italie natale pour aller évangéliser au Kenya. Joseph Allamano se rendait compte que ses premiers missionnaires arrivaient dans un milieu économique et social très différent de celui de l'Europe où leurs premiers devoirs seraient d'abord de construire maisons et chapelles, écoles et dispensaires. Très tôt il s'est affairé à faire bâtir une scierie.[1] Une turbine y sera installée pour faire fonctionner les scies et d'autres équipements des plantations de café. Un

---

[1] Voir Giuseppe MINA, *Il missionario delle segherie : Fratel Benedetto Falda*, Bologna, EMI, 1980 ; ici à Montréal un livre résume le précédent : Lorenzo LAMBERTI, *Perdu dans la forêt*, Montréal, Missionnaires de la Consolata (Canada), 1983.

autre missionnaire se fera cordonnier pour offrir des chaussures confortables.

Dès les débuts à Tuthu[2], les missionnaires visitent les villages, spécialement les malades et les personnes âgées, leur procurant quelques soins élémentaires. De même, des activités d'éducation des enfants sont rapidement organisées. Pendant la première guerre mondiale, plusieurs missionnaires œuvrent dans des hôpitaux militaires.[3]

Apparemment ces activités de promotion humaine et sociale attireront l'attention du Vatican, de sorte que, dans le décret de louange du 28 décembre 1909 par lequel le Saint-Siège approuvait le nouvel institut missionnaire, on peut lire :

« La caractéristique de ces missions est que les missionnaires ne se limitent pas à introduire la religion [...], mais, avec la splendeur de la foi, ils portent à ces peuples la lumière de la civilisation, leur enseignant comment cultiver, élever le bétail et exercer les métiers les plus usuels. »

Dans sa lettre du 23 juin 1923 où il présente à ses missionnaires les premières Constitutions et règlements du nouvel Institut, le bienheureux fondateur citera ce texte.[4] Et dans une lettre aux missionnaires du Vicariat apostolique du Kenya datée du 2 octobre 1910, il la commentera de la manière suivante :

« Des indigènes il faut d'abord faire des hommes travailleurs pour pouvoir en faire des chrétiens : leur montrer les bénéfices de la civilisation pour les attirer à l'amour de la foi. Ils aimeront

---

[2] C'est dans ce village du Kenya, qui dépendait du chef Karoli, que les premiers IMC se sont établis en 1902.

[3] Je tire ces informations du livre de Giovanni TEBALDI, *La Missione racconta*, Bologne, EMI, 1999, en pages 30, 40, 65 et 80.

[4] Istituto della Consolata per il missioni estere, *Costituzioni*, Torino, Edizioni Missioni Consolata, 1960, en page 9.

une religion qui ne leur fait pas seulement des promesses dans l'au-delà, mais qui les rend plus heureux déjà sur cette terre. »[5]

Il me semble que les premières constitutions de l'IMC[6] n'incluent pas clairement la promotion humaine parmi les activités de l'institut, mais mention est faite de « l'éducation chrétienne des laïques » à l'article 109. Ce n'est qu'après le deuxième concile du Vatican, dans le document du chapitre général[7] de 1969 qui voudra rénover l'institut dans le respect du charisme du fondateur et à l'écoute des signes des temps, qu'on trouve dans le chapitre sur l'activité missionnaire et notre apostolat auprès des non chrétiens, et plus spécifiquement dans une section consacrée à la préévangélisation, un passage de quatre pages sur notre « participation au développement des peuples ». Ces activités y sont d'abord conçues comme une préparation à l'évangélisation, « là où il n'est pas possible d'annoncer le message du Christ ». Mais le texte continue :

« L'institut fait sienne la mission de l'Église qui, tout en étant d'ordre spirituel, ne néglige pas les réalités terrestres ; avec les lumières des principes religieux, il contribue à développer et à consolider la communauté humaine et, là où c'est nécessaire,

---

[5] C. BONA éd., *Quasi una vita... Lettere scritte e ricevute dal Beato Giuseppe ALLAMANO con testi e documenti coevi*, vol. V, Roma, Edizioni Missioni Consolata, en pages 410-411 : l'ensemble des Lettres ont été publiés en onze volumes entre 1990 et 2002 ; Joseph Allamano rappelle aussi comment le jésuite Matteo Ricci a été missionnaire en Chine au XVIe siècle en étant professeur de mathématiques, dessinateur de mappemonde et fabriquant d'horloges.

[6] Pour les congrégations religieuses, les Constitutions sont le document qui précise leur identité, leurs activités et leur organisation. Le sigle IMC se réfère à l'Institut des Missionnaires de la Consolata.

[7] Un chapitre général est une rencontre de tous les supérieurs avec des représentants de tous les membres d'une congrégation religieuse, normalement organisée à tous les six ans et qui a pour but d'élire la nouvelle direction générale et de programmer les années qui suivent.

il suscite des œuvres destinées au service de tous, et spécialement des plus nécessiteux. Pour accomplir son mandat missionnaire, outre la prédication de l'Évangile, l'institut promeut le développement des peuples : prédication de l'Évangile et développement humain ne s'opposent pas, mais font tous deux partie de l'unique dessein de Dieu, créateur et sauveur. »

Plus loin, on rappelle qu'il faut prêcher non seulement en paroles, mais aussi en actes :
« L'action sociale de la mission est un des principaux signes de la charité de Dieu envers l'humanité souffrante. »

Est alors spécialement illustrée l'importance de l'éducation. Puis ce chapitre de 1969 commente :
« Il arrive que le missionnaire se trouve devant de graves injustices sociales qui empêchent le développement intégral des personnes. Avec charité et prudence, il agit pour que ces situations soient dépassées. »[8]

Juste avant de célébrer leur premier centenaire, les Missionnaires de la Consolata ont voulu mieux préciser leur mission lors de leur dixième chapitre général, tenu au Kenya en 1999. Il s'est agi d'être plus explicite sur ce qu'est la mission « *ad gentes* » et de préciser ce que signifie d'être missionnaires « de la Consolata ». On y enseigne que la première consolation que nous pouvons offrir au monde, c'est Jésus et son salut. Ce « dialogue de salut est favorisé par un partage amical de vie » où est manifestée « la compassion de Dieu et de Jésus ». On rappelle ensuite comment notre mission a toujours inclus la promotion humaine et un engagement en faveur de la justice et de la paix. On y lit :

[8] Istituto Missioni Consolata, *Documenti capitolari*, Torino, Edizioni Missioni Consolata, 1970, en pages 57 à 61 ; voir aussi en pages 86 et 87.

« Dans notre manière d'évangéliser, nous avons toujours lié les composantes de l'évangélisation à celles de la promotion humaine. À ce sujet, l'enseignement du fondateur est explicite et fréquent. Il alla même jusqu'à en défendre le principe : « Dans le passé certains se sont permis de critiquer notre méthode d'évangélisation, comme si nous nous préoccupions trop du matériel au détriment du spirituel; on disait que nous devions prêcher et baptiser sans nous occuper d'autre chose. Mais après la publication du décret de louange [...], les opinions changèrent et plusieurs, de bonne volonté, allèrent même jusqu'à le reconnaître » (Lettre aux missionnaires du Kenya, le 12 octobre 1910).

Pour lui, la promotion humaine et l'élévation du milieu ne viennent pas avant l'évangélisation, mais elles en sont une partie constitutive, de même qu'une caractéristique typique de notre manière de la mettre en pratique. Il s'agit donc de discerner quelle est la promotion humaine la plus adaptée à chaque contexte et dans chaque circonstance. Cet engagement, nous l'avons réalisé de diverses manières : au début, en donnant du travail, en construisant des écoles, en assurant la formation professionnelle et par diverses initiatives dans le domaine de la santé; plus tard, ce fut notre engagement en faveur du développement. »[9]

Les Constitutions actuelles des Missionnaires de la Consolata sont donc plus claires au sujet de notre contribution au développement. Déjà l'article 3 déclare : « Depuis les origines, les

---

[9] Missionnaires de la Consolata, *Actes du Xe chapitre général Sagana 1999*, pages 51 à 54.

Missionnaires de la Consolata ont réalisé l'inspiration du fondateur par l'annonce de l'Évangile et la promotion humaine. »

La deuxième partie des constitutions étudie notre style de vie, d'abord comme religieux et puis en tant que missionnaires. Dans son premier article, consacré à l'évangélisation, on peut lire que la « finalité essentiellement religieuse de l'évangélisation a des liens profonds et essentiels avec la promotion, le développement et la libération de l'homme » (article 69).

Dans la section qui explicite notre méthode missionnaire, l'article 76 des Constitutions, complété par trois paragraphes du Directoire[10], nous concerne particulièrement :

« 76. En solidarité avec les frères et en signe de la charité de Dieu, nous sommes particulièrement attentifs à la promotion humaine, comme composante qui prépare et accompagne l'évangélisation, et qui en découle.

Nous nous sentons engagés à collaborer aux initiatives de promotion de la justice. Nous nous en faisons les promoteurs, spécialement en faveur des plus démunis.

76.1 Notre collaboration dans la promotion humaine vise à rendre autonomes ceux auprès desquels nous travaillons. Nous réalisons des œuvres et des structures qui sont susceptibles d'être développées selon les possibilités locales et qui sont approuvées par l'autorité diocésaine.

76.2 Là où des situations d'injustice se présentent, le missionnaire se fait la voix, la

---

[10] Le Directoire inclut des règlements qui actualisent les Constitutions selon les circonstances.

conscience et le soutien surtout de ceux qui ne sont point en mesure de faire valoir leurs propres droits. Les initiatives de défense de la justice sont mûries dans le discernement communautaire et en harmonie avec les directives de l'Église, afin que leur opportunité, leur soutien et leur efficacité soient sauvegardés.

76.3 Par une catéchèse appropriée, les missionnaires entraînent la communauté chrétienne à participer activement à la vie sociale, selon les principes de fraternité, de service et de justice du christianisme. »[11]

Des actes de Joseph Allamano aux déclarations de plus en plus explicites des constitutions et des chapitres généraux, les Missionnaires de la Consolata ont parcouru un long chemin.

DE LA PROPAGANDE À L'AIDE AUX MISSIONS

Pour supporter le grand mouvement missionnaire du XIXᵉ siècle en Europe, nombreuses avaient été les personnes qui avaient promu l'organisation d'une fête annuelle à célébrer dans les paroisses catholiques du monde entier. C'est finalement le pape Pie XI qui institua la Journée missionnaire mondiale en 1926 et en fixa la célébration à l'avant-dernier dimanche du mois d'octobre de chaque année.

En 1976, dans son message à l'occasion de cette journée, Paul VI en rappela les intentions :

« La Journée annuelle vise surtout à la formation de la conscience missionnaire de tout le Peuple

[11] La traduction française nouvelle des Constitutions n'a pas encore été publiée. Nous citons l'édition en anglais : Consolata Missionaries, *Constitutions. General Directory*, Rome, 2006, en pages 25, 69 et 75. De manière intéressante, les articles 16 et 46 parlent de notre contribution au développement.

de Dieu, tant des individus que des communautés ; à la promotion des vocations missionnaires ; à l'augmentation progressive de la coopération spirituelle et matérielle ; à l'activité missionnaire dans toute sa dimension ecclésiale. »[12]

Trois aspects se sont donc imposés comme objectifs de cette journée : prier pour les missions et les missionnaires, conscientiser les catholiques à participer à la mission et apporter son aide aux missions.

Le bienheureux Joseph Allamano avait été parmi les personnes qui avaient réclamé une Journée mondiale des missions. En effet, très tôt, il s'était rendu compte que, pour assurer les vocations et des finances solides à son nouvel institut, il avait besoin d'un bon propagandiste et recruteur qui parcourrait l'Italie dans ce but. Les constitutions qu'il a léguées à ses missionnaires précisent donc que parmi les activités par lesquelles l'IMC poursuit sa finalité, il y a aussi des œuvres de recrutement et de propagande (article 3). Après le renouveau postconciliaire, on parlera des activités d'animation missionnaire et vocationnelle et de l'aide aux missions. L'article 82 de nos Constitutions actuelles et du Directoire détaille ce qu'est cette coopération missionnaire :

« 82. Par l'animation missionnaire, nous favorisons la communion et la coopération entre les Églises et les peuples, de même que la connaissance mutuelle des valeurs religieuses et culturelles respectives. Nous préconisons la prière et l'action pour l'avènement du Règne de Dieu, le partage des biens et l'échange de services professionnels.

---

[12] PAUL VI, *Message pour la Journée missionnaire mondiale de 1976*, en DC, no 1704 du 5-19 septembre 1976, en pages 757-759..

82.1 Nous nous faisons avant tout promoteurs d'initiatives de prière, convaincus que c'est de la prière que dépendent la diffusion et l'efficacité de la Parole de Dieu, et la montée d'évangélisateurs forts et courageux (cf. 2 Th 3, 1 ; Ep 6, 19 ; Mt 9, 38).

82.2 La coopération entre les Églises est un signe de maturité de la vie chrétienne. Nous la favorisons en proposant des formes concrètes d'aide aux frères les plus nécessiteux et en exposant leurs besoins de manière objective et efficace.

82.3 Vu que le service de la justice est un ministère essentiel de l'Église et qu'il fait partie intégrante de l'apostolat, l'animation missionnaire comprend aussi la sensibilisation aux problèmes de la justice et à la responsabilité de chaque communauté chrétienne afin de surmonter des situations injustes. »

Le Hall Notre-Dame

La guerre avait été désastreuse pour les Missionnaires de la Consolata ; même notre maison mère avait été bombardée. Parmi d'autres raisons, les supérieurs de la direction générale, alors à Turin, pensèrent envoyer des membres de l'Institut en Amérique du Nord pour trouver de nouvelles vocations et assurer un meilleur financement des missions. Les Missionnaires de la Consolata sont donc arrivés aux États-Unis à la fin de 1947 et au Canada au début de 1948. Après quelques années dans l'Ouest canadien, ils se sont installés à Montréal, appelés par le cardinal Paul-Émile Léger à s'occuper du soin pastoral des Italiens, alors nombreux à immigrer au Canada.

Dès la fin des années 1950, les pères Giovanni Gaudissard et Adolfo Mattea visitaient paroisses et écoles pour faire connaître l'IMC, trouver des vocations et recueillir des aumônes pour les missions. Nouveau supérieur en 1960, le père Pietro Mongiano voulut mieux organiser ce secteur et y nomma une personne à temps plein : le père Mario Piasente commença ce travail en septembre 1969. Les pères Mattea et Oliveira avaient commencé la publication de la revue *Réveil missionnaire* en 1965 avec un tirage de 1 000 exemplaires. Dans le programme des activités, il avait été décidé de communiquer avec les bienfaitrices et les bienfaiteurs pour solliciter leur appui à l'occasion de Noël et de Pâques, et aussi pour demander des intentions de messes pour les missionnaires. Le père Mongiano avait réussi à rassembler un groupe d'hommes d'affaires pour soutenir financièrement les missions.

Dans le rapport qu'il publia en 1973 au moment du 25e anniversaire de l'arrivée des Missionnaires de la Consolata au Canada, le père Mario Piasente, responsable de l'animation missionnaire, rappela comment il avait été impressionné par les campagnes de levées de fonds faites aux États-Unis par la poste et comment il avait commencé à faire de même au Canada dès 1970. De même, il était entré en contact avec des organismes, comme Secours aux Lépreux et Développement et Paix, pour obtenir des subventions pour des projets précis. C'est ainsi que débutèrent les activités du secteur des campagnes et des projets qui s'installa au Hall Notre-Dame, le nouveau Centre de recherche et d'animation missionnaire inauguré en décembre 1976. La première campagne de nouvelles adresses pour trouver de nouveaux bienfaiteurs et bienfaitrices eut lieu pendant le carême de 1970; elle porta leur liste à environ 1 800 noms et adresses. Le premier tirage fut organisé la même année. Déjà en 1973, on comptait 8 000 personnes sur la liste des bienfaiteurs.[13] Depuis cette époque, le Hall Notre-Dame a continué, à chaque année, à solliciter bienfaitrices et bienfaiteurs, amies, amis et parents en faveur des projets des missionnaires qui sont aux quatre coins du monde.

QUELQUES RÉSULTATS DES CAMPAGNES ET DES PROJETS

Un document présenté au chapitre général de 1981 et conservé dans nos archives fait le bilan du secteur de l'aide aux missions de 1975 à 1980.[14]

On y constate que 933 960 $ ont été envoyés en mission et 698 367 $ en honoraires de messes, soit une moyenne d'un peu plus de 300 000 $ par année. Les missions qui ont reçu le plus sont :

- le Zaïre (l'actuelle République Démocratique du Congo) avec 274 360 $,
- le diocèse de Marsabit, dans le nord du Kenya, avec 157 637 $
- et nos missions en Éthiopie avec 132 812 $.

Le Hall Notre-Dame avait aussi aidé quelques projets d'accueil de réfugiés vietnamiens au Québec pour un montant de 20 400 $. Les dons, offrandes et honoraires de messes avaient atteint un total de 692 075 $ pour l'Afrique, de 210 749 $ pour l'Amérique du Sud et de 41 500 $ pour l'Asie.

---

[13] Le rapport se trouve dans les archives des Missionnaires de la Consolata à Montréal, sous le no u2.214. Dans ce rapport, le père Piasente explique que le père Aristide Piol fut le premier à obtenir des subventions de Développement et paix.

[14] Dans les archives au no i6.23. Ce résumé fut aussi publié dans le *Da Casa Madre*, la revue des IMC publiée par la direction générale en Italie.

Un peu plus d'un demi million de dollars d'intentions de messes avait été envoyé à l'administration générale de l'IMC pour être redistribué parmi tous les missionnaires IMC prêtres.

Les tableaux suivants montrent ce qui a été envoyé en mission pour des projets spécifiques entre 1981 et 1985 puis entre 1986 et 1990. Le Hall Notre-Dame aide d'abord et avant tout des projets présentés par des missionnaires de la Consolata; c'est pourquoi la liste des pays correspond aux missions des IMC. Mais le Hall Notre-Dame a aussi aidé des missionnaires non IMC, des prêtres et des évêques et quelques autres congrégations missionnaires; une petite partie de nos revenus va aussi à des programmes en faveur des pauvres et de la justice à l'intérieur du Canada :[15]

	1981	1982	1983	1984	1985
Éthiopie	56 400	38 000	23 000	76 000	88 000
Zaïre-Congo	126 000	5 000	16 000	4 000	10 000
Kenya-Marsabit	74 000	2 000	15 000	8 000	11 000
Afrique du Sud	27 000	15 000	8 000	31 000	17 000
Tanzanie		6 000	52 000	4 000	56 000
Colombie	7 000	100 000	28 000	17 000	90 000
Brésil-Roraïma	3 000	8 000	10 000	33 000	1 000
Argentine	3 000	4 000	3 000		2 000
Venezuela				15 000	20 000
Asie			2 000	6 000	13 000

[15] Le Zaïre est l'ex Congo belge maintenant appelé la République démocratique du Congo. Marsabit est une région du Kenya; les IMC d'Ouganda appartiennent à la province du Kenya; au Brésil, les IMC ont deux provinces, celle du Brésil, dans le sud et le centre, et celle de Roraïma, dans le nord-ouest du pays à la frontière du Venezuela. Une bonne partie des dons pour l'Asie ont été faits aux œuvres de Mère Teresa et aux Franciscaines missionnaires de Marie.

	1986	1987	1988	1989	1990
Éthiopie	92 000	37 000	27 000	15 000	34 000
Zaïre-Congo	29 000	24 000	175 000	21 000	28 000
Kenya-Marsabit	82 000	90 000	101 000	75 000	200 000
Afrique du Sud	20 000	1 000	1 000	2 000	25 000
Tanzanie	120 000	55 000	33 000		
Mozambique	15 000	10 000	49 000	93 000	187 000
Colombie	110 000	170 000	177 000	120 000	147 000
Brésil-Roraïma	8 000	48 000	90 000	112 000	46 000
Argentine	25 000	2 000	69 000	114 000	1 000
Venezuela	37 000	12 000	8 000	13 000	7 000
Asie	2 000	3 000	3 000	2 000	

Pour les années 2000 à 2007, je me contente de donner quelques totaux :

- le total de l'argent envoyé pour des projets précis
- et le total de l'argent envoyé aux missions, ce qui incluent les bourses d'étude, les intentions de messe et les dons faits individuellement à des missionnaires, de même que les projets :

	2000	2001	2002	2003
Total des projets	185 377$	202 500$	219 632$	585 657$
Total de l'aide aux missions	426 996$	367 385$	409 351$	725 429$

	2004	2005	2006	2007
Total des projets	275 024$	183 000$	155 000$	154 450$
Total de l'aide aux missions	433 008$	317 270$	282 826$	235 610$

Quand on connaît les besoins des pays pauvres du monde et des missions, la contribution des Missionnaires de la Consolata au Québec n'est qu'une goutte d'eau dans la mer. Mais dans l'aide aux missions ni les IMC au Québec ni les Missionnaires de la Consolata ne sont les seuls. Il faut maintenant élargir quelque peu notre horizon, et avant de comprendre ce qu'est le développement international dans la deuxième partie, nous examinerons ici des projets concrets de développement réalisés dans ce qu'on a parfois l'habitude d'appeler le Tiers-Monde. Je concentrerai ma recherche sur des projets subventionnés par le Hall Notre-Dame, car à leur propos j'ai sous la main une abondante documentation dans les archives des Missionnaires de la Consolata du Canada.[16] Il m'arrivera aussi de mentionner d'autres projets qu'il m'est arrivé de connaître lors de visites dans les pays pauvres, surtout quand je travaillais à la revue *Univers*, le périodique de la Propagation de la Foi au Canada français.

Pour les années 2008 à 2014

La première édition de ce volume est parue en 2008. C'est pourquoi les informations sur l'aide aux missions faite par le Hall Notre-Dame s'arrêtaient en 2007. Les responsables des éditions Missionnaires de la Consolata (Canada) m'ont demandé d'ajouter quelques pages pour rendre compte de la même aide aux missions donnée par le Centre de recherche et d'animation missionnaire pour la période de 2008 à 2014.

On peut la résumer dans le tableau suivant :

---

[16] Ces archives ont été informatisées; chaque document ou dossier porte un numéro qui commence par une lettre suivi du no de la boîte et du no du document : par exemple : u2.22 signifie le vingt-deuxième document dans la deuxième boîte de la section u.

	2008	2009	2010	2011
Total des projets	155 850$	194 760$	174 422$	257 012$
Total de l'aide	255 596$	327 607$	306 486$	381 241$
Pays aidé	Colombie	Congo	Venezuela	Côte d'Ivoire

	2012	2013	2014
Total des projets	275 735$	137 778$	263 951$
Total de l'aide	391 901$	260 973$	395 838$
Pays aidé	Kenya	Argentine	Mexique et Colombie

Je rappelle quelques explications :

- dans la ligne des projets se trouve le montant d'argent qui a été envoyé en mission, essentiellement dans le pays aidé, pour les projets ecclésiastiques et les projets de développement présentés par des missionnaires;
- la ligne du total de l'aide ajoute à la contribution pour les projets les montants qui ont été donnés pour des bourses d'études, pour des projets particuliers de missionnaires, pour des honoraires de messes à des prêtres en mission.

C'est ainsi qu'en 2011 et en 2012 le total de l'aide correspond aux montants suivants :

	2011	2012
Projets	257 012 $	275 735 $
Messes	40 000 $	30 000 $
Particuliers	64 229 $	61 166 $
Bourses d'études	20 000 $	25 000 $
Total de l'aide	381 241 $	391 901 $

On peut conclure ce qui suit :

- la collaboration du Centre de recherche et d'animation missionnaire Hall Notre-Dame

des Missionnaires de la Consolata à Montréal poursuit son aide au développement des peuples;
- le soutien et l'encouragement des bienfaitrices et des bienfaiteurs pour les projets de développement n'ont pas vraiment changé, même si le nombre de ceux-ci a diminué;
- l'aide à la mission par les honoraires de messe et les bourses d'études a légèrement faibli au cours des dernières années.

QUELS PROJETS DE DÉVELOPPEMENT?

En 2008, dans la revue *Réveil missionnaire*, vous pouviez lire toute une série d'articles sur la Colombie. Grâce à vous, nous financions 21 projets avec une aide totale de 155 850 $. Plusieurs des missionnaires aidés étaient originaires d'Afrique et maintenant missionnaires en Amérique du Sud.

Parmi eux, à Cartagena du Chaira, mission essentiellement composée de paysans pauvres, il y avait le père Jean Mugambi : « La seule institution qui puisse apporter quelque consolation à ces colons est l'Église et ses missions. » Notre lettre de campagne de carême présentait ainsi le projet :

« Le père Jean Mugambi nous a expliqué qu'une bonne centaine de personnes sentent le désir, pour ne pas dire la vocation, de devenir non seulement de meilleurs témoins de l'Évangile, mais aussi des leaders dans leurs communautés. Son projet est d'inviter quelques experts pour donner une série d'ateliers et de sessions de formation. C'est lui qui énumère les objectifs de son projet :
- donner plus d'autonomie à chaque petite communauté;

- établir des leaders dans chaque village et des responsables des communautés chrétiennes;
- encourager la paix et l'harmonie entre les villages et à l'intérieur des communautés;
- aider les colons à connaître et à faire reconnaître leurs droits humains fondamentaux;
- améliorer la propreté et la qualité de vie des familles paysannes dispersées dans la forêt;
- permettre à leurs enfants d'avoir une vie plus saine et plus heureuse. »

Ce projet de formation de leaders locaux me semble typique de nos œuvres missionnaires en pays latino-américains. Cette année-là, pour une somme totale de 155 850 $, nous ne financions que des projets de développement.

La campagne de 2009 portait sur la République démocratique du Congo. La campagne de Noël pour nos bienfaitrices et bienfaiteurs italophones leur présentait le projet du frère Dominique Bugatti pour le Centre nutritionnel d'Isiro. Dans cette ville de 300 000 personnes vivent des milliers de réfugiés souvent sans famille et sans ami, surtout des jeunes mamans qui fuient des zones de violence avec leurs enfants en bas âge. Chaque année, plus de 2 500 d'entre eux fréquentent le Centre nutritionnel :

« Le projet de Dominique veut surtout offrir un peu de formation à ces jeunes mères isolées, à celles qui viennent au Centre, mais aussi aux autres mamans qui vivent dans des villages éloignées à travers un programme de radio et la visite périodique d'une infirmière. »

Pour ce projet, nous avons envoyé 22 000 $ au frère Dominique. Cette année-là il y avait également un projet pour le secteur de la santé : le père Richard Larose, administrateur de l'hôpital de Neisu, avait demandé de meilleures constructions pour le dispensaire du village de Nembombi.

Treize projets vous étaient présentés en 2009 en faveur des missions et des pauvres du Congo. Sept d'entre eux concernaient l'éducation :
- l'alphabétisation de jeunes filles mères;
- la construction d'une nouvelle école primaire;
- la formation professionnelle;
- l'accompagnement de jeunes en difficulté;
- l'installation d'électricité pour des salles d'études;
- le soutien d'un internat pour de jeunes pygmées dont les parents sont nomades;
- l'aide à la francisation d'universitaires.

Nous discernons un seul projet plus ecclésiastique : de l'équipement pour les catéchistes de Neisu. Enfin, le père Marandu cherchait à créer une ferme pilote dans la banlieue d'Isiro. Le séminaire IMC de Kinshasa voulait des arbres fruitiers et des piscines à poissons pour améliorer la qualité de la nourriture. Au total, nous avons financé près de 180 000 $ de projets au Congo.

En 2010, nous retournions en Amérique du Sud; notre programme entendait financer douze projets au Venezuela.

Un de ces projets devait être réalisé à Nabasanuka, un village que le rédacteur en chef de la revue *Consolata Missionaries* avait visité. Il rendait compte de sa visite dans le numéro 277 de février 2010 de notre revue *Réveil missionnaire*. Domenic Cusmano avait été surpris de l'isolement et de l'éloignement de cette mission, située sur une île d'un des affluents du fleuve Orénoque, dans l'est du pays; après un vol de Caracas à Ciudad Guyana, il lui avait fallu deux heures en voiture pour se rendre à Tucupita, puis six heures en bateau pour rejoindre cette mission au milieu du peuple warao. Là, les missionnaires ont accordé leur priorité à soutenir ces autochtones dans le sauvetage et la promotion de leur langue et de leur culture. Le même numéro de *Réveil missionnaire* présentait leur projet de type culturel :

« C'est pourquoi pères et sœurs IMC ont entrepris le formidable projet de traduire en warao les textes liturgiques pour célébrer le Seigneur, un catéchisme qui permette aux enfants et aux catéchumènes d'appréhender les merveilles de Dieu, et même l'ensemble de la Bible : ainsi les Warao pourront se mettre à l'écoute des appels de Dieu et lui répondre, tout cela dans leur propre langue. »

Comme plusieurs l'ont remarqué, depuis quelques années, nous faisons aussi de la publicité à Radio Ville-Marie. Voici le texte du message concernant le projet du père K'okal à Nabasanuka : « Au Venezuela, plus de 90 % des peuples autochtones sont disparus, emportés par les maladies, par les violences. Depuis 3 ans, les Missionnaires de la Consolata œuvrent chez les Warao de Nabasanuka dans le delta de l'Orénoque et ils ont le projet de les aider à sauver leur culture. Ils veulent leur offrir la possibilité d'aborder le message évangélique dans leur propre langue, leur culture et leurs traditions. Ils désirent traduire en warao les textes évangéliques, le catéchisme et même la Bible. Pour réaliser ce projet, le père K'okal a besoin de votre aide. »

D'autres projets intéressants furent financés au Venezuela :
- une pharmacie coopérative pour offrir aux plus pauvres des médicaments à meilleur prix ;
- une résidence pour personnes âgées démunies à Barquisimeto.

Au total, nous avons envoyé plus de 140 000 $ pour ces douze projets.

En 2011, le Hall Notre-Dame invitait ses bienfaitrices et bienfaiteurs à aider des projets en Côte d'Ivoire. Parmi eux, trois projets dans le secteur de l'éducation :
- 25 427 $ pour du matériel didactique pour l'école primaire de Sago ;
- 19 010 $ pour l'alphabétisation des adultes à Grand-Zattry ;
- 17 500 $ pour l'aménagement de salles aux centres d'alphabétisation de Dianra et de Sononzo, dans le nord du pays.

Datée du mercredi des Cendres, le 9 mars 2011, je vous faisais parvenir une lettre qui expliquait comment chez les Sénoufo du nord de Côte d'Ivoire la plupart des enfants travaillent aux champs ou à la maison. En circulant avec le père Jean Willy, je vois des enfants dans un champ, je prends des photos, dont l'une a été publiée sur la lettre, et je lui demande d'arrêter :
« Ils sont trois : ils ont entre 8 et 12 ans. Ils s'appellent Kolocholama, Yalamisa et Tchégbé. Ils sont en train de labourer les champs de coton de leur famille. Ils sont couverts de sueur : nettoyer ainsi les champs sous l'implacable soleil africain, ce n'est pas une mince affaire. Évidemment, ils ne parlent pas français. Vont-ils à l'école ? Non,

s'occuper des bœufs et travailler aux champs occupent tout leur temps. »

Le père Willy m'explique que, chez les Sénoufo, ce sont les enfants qui s'occupent des bœufs et qui labourent les champs de coton, alors que les filles aident leur mère à la maison. Le problème, c'est que les champs de coton doivent être labourés non pas une fois, mais constamment. Ainsi, les enfants ne vont donc pas à l'école. Le taux d'analphabétisme est extrêmement élevé chez les Sénoufo. C'est le curé de la mission, le père Villa, qui continue :

« Oui, presque toutes les missions et toutes les Églises se sont mises à offrir des cours du soir, entre 19 et 21 heures! En effet, les enfants reviennent à la maison vers 18 heures et se lavent; normalement le repas du soir n'est pas prêt avant 20 heures 30; ainsi il y a une période de plus d'une heure où nous pouvons proposer des cours d'alphabétisation. »

Tel était le projet que nous vous proposions d'aider pour le carême 2011. Le père Villa demandait 17 870 $. Ce projet vous a particulièrement touchés, puisque le Hall Notre-Dame a reçu 58 383 $, plus que le triple que ce que demandait la mission de Dianra et de Sononzo. Comme d'habitude, nous avons envoyé au père Villa les 17 870 $ qu'il avait demandés et le surplus de cette campagne a été transféré à d'autres projets.

Une des caractéristiques des Missionnaires de la Consolata est, outre l'évangélisation, la collaboration à la pastorale et le développement, de promouvoir l'animation missionnaire et vocationnelle. Cette année-là, le Hall a aussi contribué à équiper le nouveau Centre d'animation à San Pedro, la troisième plus grande ville du pays. Un montant de 70 000 $ avait été sollicité pour cet ambitieux projet qui vous avait été présenté en page 31 du calendrier 2011 :

« La réalisation de ce rêve à San Pedro serait en quelque sorte la consécration de l'œuvre que les Missionnaires de la Consolata accomplissent en Côte d'Ivoire, pays où ils sont arrivés en 1996. Pourquoi ? Les IMC ont si bien travaillé depuis 15 ans, que déjà des jeunes, intéressés par nos œuvres et notre évangélisation, demandent à devenir missionnaire de la Consolata ! N'est-ce pas une belle récompense pour des missionnaires qui, pendant toutes ces années, ont travaillé très fort dans un pays au climat torride et dans des conditions sociales et politiques difficiles ? »

La bonne nouvelle, c'est que nos bienfaitrices et bienfaiteurs ont bien reçu cet appel et en 2012 nous avons pu envoyer les 70 000 $ demandés.

Notre coeur restait en Afrique en 2012. À la fin de l'année nous aurons envoyé 275 735 $ pour 14 projets au Kenya et en Ouganda :
- promotion de l'autonomie des veuves ;
- équipement informatique pour des bibliothèques, des écoles et des paroisses ;
- formation de leaders chrétiens.

Quant au père Kizito, qui œuvre dans un bidonville de Nairobi, il présenta un projet pour familiariser les jeunes à l'informatique, pour organiser des compétitions sportives et pour organiser des camps de réconciliation et de paix. Dans ma lettre du 22 février, je commentais : « Les besoins de la jeunesse sont immenses dans un pays comme le Kenya. Le père Kizito a décidé de faire sa part. Diffuser l'Évangile, ce n'est pas seulement l'assemblée dominicale de la belle église de Westlands, c'est aussi chercher à rejoindre les jeunes sur le terrain afin de leur faire partager le message de paix et de réconciliation de l'Évangile. »

Cependant le plus gros projet a été réalisé pour aider des camps de réfugiés somaliens grâce au creusage de puits et à l'installation de réservoirs d'eau ; pour ce seul projet nous avons envoyé presque 140 000 $, incluant une aide substantielle de l'organisme Terre sans frontières.

En Ouganda, la violence domestique contre les femmes et l'exploitation des enfants constituent un problème social très grave. À Kiwanga, à 10 km de Kampala, les Missionnaires gèrent un centre pour accueillir femmes et enfants violentés. Notre campagne de carême vous présentait Louisa, une jeune femme de bonne volonté :

« Louisa ne veut pas qu'elle-même et ses frères et sœurs soient de ceux qui, nombreux, depuis les jeunes enfants jusqu'aux femmes de tout âge, souffrent en silence, victimes de harcèlement sexuel et d'attentat à la pudeur. »

Les responsables présentèrent un formidable programme de sensibilisation de la population pour y mettre fin. Je pouvais conclure ma lettre en écrivant :

« Nous avons au Québec des garderies à 7 $ par jour. Le Centre de Kiwanga a besoin de 10 $ par jeune pour toute une année. Combien de jeunes comme Louisa et ses frères et sœurs aiderez-vous à se sortir de l'exploitation ? Combien en aiderez-vous à retrouver leur dignité ? »

Pour ce projet aussi, votre générosité a été exceptionnelle. Les missionnaires de Kiwanga demandaient 5 000 $, nous avons reçu un total de 64 883 $. Évidemment le surplus a servi à aider d'autres projets de nos missionnaires du Kenya et d'Ouganda.

En 2013, c'est l'Argentine que nous aidions avec 16 projets dans 5 missions différentes. Trois d'entre eux étaient dédiés à des femmes, deux visaient des jeunes et un autre proposait des cantines alimentaires pour des aînés. Quelques projets étaient plus ecclésiastiques : deux chapelles, l'aménagement d'une salle paroissiale et deux projets en animation missionnaire et vocationnelle. Il y avait aussi les projets pour deux bibliothèques. À Mendoza, je présentais également deux projets de justice sociale.

Pour nos campagnes de carême 2013, le nouveau responsable des campagnes, Jean-François Dubois, cosignait avec moi un appel des jeunes pour s'engager à devenir plus missionnaire :
« Le père Juan José Olivarez encadre ces jeunes, mais lors d'une rencontre après leur journée d'école, ce sont eux qui ont parlé et ont présenté leur projet et leur besoin d'appui. Ils ont expliqué leur désir d'organiser des rencontres missionnaires avec des plus jeunes pour leur parler du message de l'Évangile pour l'Argentine de 2013. »

Pour cela, les jeunes demandaient un projecteur, de l'équipement audio et sportif, de la papeterie, de la vaisselle, des casseroles et des ustensiles… le tout pour une valeur de 11 315 $. Ce projet et les autres projets d'Argentine ont été financés pour un total de 137 778 $, tandis que nous envoyions aussi 25 000 $ d'honoraires de messes, 25 000 $ de bourses d'études et 73 195 $ pour des projets communautaires d'autres missionnaires, pour un grand total de l'aide aux missions de 260 973 $.

Deux projets voulaient aider des gens en artisanat et en commerce : à Mendoza, des femmes voulaient perfectionner leurs habiletés en coupe et couture ; pour elles le père Togni demandait et a obtenu 5 485 $. Nous vous présentions ce projet dans le numéro 298 du mois d'août :

« Dans ce local, les femmes ont peu d'espace. Elles travaillent tassées les unes sur les autres parmi les ballots de vêtements déposés un peu partout. Les locaux sont petits et il y a beaucoup d'espace perdu sur le terrain. Sœur Maria Esther et sa dynamique équipe souhaiteraient abattre un mur et agrandir le local principal. Elles voudraient aussi agrandir l'arrière de la maison pour en faire un entrepôt. »

On avait choisi comme titre du projet : Un atelier en faveur des pauvres. À Jujuy, dans le nord du pays, des femmes associaient la fabrication de savon à la coupe et couture.

« Les pères Emmanuel Chacha et Pietro Togni, missionnaires de la Consolata, voudraient créer une école de musique et des arts du cirque comme alternative à la rue et ses embûches. Ces écoles se sont révélées de véritables foyers de vie et de motivation dans plusieurs pays en développement », expliquait-on en page 15 du no 299 d'octobre, sous le titre un peu ironique Sans tambour ni trompette ! Votre générosité nous a permis d'envoyer à Mendoza un peu plus de 10 000 $ pour ce beau projet.

En 2014, pour une année du bienheureux Joseph Allamano, nous vous interpellions avec le slogan : Partager pour consoler. C'est la jeune mission au Mexique et le nouveau Vicariat de Puerto Leguízamo en Colombie qui ont fait l'objet des campagnes 2014.

En date du 5 mars, nous vous faisions parvenir un appel du père Alessandro Conti, le responsable des IMC au Mexique, qui vit et travaille avec les jeunes défavorisés dans les quartiers au pourtour de Guadalajara. Il est témoin des dangers, drogue, prostitution, grossesses non désirées, violence des gangs, qui guettent ces jeunes, souvent désœuvrés, aigris et frustrés. » Pour eux, le père Alex veut ouvrir un Centre jeunesse : « Son plan prévoit l'organisation d'activités de loisirs et des ateliers pour aider ces garçons et ces filles à devenir des adultes confiants et indépendants. » Les campagnes de carême auprès des italophones et la campagne de rappel, pour celles et ceux qui n'ont pas répondu à l'appel du carême, portaient sur le même projet du père Conti. Finalement nous avons pu lui envoyer les 39 364 $ qu'il attendait.

En même temps que le tirage organisé par les Amis de la Consolata en faveur de nos œuvres au Canada, nous avons une campagne d'automne qui fut postée le 4 septembre. C'est le nouveau directeur du Hall Notre-Dame et responsable des campagnes, le père Jean-Marie Bilwala-Kabesa, qui signait cet appel pour une Missionnaire de la Consolata d'origine colombienne, sœur Maria Bertha Hernandez qui, dans la ville de Puerto Leguízamo, s'occupe des futurs mamans, des jeunes mères et de leurs bébés : « Issues de sociétés traditionnelles, de migrants à la recherche de terre, elles n'ont connu qu'indigence et précarité. Retirées de l'école au profit des garçons, elles se marient trop jeunes et vivent leurs premières grossesses alors qu'elles devraient encore jouer à la marelle. Leurs hommes, jeunes aussi, sont tués, déplacés, malades, délinquants, insouciants. Ces jeunes filles, ces jeunes femmes, devenues chefs de famille, peinent pour arriver. La tâche qui leur incombe est beaucoup trop lourde. » Le projet de sœur Bertha est de soutenir les bébés avec une meilleure alimentation et les mamans avec une formation de base, en hygiène surtout. Grâce à votre générosité nous avons pu lui faire parvenir les 20 000$ qu'elle demandait.

56 459 $ ont été envoyés pour les trois projets des IMC au Mexique, et 92 164 $ pour les cinq projets IMC en Colombie.

Ce panorama des projets des années 2008 à 2014 montre que, grâce à la charité de nos bien-faitrices et bienfaiteurs, le Hall Notre-Dame a pu continuer à soutenir les mêmes types de projets que dans le passé : en éducation et en santé, en agriculture, des projets concernant l'eau, l'artisa-nat et le petit commerce, des projets d'animation sociale, pour la promotion des droits, de la justice et de la paix, et en communication, des projets dans les grandes villes, souvent pour les jeunes dans les rues, et enfin des projets ecclésiastiques.

Ce qui a changé, ce n'est pas la générosité des bienfaiteurs et des bienfaitrices des Missionnaires de la Consolata au Canada puisque bon an mal an, le Hall Notre-Dame a pu financer près de 210 000 $ de projets par année, soit pour ces 7 années un total de presque un million et demi de dollars canadiens. Au cours de la même période, nous avons fait parvenir une aide totale en mis-sion de plus de trois millions de dollars, soit une moyenne de 330 000 $ par année.

Les changements sont dans la « couleur » des missionnaires. Tandis que dans les années 1960 à 1990, la majorité des missionnaires IMC sur le terrain étaient originaires d'Occident, maintenant la majorité d'entre eux sont d'origine africaine ou latino-américaine.

Votre générosité est suscitée surtout par les campagnes de publipostage que chacune et chacun d'entre vous reçoit par la poste trois ou quatre fois par année. Il y a aussi les six appels de *Réveil missionnaire* auxquels vous répondez normalement avec l'enveloppe insérée au centre de la revue. Depuis une quinzaine d'années, nous faisons aussi de la publicité dans quelques postes de radio, en particulier à Radio Ville-Marie et à Radio-Classique.

Dans les années 1980 et 1990, nous invitions aussi nos bienfaitrices et bienfaiteurs à un banquet annuel. Voici que depuis cinq ans nous organisons une nouvelle activité spéciale, un cocktail dînatoire en faveur de l'hôpital général de Neisu, une oeuvre des Missionnaires de la Consolata. Le père Richard Larose, IMC, un Québécois qui après son mandat comme conseiller général à Rome est retourné en République démocratique du Congo pour devenir administrateur de l'hôpital Notre-Dame de la Consolata.

Dans son livre *Nzambe Alalakate,* Nestor Saporiti a raconté les débuts de cette mission de Neisu, à environ 60 km d'Isiro, dans le nord-est du Congo. Dans un autre livre, *Au service des plus démunis,* je racontais la vie du père Oscar Goapper, missionnaire de la Consolata originaire d'Argentine et fondateur de l'hôpital de Neisu, devenu médecin en 1994 et qui est décédé le 18 mai 1999 après trois jours de maladie à l'âge de 48 ans.

Aujourd'hui l'Hôpital Notre-Dame de la Consolata a une capacité d'environ 150 lits et les patients sont soignés par 5 médecins, cinquante infirmiers, assistés de techniciens et de plus de 30 employés pour les autres services.

C'est auprès de 60 000 personnes dans un rayon d'environ 69 km autour de Neisu que l'hôpital et ses treize centres de santé (dispensaires) offrent des soins.

En 2011, le père Richard voulait des motos ambulances pour transporter plus rapidement les cas les plus urgents ; le cocktail dînatoire a permis de ramasser plus de 42 000 $, pour lui procurer 13 motos, grâce au généreux support de la CSAQ (Coopération des services d'ambulance du Québec) et de ses sociétés ambulancières, ainsi qu'à celui des nombreux bienfaiteurs des Missionnaires de la Consolata. En 2012, un conteneur plein de matériel médical et de médicaments a été expédié au Congo, en grande partie grâce à la CSAQ, au Groupe Jean-Coutu, à Collaboration Santé Internationale (CSI) et nos précieux bienfaiteurs. Ce cocktail eut lieu le 12 novembre au Château Dufresne, à Montréal, près du Stade Olympique. Divers commanditaires fournissaient plus de 10 000 $ en dons divers : CJPX, Cycle Néron, les Marchés Adonis, les Tours Gouin, la Caisse Desjardins Cité-du-Nord de Montréal, les FrancoFolies de Montréal, l'Orpailleur, le Gîte du Carrefour et Vues d'Afrique. En 2013 et en 2014, le cocktail eut lieu à la salle La Mandoline du marché Jean-Talon, toujours avec autant de succès, et la participation de plus de quatre-vingt personnes et invités ; en 2013, l'animateur était Jean-Pierre Coallier, propriétaire de Radio-Classique CJPX et enthousiaste commanditaire du projet, et en 2014, Claude Michel Coallier, son fils. Les profits ont permis au père Richard de renforcer un programme spécial auprès des Pygmées, « pauvres parmi les pauvres ».

Au cours des quatre années de la tenue de cette activité, la très grande majorité de nos commanditaires ont maintenu fidèlement leur appui à chacun des projets proposés. C'est avec reconnaissance que nous disons merci à nos commanditaires et à nos précieux bienfaiteurs pour leur généreuse contribution. Jusqu'à ce jour, le cocktail dînatoire nous a permis de recueillir plus de 150 000 $. Ne faut-il pas également remercier monsieur Gérald Larose, frère du père Richard, ainsi que madame Ghislaine Crête qui avec son comité organisateur, ont réussi à faire de cet événement un succès remarquable ? Par l'intermédiaire de ce missionnaire de la Consolata québécois qui se dévoue au cœur de la mission il a été possible de venir en aide à cette œuvre des Missionnaires de la Consolata à Neisu en RDC.

En 2015, le cocktail dînatoire célébrera sa cinquième année d'existence.

COMMANDITAIRES DE L'ACTIVITÉ SPÉCIALE
CSAQ et ses sociétés ambulancières : Ambulances Côte-Nord, Ambulances Abitémis, CTAQ, Dessercom, Ambulances l'Islet-Sud, Coopérative des paramédics de l'Outaouais, Ambulance Côte-de-Beaupré, Ambulances Médilac, Coopérative des ambulanciers de la Mauricie, Coopérative des travailleurs d'ambulance de l'Estrie, Ambulances Gilles Thibault, Ambulance Val d'Or, Coopérative des paramédics du Grand-Portage, Ambulance Manic.
Monette Barakett, avocats S.E.N.C.; Cycle Néron; Marché Adonis; CJPX; les Tours Gouin; Univins; Fondation Roncalli; Croisières CTMA; Me Fernand Deveau; Desjardins Caisse Cité-du-Nord de Montréal; Me Pierre Laramée; Services Parajuridiques Sylvie Ferland; Services Commémoratifs Pierre Dupont Inc; Ranger, Son – Éclairage; les 7 doigts de la main; Les FrancoFolies de Montréal; CSI; Vues d'Afrique; Gîte du Carrefour; Groupe Jean-Coutu; Vignoble de l'Orpailleur et Catherine Haller.

CHAPITRE 2

QUELS PROJETS?

On peut distinguer une bonne dizaine de types de projets réalisés par ou en collaboration avec les missions.

1. PROJETS EN ÉDUCATION

2. PROJETS EN SANTÉ

Avant les années 1950, la plupart des projets des missionnaires appartenaient aux domaines de l'éducation et de la santé. Spécialement dans la première moitié du vingtième siècle, les missionnaires ont construit partout des écoles, d'abord primaires, puis secondaires, des dispensaires et enfin des hôpitaux. Après la décolonisation des années 1960, les gouvernements ont assumé la direction et la gestion de ces institutions.

Les missions n'ont pas totalement cessé leur contribution dans ces secteurs, mais se sont consacrées à des institutions plus spécialisées et à des programmes de formation.

3. PROJETS EN AGRICULTURE

Un des problèmes les plus ressentis par tous les humains est celui de la faim; la famine et la malnutrition attirent les médias. Pour les contrer, il faut d'abord développer l'agriculture dans les régions désertiques ou semi-désertiques, cela signifie souvent offrir une irrigation ou creuser des puits ; dans une région montagneuse, contre-carrer l'érosion ; dans une région forestière, mieux gérer la forêt...

4. PROJETS CONCERNANT L'EAU

L'eau potable est une richesse et peu nom-breuses sont les populations du monde qui en jouissent grâce à un accès facile, abondant et sain. Comme la faim, la soif attire les médias ; il n'y a rien de plus expressif qu'un sol déchiré par la sécheresse...

5. PROJETS D'ARTISANAT ET DE COMMERCE

Les missionnaires ont à cœur de donner à leurs gens un petit travail qui leur permette de se débrouiller dans la vie. Les emplois sont insuf-fisants presque partout dans les pays pauvres ; il vaut mieux enseigner à pêcher, plutôt que de donner du poisson, enseigner un artisanat ou comment gérer une entreprise ou un commerce...

6. PROJETS D'ANIMATION SOCIALE

La formation n'est pas uniquement dispensée dans les écoles. On a vu se multiplier, après le milieu du vingtième siècle, des programmes de formation et d'animation pour aider les gens à se développer et à s'impliquer : par exemple, en participant davantage à la vie politique, en acquérant des habitudes plus hygiéniques, en promouvant mieux leur propre culture...

7. PROJETS DANS LES GRANDES VILLES

Les Nations Unies ont annoncé au début du XXIᵉ siècle que la majorité des humains étaient maintenant des citadins... Plus du quart des humains habitent dans des bidonvilles ! Comment aider tous ces nouveaux migrants à avoir un logement décent? Les bidonvilles ne sont pas le seul défi des grandes villes...

8. PROJETS EN COMMUNICATION

Pendant des siècles, les missionnaires ont proclamé l'Évangile oralement, de vive voix, à une ou à de petits groupes de personnes. Après l'avènement de l'imprimerie, le XXᵉ siècle a vu naître les grands médias électroniques. Les missionnaires y ont vu une opportunité extraordinaire de rejoindre la grande masse des humains par la radio, le cinéma, la télévision, l'Internet...

9. PROJETS CONCERNANT LES DROITS, LA JUSTICE ET LA PAIX

Avec l'extraordinaire prise de conscience de la dignité de chaque être humain, quelques missionnaires ont développé des ministères de défense et de promotion des droits de la personne, et plus récemment des droits des minorités et des marginalisés. Selon Jean-Paul II, le XXᵉ siècle a été un des plus violents de l'histoire : les conflits, les guerres et les violences se sont multipliés partout. Nombreux sont les missionnaires et les organismes des Églises qui se dédient à promouvoir la paix et la réconciliation entre les ennemis d'hier.

10. PROJETS ECCLÉSIASTIQUES

J'appelle ainsi tous les projets qui visent à doter les communautés chrétiennes des institutions, des structures et des édifices nécessaires à leur bon fonctionnement : chapelles et églises, salles et bibliothèques, centres de catéchisme, de catéchèse et séminaires...

11. LES URGENCES

Inondation ici, tremblement de terre là, tsunami, volcan... Les désastres, qu'ils soient naturels ou provoqués, comme souvent les feux de forêt, exigent une réponse adaptée, rapide et coordonnée. Plusieurs organismes se sont spécialisés dans cette aide d'urgence. Le Hall Notre-Dame a accordé une certaine aide à des situations d'urgence, comme après les inondations au Mozambique et les feux de forêt au Brésil. Parmi les organismes qui œuvrent dans ces interventions urgentes, la plus connue est certes la Croix Rouge internationale, mais il y a aussi des organisations catholiques, comme la *Catholic Relief Services* des évêques des États-Unis, le Secours catholique français, la Caritas international...

Dans le reste de cette première partie, je ne reviendrai pas sur ces projets d'urgence qu'il est facile de comprendre et de justifier. Dans les prochaines pages, mon intention est, à partir de l'histoire du Hall Notre-Dame et de mon expérience personnelle, d'illustrer davantage chacun des autres types de projets. Mes exemples seront avant tout tirés de projets financés par le Hall Notre-Dame, mais au besoin je ferai référence aussi à d'autres projets, surtout à des projets que j'ai rencontrés ou visités dans mon service aux Œuvres pontificales missionnaires.

1. PROJETS EN ÉDUCATION

Selon L'Annuaire statistique de l'Église catholique 2002, dans l'ensemble du monde, des institutions catholiques possèdent et administrent 63 103 écoles maternelles, 91 550 écoles primaires ou élémentaires, et 37 275 écoles secondaires, accueillant un total de plus de 50 millions d'enfants. La majorité de ces institutions se trouvent dans les Amériques, puis en Asie et enfin en Afrique.[17]

---

[17] *Annuarium Statisticum Ecclesiae 2002,* Roma, Vaticana, 2004 en page 248. Les statisticiens David Barrett et Todd Johnson ont estimé qu'en 2000 l'ensemble des Églises chrétiennes dirigeaient 170 000 écoles primaires, 50 000 écoles secondaires et environ 1 500 collèges et universités; les mêmes experts considèrent que près de 14 % des dépenses annuelles du Christianisme sont en éducation : cité en M. POCOCK, G. VAN RHEENEN et D. McCONNELL, *The Changing Face of World Missions,* Grand Rapids, Baker, 2005 en page 63.

Il ne faut pas oublier que l'enseignement ou l'éducation est considéré par plusieurs congrégations religieuses comme faisant partie de leur charisme. C'est le cas par exemple des Jésuites et des Salésiens, mais aussi des Frères Maristes et des Frères de l'Instruction chrétienne (FIC). J'ai visité plusieurs fois des FIC québécois qui dirigeaient un collège secondaire à Dungu, dans le nord-est du Zaïre.

Presque tous les états du monde administrent maintenant leur propre système scolaire. Les experts évaluent que les gouvernements réussissent assez bien dans l'enseignement primaire, mais moins bien dans l'enseignement secondaire; les services offerts au niveau des universités et des institutions spécialisées sont la plupart du temps insuffisants. Il est donc devenu rare que le Hall Notre-Dame subventionne la construction d'une école primaire. Vers la fin de 1999, nous avons reçu une telle demande de la part des missionnaires de la Consolata qui oeuvraient à San Pedro dans le Sud-Ouest de la Côte d'Ivoire.

À la réception de la demande, nous avons tout de suite demandé pourquoi le gouvernement ne s'occupait pas de construire lui-même l'école primaire dans le village de Watte, situé à 37 km au nord-ouest de San Pedro, la deuxième plus grande ville de Côte d'Ivoire, dans l'ouest du pays. La réponse a été claire et ferme : dans ce village résident des immigrants qui viennent du Mali, du Bénin et du Burkina Faso, et comme les tensions sont grandes face à ces immigrants, le gouvernement ivoirien ne leur offre pratiquement aucun service. Nous avons donc décidé d'adopter ce projet dans nos campagnes de l'an 2000. C'est ainsi que nous avons publié un appel en faveur de l'école de Watte dans le numéro de *Réveil*

Missionnaire de février 2000. Un des objectifs du projet était de mieux intégrer les enfants de ces immigrants à la société ivoirienne. Pour démarrer l'école, on demandait 18 000 $.

Un groupe d'enseignants retraités de l'Ontario s'est montré intéressé à financer entièrement le projet et même, étant donné les besoins manifestés, à doubler la subvention, entre autres grâce à un cofinancement de l'ACDI – l'Agence canadienne de développement international. Le 30 mai 2000, ces enseignants présentent le projet à leur association qui elle aussi s'enthousiasme. Ils décident d'impliquer un plus grand nombre d'enseignants retraités et de présenter le projet de l'école de Watte à leur congrès annuel au cours de l'été suivant. Le projet prend de l'ampleur, car les enseignants veulent ajouter des latrines, une bibliothèque, des panneaux solaires, une génératrice, etc. Ils communiquent avec l'association internationale de l'éducation qui leur confirme les faits. Le projet est bien lancé... On parle maintenant de 60 000 $.

De nouveaux contacts sont établis avec les gens de Watte au cours de l'été 2000; ils sont enthousiastes, mais demandent de commencer trois classes tout de suite pour que les enfants commencent l'école dès septembre 2000. La réponse de l'ACDI est aussi claire que ferme : l'Agence n'offre pas de subvention à des projets qui ont déjà été réalisés ou commencés. Nous demandons aux gens de Watte d'être patients. Ici au Canada les réunions et les rencontres se multiplient à l'automne 2000. Une fondation offre son assistance pour négocier avec l'ACDI qui exige moult rapports et réponses. La campagne de financement auprès des enseignants et les échanges entre la Fondation et l'ACDI durent tout l'hiver.

Le 12 janvier 2001, je me rends à Ottawa, je l'espère, pour la dernière rencontre avec l'association des enseignants retraités. Des ajustements sont apportés au projet : à Watte, ils n'ont pas besoin du puits ni des panneaux solaires, mais on décide d'agrandir la bibliothèque. Les négociations avec l'ACDI vont bon train, mais l'agence pose de nombreuses questions : combien de femmes sont impliquées dans le projet, combien d'arbres seront coupés, pourquoi y a-t-il deux édifices de trois classes au lieu d'un bâtiment de six classes, y a-t-il une infirmière disponible...

Le père Olaya, supérieur IMC et curé de la mission, rencontre à nouveau les parents de Watte et envoie leurs réponses aux questions de l'ACDI par Internet, mais les ordinateurs ne sont pas compatibles et, finalement, cela retarde d'un bon mois l'acheminement des réponses.

La demande officielle est finalement présentée le 7 juin 2001 à l'ACDI qui demande quelques mois pour étudier l'ensemble du dossier. En juillet, il y a rencontre de l'ambassadeur de Côte d'Ivoire à Ottawa... Le 5 juillet, nous sommes informés que l'ACDI a modifié ses critères et sa philosophie et que maintenant il faudra aussi prévoir une formation pour les professeurs de l'école primaire de Watte avec des experts en provenance du Canada. La responsable du projet écrit dans sa lettre : « Les demandes de l'ACDI nous ont pris un peu par surprise, mais nous trouvons qu'elles sont sages. » L'ambassadeur de Côte d'Ivoire s'insurge et explique que dans son pays les professeurs sont déjà formés et qu'ils n'ont pas besoin des experts canadiens. Les derniers documents arrivent enfin de Côte d'Ivoire : attestation de la municipalité de Watte, attestation de l'évêque qui prend en charge l'école, certificat de propriété du terrain, etc. À la fin du mois d'août, une demande modifiée est de nouveau acheminée à l'ACDI.

En septembre, je reçois un téléphone du père Olaya. Les parents de Watte sont désespérés, cela fait deux ans qu'ils attendent leur école primaire pour leurs enfants et ces derniers grandissent de jour en jour sans école. J'envoie un message au père Olaya et je lui propose que les Missionnaires de la Consolata fassent une avance de 20 000 $ pour permettre aux enfants de Watte d'avoir leurs premières classes pour la prochaine rentrée scolaire.

Le 19 décembre 2001, je reçois une lettre de la responsable du projet à Ottawa qui m'informe que l'association des enseignants se retire du projet de Watte parce que sur place les constructions sont déjà commencées, alors qu'ici l'ACDI n'a pas encore donné son accord! Le Hall Notre-Dame décide d'envoyer 20 000 $ aux parents de Watte. Ce sont donc les bienfaitrices et les bienfaiteurs des Missionnaires de la Consolata du Canada qui ont financé l'école primaire de Watte.[18]

J'écrivais que la plupart des états du Tiers-Monde pourvoient maintenant à la construction des écoles primaires et secondaires, mais souvent ces écoles sont très peu équipées. C'est ainsi qu'en 1986 nous avons reçu une demande pour sub-ventionner des laboratoires de sciences à l'école de Meki en Éthiopie pour un montant de 5 900 $ et une autre semblable pour des laboratoires de sciences à l'école secondaire de Mufindi en Tanzanie pour un montant de 12 000 $; dans ces deux cas, OXFAM a contribué à ces projets. En 1991, un projet similaire souhaitait 32 200$ pour des laboratoires à l'école secondaire de Mbondoni

---

[18] La documentation pour ces projets se trouve dans les archives des Missionnaires de la Consolata à Montréal; pour le projet de Watte à u12.3.

au Kenya; cette fois-ci, c'est le Club 2/3 qui a cofinancé. Dans ce dernier cas, le projet explicitait que les objectifs étaient « d'améliorer la qualité de l'enseignement des sciences [...], d'améliorer la performance de nos étudiants [...], de découvrir les étudiants qui ont un penchant pour les sciences naturelles. »[19]

La plupart du temps, les états pauvres demandent aux parents de payer des frais pour que leurs enfants fréquentent l'école; pour des familles pauvres, même ces modestes frais, de quelques dollars par année, posent problème! C'est pourquoi, des missionnaires ont élaboré des projets pour financer la fréquentation scolaire des enfants les plus nécessiteux. Ce fut le cas de sœur Aldina Predieri, une missionnaire de la Consolata qui œuvre à Gambo, en Éthiopie. En 2000, elle a présenté une demande d'aide pour 600 enfants particulièrement misérables des écoles primaires et pour 25 bourses d'étude à accorder à des jeunes du secondaire. Grâce à un cofinancement de la Fondation Roncalli, le Hall Notre-Dame a pu lui faire parvenir 12 000 $. Dans son rapport final, la missionnaire souligne le succès du projet qui a permis à 5 étudiants de se rendre à l'université et à 6 autres de fréquenter un collège d'enseignement supérieur, et elle ajoute : « Le plus grand défi a été de choisir parmi les familles pauvres, car elles sont bien nombreuses, celles qui étaient intéressées à s'engager plus à fond dans un processus d'amélioration de leurs conditions de vie. »[20]

Les missionnaires ont aussi ouverts des institutions d'enseignement plus spécialisées dont

[19] Voir u8.47, u9.47 et u10.41.

[20] Les projets récents ne sont pas encore archivés; celui-ci porte le no 1029.

les états s'occupent peu. C'est ainsi que les bien-faitrices et les bienfaiteurs du Hall Notre-Dame ont beaucoup aidé l'école pour les aveugles que les IMC ont ouverte à Shashemane en Éthiopie.[21]

En 2008, une de nos campagnes a porté sur l'orphelinat de San Vicente, en Colombie, que l'évêque du lieu, monseigneur Luis Augusto Castro, avait inauguré en 1991 avec une aide de plus de 30 000 $ en provenance du Club 2/3 et des Missionnaires de la Consolata. Dans la situation de violences et de guerres persistantes en Colombie depuis près de 20 ans, un grand nombre d'enfants se retrouvent orphelins du jour au lendemain. Le projet de 1991 a aidé à bâtir La Ferme des enfants, tandis que la campagne de 2008 l'a aidé à mieux équiper sa ferme d'élevage et ses jardins.[22]

À la fin des années 1980 et au début des années 1990, je suis allé à trois reprises visiter nos missions de Tanzanie et y recueillir les infor-mations pour nos campagnes annuelles auprès de nos bienfaitrices et de nos bienfaiteurs. Dans ces années, le gouvernement de Tanzanie avait ouvert une nouvelle école pour éducatrices de maternelles (les *kindergarden*). Il en résultat que presque toutes les missions avaient des projets de maternelles! Au début, cela m'intrigua, mais bien vite j'ai compris la situation particulière des mamans tanzaniennes : ce sont elles qui cultivent la terre, et, avec un ou deux bébés sur les bras, ce travail devient harassant et compli-qué, puisqu'il faut surveiller le bébé et en même temps travailler la terre. La solution des mater-nelles s'est imposée par tout le pays, aussi parce que quelques pays occidentaux subventionnaient

---

[21] Voir u1.133. Mentionnons des projets d'offrir à des handicapés des chaises roulantes adaptées à leurs besoins : voir u 9.111.

[22] Voir u9.112.

un repas gratuit par jour à tous les bambins des maternelles.[23]

Mais il n'y avait pas que les tout-petits; dans les villes, les plus grands posaient leur lot de problèmes. C'est ainsi qu'à Sadani, dans le centre du pays, sur les bords du fameux *rift*, mon confrère et ami, le père Lucio Abrami, m'a présenté le projet d'un centre de loisirs et d'animation pour les jeunes de sa paroisse; sa demande était de 20 200 $. Le centre hébergerait des étudiants de l'école secondaire qui n'avaient pas de parents en ville; il offrirait un lieu de rencontres et de loisirs pour tous; il y aurait aussi une salle d'étude et une petite bibliothèque; Lucio ajoutait un cours de menuiserie pour les garçons et un cours de coupe et couture pour les filles. Son projet a été financé en partie par la communauté européenne. De plus en plus, nous recevons et finançons des projets en faveur des enfants de la rue.

L'analphabétisme est encore trop élevé dans le monde. Cela est particulièrement vrai dans les régions qui ont souffert de guerres civiles et de toutes sortes d'autres violences. C'est ainsi qu'après les guerres d'indépendance et civile au Mozambique, le nombre des analphabètes était particulièrement élevé. Plusieurs missions ont élaboré des projets d'alphabétisation des adultes. Ce fut le cas d'un projet de la mission de Massinga; avec l'aide de La Croix d'or, nos bienfaitrices et nos bienfaiteurs l'ont subventionné pour une somme de 12 850 $.[24] De même en 2006, le Hall Notre-Dame a aidé la paroisse de Saint-Hilaire, dans un bidonville de Kinshasa (République démocratique du Congo); il s'agissait

---

[23] Voir par exemple le projet d'une maternelle à Iringa : u10.43.

[24] L'OPAM est une ONG qui se consacre entièrement à l'alphabétisation. Cette œuvre a publié de nombreux livres à ce sujet : par exemple OPAM, *Insegnali a pescare*, Bologna, EMI, 1987.

de permettre à une centaine de jeunes analphabètes d'apprendre à lire, à écrire et à compter, tout en les faisant réfléchir aux défis qu'ils doivent affronter.[25]

Les Jésuites œuvrent dans de nombreuses universités partout dans le monde. Quelques Missionnaires de la Consolata enseignent ou travaillent dans des universités, mais ce sont des exceptions. Au début des années 1990, nos confrères du Mozambique ont été les principaux initiateurs de la deuxième grande université du pays, à plusieurs campus (comme l'université du Québec), mais dont le centre est à Beira, la deuxième plus grande ville du pays. À ce que je sache, le Hall n'a pas contribué au financement de cette université, qui, me semble-t-il, a été et est encore beaucoup financée par l'organisme des évêques allemands, Misereor.

Dans un document de la Sacrée Congrégation pour l'Éducation catholique, on lit :
« C'est pour remplir sa mission d'évangélisation [...] que l'Église établit des écoles catholiques, parce qu'elle voit dans l'institution scolaire un moyen privilégié de formation intégrale [...] L'école catholique s'insère dans la ligne de la mission de l'Église, en particulier dans sa tâche d'éduquer la foi. »[26]

Quand je travaillais aux Œuvres pontificales missionnaires, j'ai aussi visité des dizaines de grandes écoles catholiques construites et gérées par des missionnaires canadiens. Je me souviens des écoles des Frères du Sacré-Cœur à Madagascar, d'une école primaire et d'une magnifique école secondaire dirigées par des missionnaires de l'Immaculée-Conception à Tananarive

---

[25] Ce projet, plus récent, porte le no 1116.

[26] Il s'agit d'un document de 1977 : voir en www.vatican.va.

et des 17 collèges qu'un frère de l'Instruction chrétienne conseillait au Cameroun... Avec tous ces gens, j'ai essayé de mieux saisir la valeur de cet effort missionnaire. Presque toutes et tous m'ont rappelé qu'aucune institution humaine n'est parfaite, pas même les écoles catholiques. Dans plusieurs pays, elles sont fréquentées d'abord par les nantis et les riches. Je me souviens aussi d'un collège dans un pays où sévissait une cruelle dictature militaire; le directeur se vantait que son collège comptait parmi ses anciens étudiants plusieurs des ministres en titre... cela me mit mal à l'aise! Mais il y a d'autres questions : quand on favorise la transmission du savoir et des valeurs à travers les écoles, au lieu d'une transmission par les personnes plus âgées, ne contribue-t-on pas au conflit des générations et à la dévalorisation de la culture locale? Dans certains pays pauvres, les coûts du ministère de l'éducation ne sont-ils pas disproportionnés par rapport à des ministères à vocation plus économique?[27] J'ai moi-même fait écho à ces critiques dans un article publié dans la revue *Univers* en 1987.[28]

2. PROJETS EN SANTÉ

Dans les années 1950, on entendait beaucoup parler de la lèpre; cette maladie a pendant longtemps suscité beaucoup d'émotions et attiré des fonds. Du Canada nous avons aidé quelques léproseries, surtout en Afrique. Ici au Québec,

---

[27] Voir aussi Pierre ERNY, *L'Enseignement dans les pays pauvres*, Paris, L'Harmattan, 1977 qui présente divers modèles d'éducation : écoles coopératives et écoles communautaires, écoles de promotion collective et maisons familiales rurales. Le chapitre 7 examine les paradoxes et malentendus de l'aide extérieure; voir aussi M. RAHNEMA & V. BAWTREE ed. *The Post-development* Reader, London, Zed, 1997 en pages 119-122 et 153-160.

[28] J. PARÉ, « Questions à l'école », en *Univers* de Novembre-décembre 1987, en pages 25-27.

Secours aux Lépreux est un organisme consacré à combattre la lèpre. Au niveau international, il y a les organismes créés par Raoul Follereau[29] en France et autour du Père Damien.[30] La Fondation Raoul-Follereau fut créé en 1967, spécifiquement pour lutter contre la lèpre; elle a maintenant élargi son activité en faveur d'enfants en détresse et dans des projets de réinsertion sociale; elle travaille dans près de 30 pays, surtout en Afrique; en 2007, elle a donné plus de 6,5 millions d'euros pour les programmes d'aide sur le terrain, dont 4,67 millions à des projets dans le domaine de la santé. La Fondation Damien, créée en 1964, est plus tard devenue Action Damien; elle travaille contre la lèpre, et de plus en plus contre la tuberculose, dans 16 pays de trois continents différents. Il y a encore des cas de lèpre, même ici au Canada, mais la maladie n'est plus l'épidémie épouvantable qui rongeait les mains et les pieds des malades, comme j'en ai encore vu en Afrique dans les années 1970. C'est parce que la maladie est maintenant bien contrôlée que ces organismes ont élargi leur finalité.

C'est en 1977 que les missionnaires de la Consolata de la communauté d'Isiro, au Zaïre, acceptaient la responsabilité pastorale d'un territoire de plus de 5 000 km² à l'ouest de la ville. Dès 1980, le père Jean Venturini demandait une aide pour construire un dispensaire sur ce nouveau territoire de presque 50 000 personnes sans aucun soin de santé. Du Canada, le Hall Notre-Dame acceptait de financer la construction de

---

[29] Écrivain français né en 1903 et mort en 1977; c'est lui qui a créé la Fondation Raoul-Follereau.

[30] Le père Damien, né Joseph de Veuster en 1840 et mort de lèpre en 1889 avait été un missionnaire belge qui a consacré une partie de sa vie aux lépreux de l'île de Molokai (Hawaï). Il devrait être canonisé par Benoît XVI en 2008.

ce premier dispensaire avec deux chambres, une salle de consultation et une infirmerie.

Sur ce territoire, dans les années qui suivirent, les IMC ouvrirent la nouvelle mission de Neisu et y destinèrent deux missionnaires argentins, les pères Nestor Saporiti et Oscar Goapper.[31] Oscar avait un talent naturel pour soigner les gens, il prit donc en charge le petit dispensaire et le transforma d'abord en centre de santé, puis en hôpital, au moment même où il réussissait des études de médecine à l'université de Milan. Là, en Italie, il put s'entourer d'un bon groupe d'amies et d'amis qui l'ont soutenu dans la construction et la gestion du nouvel hôpital en pleine jungle de l'Afrique équatoriale.

L'hôpital Notre Dame de la Consolata de Neisu est un des trois hôpitaux encore entre les mains des Missionnaires de la Consolata, les deux autres étant à Gambo en Éthiopie et à Ikonda en Tanzanie. Actuellement avec 147 chambres, l'hôpital offre les services de consultations, de médecine interne, de pédiatrie, de gynécologie-obstétrique et de chirurgie, ainsi que des consultations externes. Il administre également 8 centres de santé et 2 postes de santé. Avec ses 5 médecins et ses 47 infirmiers, en 2007, il a offert 5 515 consultations externes, hospitalisé 3 529 malades et procédé à 646 interventions chirurgicales. L'hôpital possède une pharmacie et fabrique une partie de ses médicaments; il a aussi un centre nutritionnel et offre des services de radiologie et de dentisterie. C'est maintenant le père Richard Larose qui est l'administrateur de l'hôpital.

---

[31] Le premier a raconté merveilleusement leur arrivée et installation à Neisu dans le livre *Nzambe Alalaka Té. Expériences d'un mission-naire argentin au Congo*, Montréal, Missionnaires de la Consolata,1999.

Un des défis d'un hôpital situé en pleine jungle, est de trouver les médicaments dont il a besoin. Ici au Québec, nous avons l'organisme Collaboration Santé Internationale; plusieurs fois, grâce à leur expertise, des conteneurs ont été expédiés à Neisu pleins d'équipement médical et de médicaments.[32]

Les projets ne réussissent pas toujours autant qu'on le voudrait. En 1986, le nombre de cas de tuberculose avait explosé sur le territoire du centre de santé de Neisu : en six mois, une cinquantaine de cas avaient été diagnostiqués. Le père Oscar Goapper fit appel au Hall Notre-Dame pour promouvoir une importante campagne contre cette maladie. Son projet parvint à nos bureaux en août de cette même année. Naïvement, il confiait ne pas croire que son projet pourrait s'autofinancer puisqu'il n'était pas possible de demander aux gens de payer un vaccin! Il demandait environ 15 000 $ CND pour financer les deux volets du projet : une campagne de vaccination et d'éducation et ensuite les soins assurés à 120 personnes atteintes de tuberculose, au tarif donné par l'OMS, soit 55 $ US par patient.

Nous avons retravaillé le projet du père Goapper et l'avons présenté à l'organisme Assistance Médicale Internationale à Montréal. L'organisme a procédé à trois envois de matériel à Neisu, mais il n'y eut jamais aucune réaction en provenance du Zaïre; face à ce silence, une lettre de février 1991 mettait donc fin à la collaboration de cet organisme avec le Centre de santé du père Oscar Goapper à Neisu.[33] Assistance Médicale

---

[32] Voir u8.27.

[33] J'ai raconté l'histoire du père Oscar Goapper dans deux livres : *Oscar et Antonio. Au cœur de la mission*, Missionnaires de la Consolata (Congo), 2001 et *Au service des plus démunis*, Montréal, Missionnaires de la Consolata (Canada), 2007.

Internationale en profita pour réviser ses critères d'intervention dans les pays du Tiers-Monde.

Un de leurs nouveaux critères était que les projets de santé devaient intégrer thérapie et prévention; on ne voulait pas travailler seulement contre les maladies (thérapie), mais tout faire pour contrer leurs causes (prévention). Il s'agissait là des principales caractéristiques d'un projet présenté en 1998 par les sœurs et les pères missionnaires de la Consolata de Monte Santo, dans le nord-est du Brésil. Leur projet incluait trois volets :

1. d'abord pour les femmes enceintes et les jeunes mamans, le projet prévoyait une clinique pour soigner et pour enseigner aux mamans la propreté et une meilleure nutrition; une équipe d'animatrices et d'animateurs auraient pour tâche de visiter toutes les maisons du village pour y faire de l'éducation sanitaire; la demande d'aide de la part des missionnaires de Monte Santo expliquait :

« L'hygiène laisse beaucoup à désirer. Dans les maisons, on fait souvent manger les porcs dans les mêmes plats où l'on cuit les aliments pour les humains [...] Il faut inspecter les réservoirs où l'eau est conservée. »

2. Le deuxième volet visait la promotion des jeunes femmes. Dans ce but, on proposait des cours d'art culinaire et de coupe et couture.

3. L'alphabétisation des adultes constituait le troisième volet. 80 % des résidents de Monte Santo étaient analphabètes.

C'est mon successeur comme directeur du Hall Notre-Dame, le père Joseph Galantino, qui peaufina le projet de Monte Santo et l'intitula : Centre de formation d'agents de la santé et promotion de la femme. Il l'a présenté au Club 2/3 qui a approuvé un budget de 60 000 $. Le montant a été expédié au Brésil en trois versements, car les rapports d'étapes exigés par l'organisme ont tous été présentés ponctuellement au Club 2/3.[34]

Une autre demande, qui m'étonna aux premiers abords, nous est parvenue en 1986, mais après réflexion nous avons évalué que le futur était là. Elle avait été transmise par le père Venturini, de la nouvelle mission de Neisu. Elle provenait d'un abbé zaïrois, l'abbé Katakape-Lembe, du diocèse d'Isiro-Niangara, qui demandait une aide pour commencer l'exploitation de plantes médicinales à Nakudele; il s'agit d'un petit village à environ 200 km au nord d'Isiro. L'abbé expliquait qu'il s'agissait de profiter de connaissances traditionnelles des cultures locales pour fabriquer des médicaments avec des méthodes plus modernes et scientifiques, afin de traiter une bonne cinquantaine de maladies, comme l'infection par des amibes, l'asthme, les diarrhées, la grippe, la fièvre, certaines insuffisances hépatiques, des maladies mentales, etc. Le projet devait se dérouler en trois étapes : la recherche des plantes, leur culture et leur récolte :

« Cette recherche s'impose avec urgence dans notre pays où les connaissances des plantes médicinales ont toujours été transmises oralement. Chaque fois qu'un vieux guérisseur meurt sans dévoiler son secret, la population en sentira douloureusement la perte. »

Le Hall Notre-Dame a présenté le projet au Club 2/3 pour un cofinancement et ensemble nous avons subventionné le projet de l'abbé Katakape-Lembe pour un montant total de

---

[34] Voir u8.22.

2 500$.[35] Quelques années plus tard, le père Oscar Goapper élaborera un projet tout à fait semblable. Aujourd'hui, l'hôpital Notre Dame de la Consolata de Neisu produit sur place une quantité intéressante des médicaments prescrits par ses médecins.

L'hôpital d'Ikonda, dans le centre est de la Tanzanie, est lui aussi un des hôpitaux dirigés entièrement par les Missionnaires de la Consolata. Dans les années 1980, cet hôpital desservait une population de plus de 150 000 personnes. En 1984, il y avait eu 34 073 jours d'hospitalisation et 19 128 patients externes. Signalons ici deux projets que nous avons subventionnés en 1982 et en 1988, dans le cadre de deux campagnes annuelles en faveur de la Tanzanie.

Le premier consistait en la construction d'un nouveau département de pédiatrie, pour accueillir les enfants souffrant de sous-alimentation et de malnutrition. Près de 40 000 $ avaient été demandé au Club 2/3 pour cofinancer ce projet. Un dépliant spécial avait été imprimé et envoyé à tous nos bienfaiteurs : leur réponse fut extraordinaire, notre cofinancement était assuré. Pour les Missionnaires de la Consolata de Tanzanie, ce projet était tellement important qu'ils déléguèrent au Québec leur administrateur provincial, le père Franco Cellana, afin de le défendre devant les experts du Club 2/3. Finalement, tout fut accepté et réalisé, mais avec une modification importante : deux départements furent construits, l'un pour la pédiatrie générale, et le deuxième, un centre nutritionnel pour recevoir plus spécifiquement les enfants mal nourris ou sous-alimentés; la raison de ce dédoublement était explicitée clairement :

---

[35] Voir u8.38.

« Actuellement les enfants (en 1980, 1 819 enfants ont été hospitalisés) sont dispersés partout dans l'hôpital. La plupart souffrant de malnutrition, ils attrapent plus facilement toutes sortes d'autres maladies [...] L'expérience a montré qu'il n'est pas opportun que les enfants malades de malnutrition soient dans les mêmes chambres que les autres malades »

Je suis convaincu que ce centre nutritionnel a sauvé la vie de centaines d'enfants innocents![36]

L'hôpital d'Ikonda est isolé dans une région montagneuse bordant le Lac Malawi, où passe la frontière avec le pays du même nom. La question de l'énergie se posait donc dramatiquement; jusqu'alors des génératrices assuraient l'électricité indispensable pour les salles d'opération et beaucoup de matériel médical. Mais aller chercher le carburant à des centaines de kilomètres devenait de plus en plus cher! La solution d'une turbine électrique était attrayante. Des ingénieurs de la compagnie Ossberger-Turbinenfabrik d'Allemagne de l'Ouest furent consultés; ils confirmèrent la faisabilité du projet et estimèrent les besoins à 50 KVA. Les gens avaient déjà construit une digue de 110 mètres de long, ce qui démontrait leur intérêt et leur participation, un critère de réussite pour tout projet de développement. Comme le coût total du projet approchait les 140 000 $, il fallait une coalition de plusieurs organismes d'aide au Tiers-Monde. Effectivement trois partenaires se joignirent aux Missionnaires de la Consolata. L'aide demandée au Club 2/3 n'en était pas moins de 52 335 $. Les bienfaitrices et les bienfaiteurs du Hall Notre-Dame apportèrent

---

[36] Voir u8.36.

une substantielle contribution de 26 752 $. Le reste vint de diverses ONG d'Europe.[37]

Pendant plusieurs décennies, l'Éthiopie a été gouvernée par un régime communiste ; les missionnaires n'y pouvaient pas évangéliser, mais on les acceptait comme agents humanitaires. Les Missionnaires de la Consolata y multiplièrent donc les institutions en faveur des plus démunis. En 1979, dans le but d'aider la région du Wollo atteinte par la sécheresse et la famine, le gouvernement éthiopien demanda à la mission catholique d'Asella d'accueillir une vingtaine d'enfants orphelins et handicapés physiques. Les enfants arrivèrent à la mission en septembre. Leur nombre ne cessa d'augmenter jusqu'à atteindre le chiffre de 60 en 1984. Pour eux, on rêva donc d'un centre de physiothérapie. Mais on ne voulait pas se limiter à la physiothérapie ; grâce à quelques spécialistes européens qui avaient promis des séjours à Asella, on entendait aussi soigner ou améliorer la condition des enfants : on prévoyait donc un atelier pour fabriquer des prothèses. Le coût total du projet s'élevait à 11 850 $ et on fit une demande d'aide de 2 350 $ à la Fondation Roncalli ; ce fut un des premiers projets IMC subventionné par cette Fondation qui cofinance maintenant une bonne partie des projets du Hall Notre-Dame. Un des problèmes rencontrés fut le retard et les innombrables difficultés des IMC d'Éthiopie pour recevoir l'argent que le Canada avait expédié ; les autorités, locales et régionales, cherchaient par tous les moyens d'en avoir une part et multiplièrent les embêtements bureaucratiques.[38]

---

[37] Voir u10.27.
[38] Voir u9.46.

Mais avec 60 résidents, les locaux du début devinrent vite insuffisants, il fallait agrandir. Lors de la même campagne en faveur de l'Éthiopie, un autre projet fut élaboré pour l'agrandissement du centre des handicapés d'Asella. Ce projet de 63 290 $ fut subventionné pour 50 000 $ par le Club 2/3, pour 6 000 $ par les bienfaitrices et les bienfaiteurs des Missionnaires de la Consolata du Canada, et pour le reste par les gens d'Asella.[39]

Dans un certain sens, les projets d'aide dans le domaine de la santé posent moins de problèmes et de défis que ceux dans le domaine de l'éducation. Au Canada, comme dans la plupart des sociétés modernes, la santé est devenue une valeur fondamentale, et personne n'accepte qu'un autre être humain ne reçoive pas les soins que son état nécessite. L'objection principale vient certainement des coûts de plus en plus prohibitifs pour gérer et financer ces immenses institutions. Mais personne ne suggère de retourner à la médecine de brousse. Il est certain que ces hôpitaux doivent se concentrer sur les soins de base. Les alternatives résident par exemple dans la fabrication de matériel pharmaceutique et médical sur place. Sur ce chemin, Asella et Neisu pavent la voie...

Mais il y a aussi le SIDA! Lors de mes voyages en mission, il m'est arrivé à plusieurs reprises de rencontrer des missionnaires, surtout des religieuses, qui œuvraient auprès des sidéens. Je m'étais rendu compte que leur position ne me semblait pas toujours alignée sur le magistère officiel de l'Église quant à l'utilisation des préservatifs. À Sao Paulo, un missionnaire de la Consolata qui avait ouvert deux maisons d'ac-

---

[39] Voir u9.45. Je mentionne ici un autre projet cosubventionné par le Club 2/3 : l'achat dc prothèses auditives, de livres en braille et de chaises roulantes pour le Centre Piloto d'enfants handicapés à Florencia (Colombie) : voir u8.28.

cueil pour sidéens a eu des démêlés avec son évêque parce qu'il encourageait des malades à utiliser le condom.

Dans son excellent livre sur les œuvres de développement accomplies par l'Église, Chantal Verger présente cette problématique de la manière suivante :

« Aussi, les positions de l'Église catholique, marquées par le recours aux valeurs morales et à la fidélité, sont contestées pour leur refus d'évoquer le préservatif, voire pour leurs tentatives de développer des campagnes antipréservatifs. Or, en bien des pays du Sud, le poids moral de l'Église est considérable et beaucoup craignent que cette abstention peu réaliste ne conduise à une extension du fléau. Il y a certes des différences entre les grands principes et la réalité, et nombre de catholiques engagés sur le terrain adoptent une attitude plus ouverte. « Il y a la philosophie des principes et il y a la philosophie imposée par la réalité. Quand je vois tous ces jeunes qui, même malades, s'infectent et se surinfectent sans arrêt, je me dis qu'« il n'y a pas d'autres moyens de lutter contre ce fléau », affirme, à propos du préservatif, un prêtre italien animateur à Abidjan d'équipes de lutte contre le sida composées de jeunes laïcs et d'infirmières. Le Père Louis Allibe, du Bureau international catholique de l'enfance, se consacre quant à lui à l'accueil des orphelins de sidéens et des enfants de la rue de la capitale ivoirienne. Il s'en tient lui aussi à une attitude plus réaliste :

« Certes, il faut tenir le discours du respect de soi-même et du partenaire. Et c'est vrai que je connais beaucoup de jeunes, des chrétiens comme des musulmans, qui ont accepté de changer leur comportement. Mais si d'autres pensent que le préservatif est la seule solution pour barrer la route à la transmission, alors qu'ils le prennent.

« On pourrait multiplier les exemples de cette sagesse de terrain, et il serait sans doute souhaitable que le discours officiel de l'Église s'en inspire davantage afin d'être réellement opérationnel. Le déficit des explications qui ont accompagné la teneur de son message central est à cet égard dommageable. »[40]

En terminant ce paragraphe, donnons quelques statistiques pour l'ensemble de l'Église : au 31 décembre 2002, il y avaient 5 393 hôpitaux catholiques, 16 526 dispensaires, 678 léproseries, 14 432 maisons pour personnes âgées invalides ou handicapées, 8 968 orphelinats, 11 675 jardins d'enfance, 13 348 centres de consultations matrimoniales, 32 791 centres d'éducation spéciale ou de rééducation et 9 446 autres institutions classées dans ce secteur de la santé, ce qui fait un grand total de 113 257 institutions d'assistance et de bienfaisance. Il y en a 33 094 en Europe et 43 592 dans les Amériques, 19 682 en Asie, 15 239 en Afrique et 1 650 en Océanie.[41]

3. PROJETS EN AGRICULTURE

Les famines ont, de tout temps, attiré la compassion des humains. C'est sans doute par l'agriculture que les missionnaires et leurs églises ont pénétrés le champ du développement économique. Au début, on aidait en offrant des charrues, des bœufs et des ânes, de meilleurs instruments

---

[40] Chantal VERGER, Pratiques de développement, L'action des chrétiens et des Églises dans les pays du Sud, Paris, Karthala, 1995, en pages 91-92.

[41] Annuarium Statisticum Ecclesiae 2002, Roma, Vaticana, 2004 en page 363.

agricoles, on s'est occupé d'irrigation. Depuis vingt ans, les projets se sont diversifiés dans toutes les directions :

- on veut contribuer à une modernisation de l'agriculture,
- on veut aider les communautés paysannes à s'organiser
- et on travaille de plus en plus à la sauvegarde de l'environnement.

Les projets d'agriculture sont plus risqués, car même si vous produisez en abondance, encore faut-il écouler les produits. Dans cette section, j'illustrerai divers projets qui n'ont pas tous été une réussite.

Un des premiers projets dont le Hall Notre-Dame s'est occupé venait du père Fortunat Reali de Colombie. Les Missionnaires de la Consolata sont arrivés en Colombie en 1947 ; en 1951, ils acceptaient la responsabilité du Vicariat apostolique de Florencia, couvrant la région du Caqueta, à l'extrémité sud du pays, aux frontières de l'Équateur, du Pérou et du Brésil, donc en pleine jungle amazonienne. En plus de quelques tribus indiennes s'y trouvaient des blancs qui avaient fui les violences de la guerre civile ou cherchaient fortune dans ces immenses territoires inoccupés. Les voyages par bateaux sur les grands fleuves de la région étaient le seul moyen de communication.

En janvier 1973, monseigneur Ange Cuniberti[42] demanda au père Reali de s'occuper des populations sur les deux rives du grand fleuve Caqueta. Le père pensa y établir deux missions villages, le premier à La Tagua et le deuxième à Cuemani, auprès des Witotos. La Tagua n'est pas loin de la

---

[42] Mgr Cuniberti était le vicaire apostolique ; avant de devenir un diocèse, un territoire ecclésiastique peut être un vicariat apostolique.

ville de Puerto Leguizamo, sur le fleuve Putumayo, qui constitue la frontière entre la Colombie et le Pérou ; quand à Cuemani, il se trouve à cinq jours de navigation sur le fleuve, à environ 400 kilomètres à l'est de La Tagua. La documentation que nous avons dans nos archives montre que dès le départ, par l'entremise du père Clovis Audet, un IMC d'origine canadienne oeuvrant au Caqueta, le père Reali a demandé au Canada d'aider au développement de ces deux villages. À La Tagua, il prévoyait le creusement d'un puits pour assurer de l'eau potable et la construction d'une salle polyvalente pour rassembler les gens. À Cuemani, il avait projeté l'idée de construire une école primaire et, surtout, une ferme expérimentale pour la culture de ce qu'on appelle le « limoncillo »[43], une sorte de citron que des intérêts privés cultivaient déjà dans cette région. Évidemment le père demandait aussi un puissant moteur hors-bord pour les déplacements entre les deux villages.

En janvier 1974, un projet est présenté à Développement et Paix, l'organisme de la Conférence des évêques catholiques canadiens pour le développement, par l'entremise de l'Entraide missionnaire, qui agit comme consultant. On demande 30 000 $ pour ce projet intitulé « Développement agricole à Cuemani » ; il s'agit surtout d'acheter des semences de « limoncillo » (8 000 $), le matériel pour construire quelques routes et ponceaux sur le terrain défriché (6 300 $), l'achat d'outils (1 400 $) et le paiement de la main d'œuvre spécialisée (20 000 $) : un directeur du projet, un agronome, quatre superviseurs et un commerçant chargé de la vente du produit. Mais le travail des agriculteurs est bénévole, il constitue leur apport local. À cela s'ajoute envi-

---

[43] Un confrère colombien me dit qu'il s'agit de lime.

ron 8 000 $ pour l'achat de deux hors-bord et de l'essence. Le projet est ainsi décrit :

« Épuisée depuis nombre d'années de son caoutchouc, la région se prêtait depuis lors à la coupe du bois. Mais les nouveaux habitants ne la trouvèrent pas trop hospitalière. Contrairement au pied de la cordillère, ces terres ne se prêtent pas à la culture du riz, du maïs ou à l'élevage du bétail. C'est alors qu'incités par le besoin de nourriture et de besoins matériels, ces gens s'adonnèrent à la culture du *limoncillo* L'expérience leur enseigne que cette culture est la plus rentable dans ces conditions de climat et de distance. »

Plus loin, le projet explique que déjà 300 acres sont cultivées, mais on veut en défricher 500 acres de plus. Développement et paix approuvera le projet et enverra d'abord deux chèques pour un total de 8 000 $. Mais la tragédie se produisit le 8 mai 1974 : en voyage sur le fleuve Caqueta, le père Fortunat Reali périt noyé dans les rapides de Araracuara, avec tous ses effets personnels. Pour ses projets, il avait déjà dépensé beaucoup plus que 8 000 $, le montant que nous avions envoyé en Colombie !.

Le Vicariat apostolique essaya de poursuivre le projet de développement agricole, de sorte que Développement et Paix demanda l'aide de l'ACDI, l'agence du gouvernement canadien. L'ambassade du Canada en Colombie fut consultée et manifesta des doutes sur la possibilité d'écouler la production de 40 000 arbres fruitiers : « Il semble bien que la population ne soit en aucune position d'absorber une telle production », explique une lettre de l'ACDI en date du 12 août 1975. Comme les voyages sur le fleuve durent au moins une semaine, il est douteux que les fruits puissent arriver en bon état jusqu'à d'autres marchés potentiels. Malgré quelques protestations du Vicariat, le projet sera finalement abandonné.[44]

J'ai été missionnaire au Zaïre, devenu depuis la République démocratique du Congo. De 1975 à 1979, j'avais enseigné au grand séminaire de Murhesa, dans la banlieue de Bukavu, à la frontière du Rwanda. Plusieurs de mes anciens étudiants devenus prêtres et responsables de paroisses m'écrivaient pour demander de l'aide pour toutes sortes de projets de développement. Parmi eux se démarquait l'abbé Jean-Marie Balegamire de la mission-paroisse de Cibimbi, dans le sud du diocèse de Bukavu, dans l'est du Zaïre, juste à la frontière du Rwanda.[45]

Une des caractéristiques de son projet était la globalité : « Éducation paysanne, pisciculture familiale, lutte antiérosive, drainage des marais, multiplication de semences améliorées, compostage, eau potable et petit élevage familial. » Cela semblait contrecarrer la majeure partie des problèmes de ces populations. Mais sous mon conseil, le projet fut fragmenté en de multiples micro projets et présenté à divers organismes de coopération internationale. En 1984, tous ces organismes acceptèrent de les cofinancer. En mars 1986, après de multiples correspondances avec Cibimbi, j'ai enfin reçu le rapport final du projet d'élevage de lapins et de poules. On y reconnaissait entre autres certaines difficultés : le manque d'encadrement des paysans, le manque de sélection des animaux et le manque de techniques appropriées d'élevage. Très tôt, les responsables du projet avait

---

[44] Voir u2.510. On se souvient que ce type de numérotation se réfère à des documents dans les archives des Missionnaires de la Consolata, à Montréal (Canada).

[45] Quinze ans plus tard, ce sera une des paroisses envahie par les réfugiés rwandais qui fuiront le génocide. Dans cette région du Zaïre, plusieurs en périront, dont l'archevêque de Bukavu. L'abbé Balegamire est actuellement vice-recteur de l'université catholique de Bukavu.

engagé un technicien pour faire face à ces défis. Développement et Paix et l'ACDI avaient investi 11 200 $ qui ont servi surtout à construire les poulaillers et à payer la main d'œuvre de coordination du projet. Le rapport final mentionne aussi des rencontres avec des autorités locales. Il n'était pas signé par l'abbé Balegamire, mais par le nouveau superviseur des œuvres sociales de Cibimbi. Les organismes canadiens ont accueilli positivement ce rapport et clos le dossier.

Mais je ne réussissais pas à obtenir des nouvelles des autres projets. Le premier cherchait à contrer l'érosion, car Cibimbi est dans une région montagneuse; le défrichage des pentes entraîne une érosion substantielle. L'autre projet dont nous étions sans nouvelle, avait voulu des bassins pour améliorer l'élevage de poissons, le long de la rivière qui trace la frontière entre le Rwanda et le Zaïre. Quelques années plus tard, j'ai eu la chance de rencontrer l'abbé Balegamire à Louvain-la-Neuve (Belgique) où il terminait un doctorat en droit canon. Je pus donc, loin des micros, lui demander ce qui s'était réellement passé. Il me raconta que les projets sociaux de la paroisse de Cibimbi avaient suscité beaucoup de jalousie et d'anxiété chez les autorités politiques de la région; progressivement celles-ci multiplièrent les bâtons dans les roues, allant jusqu'à formuler des accusations personnelles contre les prêtres de la mission. L'archevêque avait donc cru opportun de le retirer de Cibimbi et de demander qu'on diminue l'engagement de la paroisse dans le domaine du développement.

Personnellement je comprends ce qui s'est passé à Cibimbi; dans les régions éloignées des grands centres, les autorités politiques font la pluie et le beau temps; face à de tels projets, elles ont l'impression que leur autorité est remise en question. Ainsi réagissent-elles contre l'intérêt commun pour mieux asseoir leur pouvoir.[46]

Projets agricoles ? Souvent, ils ont comme objectif de contrer la sous-alimentation ou la malnutrition des populations. Dans notre monde d'aujourd'hui, où les produits agricoles abondent, les problèmes sont plus souvent ceux de la malnutrition que de la sous-alimentation : les gens mangent assez, mais ils mangent mal, leur alimentation manque de nutriments essentiels à la vie. Un projet qui nous avait été présenté en 1980 par un de nos missionnaires de Tocaïma en Colombie et dont la réalisation se déroula sur presque quatre années en est un bel exemple. Plus spécifiquement il s'agissait de contrer la malnutrition des très jeunes enfants ; on estimait que plus des deux tiers des enfants souffraient de malnutrition. La diète quotidienne de ces gens était constituée essentiellement de riz, de patates, de bananes et de manioc « qui remplissent l'estomac, mais sont pauvres en protéines et en vitamines ». Cette malnutrition avait des conséquences dramatiques :

« Le processus de déshumanisation commence dès la tendre enfance, avant même l'école. En effet, c'est dès cet âge que les enfants sont mal nourris ou même sous-alimentés. Des vitamines et des aliments fondamentaux font défaut dans leur nutrition. Ces carences produisent des défauts de croissance qui se traduisent souvent par des handicaps physiques et surtout mentaux. »

Pour contrer cette malnutrition, on voulait des jardins d'enfance, où serait servi aux enfants à chaque jour un repas concocté pour ses valeurs nutritives. Ce projet a été cofinancé par l'œuvre

---

[46] Voir u8.39 et u8.41 et u8.42.

de l'Enfance missionnaire (l'ancienne Sainte Enfance) pour un montant total de 34 000 $.[47]

Je n'ai pas encore parlé des nombreux projets de moulins. Dans les années 1950, tout reportage sur l'Afrique faisait voir des femmes en train de moudre le maïs ou le manioc ou le café, passant ainsi des heures à un travail fastidieux et épuisant. À la fin des années 1960, la technologie des moulins actionnés à l'eau ou à l'électricité est devenue accessible à un coût raisonnable. Je me souviens que dans mes premiers voyages en Afrique dans les années 1980 pour préparer nos grandes campagnes annuelles, un bon quart des projets visaient à améliorer le sort des femmes en installant des moulins.[48]

En terminant cette section, je voudrais parler d'un projet que j'ai visité au Malawi, dans la mission de Mua, sur les bords du Lac Malawi. Dans un certain sens, c'est un projet inclassable, mais si j'en parle ici, c'est parce qu'un de ses objectifs était le respect de la nature. Le responsable en était un Missionnaire d'Afrique, le père Claude Boucher : sa mission, il l'avait transformée en jardin botanique, en zoo et en centre d'art ! Le

---

[47] Voir u8.34. En 2007, grâce à une subvention de 11 500 $ cofinancée par la Fondation Roncalli, le Hall a aussi aidé un Centre nutritionnel à Massinga, au Mozambique, dans le but de contrer la malnutrition des femmes enceintes : il s'agissait surtout de donner du lait en poudre à certaines mamans épuisées par des grossesses successives, de même que des céréales et des vitamines pour les bébés de plus de six mois ; voir le projet 1128.

[48] Voir par exemple le projet pour le moulin de Igosi (Tanzanie) à u8.35. La meilleure étude que je connaisse sur cette problématique de l'alimentation dans le monde est la suivante : Albert SASSON, *Nourrir demain les humains*, Paris, UNESCO, 1986. La troisième partie (des pages 477 à 729) est consacrée à la coopération internationale. Voir aussi : J.-P. CHARVET, *Le désordre alimentaire mondial*, Paris, Hâtier, 1987 ; et Jon BENNETT & Susan GEORGE, *La macchina della fame*, Bologna, Mani Tese, 1989 ; Amartya SEN, *Development as Freedom*, New York, Anchor, 2000 en pages 152-184 et 204-206 ; Développement et Paix vient de sortir, en juin 2008, une étude *La Faim et le profit. Crise du système alimentaire*, disponible sur leur site internet : http://www. devp.org/devpme/main-fr.html. Signalons enfin du Conseil pontifical Cor Unum, *La Faim dans le monde. Un défi pour tous : le développement solidaire*, Rome, Vaticana, 1996 qui repère des causes économiques, socioculturelles et politiques et propose diverses solutions.

père Boucher avait des talents artistiques et dès son arrivée au Malawi, des confrères et d'autres personnes le consultaient pour l'aménagement et la décoration d'églises, de chapelles ou d'autres édifices. Mais cela ne le satisfaisait pas : il s'était rendu compte qu'il y avait des artistes dans la population et il a décidé de se mettre à leur service. Ainsi fut ouvert le Centre Kungoni. Il accueillait pour des sessions d'environ trois mois une vingtaine d'étudiants sélectionnés uniquement sur la qualité de leurs œuvres : « Je me suis alors rendu compte que les artistes du pays étaient eux-mêmes capables de réaliser tous les travaux que j'aurais moi-même exécutés », écrivit le père Boucher dans un article que je publiai dans la revue *Univers* d'avril 1987.

Au Centre Kungoni, les étudiants se rassemblent autour de maîtres locaux comme des apprentis. Le père Boucher explique que cela évite un des écueils des écoles traditionnelles :
« La tendance des générations actuelles fait que les étudiants sont éduqués comme en serre chaude, séparés de leur milieu familial et du contexte de leur village respectif. Ils vivent entassés dans les écoles secondaires pendant quatre ans et perdent le contact avec presque tout ce qui se passe dans leur milieu. Mais de plus, parce que l'enseignement utilise le plus souvent des manuels fabriqués en Europe, des méthodes élaborés à l'étranger, parce que les exemples sont le plus souvent tirés, non pas de la vie traditionnelle au Malawi, mais du style de vie moderne et européen, les étudiants sont coupés de leurs propres racines. Cette immersion dans des mentalités particulières étrangères, la plupart du temps européennes, leur laisse peu de temps à consacrer aux valeurs locales. C'est là le problème ! Pour

essayer de le résoudre, le Centre cherche à éveiller la conscience des valeurs traditionnelles. »

Comme dans les cultures au Malawi, les animaux et la nature ont un rôle important dans les mythes qui influencent la vie sociale, le père Boucher a aussi ouvert un zoo et un jardin botanique. Pourquoi ? « Il y a beaucoup d'histoires et de croyances qui étaient là pour maintenir un certain équilibre dans la nature. »

Quelle étrange manière d'être missionnaire, me disais-je dans ma visite à Mua. Le père Boucher m'a expliqué que ce Centre c'est sa « seule façon d'évangéliser »! Il commente :

« Ce qui m'a poussé à créer le Centre Kungoni, c'est le désir de m'insérer plus avant dans l'incarnation du Christ [...] en partageant la vie de ces gens, en entrant dans leurs catégories de pensée, leurs préoccupations, non pas seulement au point de vue chrétien, mais en cherchant quelles sont les racines qui sont à la base du christianisme. En fait, mon travail dans ce centre, c'est pour moi une façon différente de découvrir les racines profondes du christianisme, j'entends, de l'Évangile. »[49]

Au Malawi, le père Boucher est passé par l'art et la nature pour dévoiler à la culture du Malawi les valeurs évangéliques qu'elle portait déjà. Ne s'agit-il pas là aussi d'un authentique développement intégral ? Des missionnaires de la Consolata ont eux aussi créé des projets semblables : par exemple, au Mozambique, le père Joseph Frizzi a ouvert un Centre d'art et de traduction de la Bible dans la langue locale ; de même en Éthiopie, le père Renato Saudelli dirige un centre où, en travaillant avec des artistes locaux, il développe

---

[49] Claude BOUCHER, « Zoo jardin et évangile », dans la revue *Univers*, avril 1987, en pages 18 à 22.

leurs capacités et permet à leurs cultures de survivre dans un milieu pourtant hostile.

4. PROJETS CONCERNANT L'EAU

L'eau est indispensable à la vie. Nous ici au Québec, nous sommes privilégiés, mais que d'endroits sur cette planète qui n'ont pas notre chance!

Le plus grand projet d'aqueduc auquel nos bienfaiteurs et bienfaitrices ont contribué est sans conteste celui du frère Joseph Argese, qu'un document du diocèse de Meru (Kenya) appelle le responsable des eaux. Comme toutes les grandes montagnes, la zone de Meru, juste à l'est du Mont Kenya, est un immense réservoir d'eau. Mais la rivière Tana jaillit au sud de la montagne et draine la majeure partie de ces eaux, de sorte qu'au nord, il y a un territoire qui, occasionnellement, souffre de sécheresse, juste aux marges du Sahel. Mais l'eau n'était jamais loin.

Un jour, le frère Argese, après avoir creusé des dizaines de puits et de canaux, se mit à rêver d'un canal d'une vingtaine de kilomètres qui amènerait les eaux de la montagne jusque dans la zone plus aride. En 1976, il communique avec divers organismes pour vérifier si un financement de l'ensemble du projet serait possible; tout le monde lui recommande de pousser les études, d'impliquer les populations sur place et d'obtenir les autorisations et les recommandations requises pour un projet d'une telle envergure.. Il écrit aussi au père Mario Piasente, le directeur du Hall Notre-Dame.

Patiemment et en se faisant aider de quelques experts, le frère élabore le projet d'aqueduc Ntumburi (*Ntumburi Water Project*):

« Avec l'absence de récolte due au manque de pluie, périodiquement les gens sont forcés d'émigrer pour ne pas mourir de faim [...] Notre projet prévoit un aqueduc qui assurera une quantité suffisante d'eau dans les périodes de sécheresse, pour les gens, leurs troupeaux et leurs récoltes. »

L'aqueduc prendrait son eau dans la forêt de Ngare-Ndare et l'acheminerait, uniquement par la force de gravité, jusque dans la zone de Ntumburi, où habitent environ 20 000 personnes, entre les villages de Timao et d'Isiolo. En 1976, les gens qui se taxent depuis plusieurs années ont amassé près de 15 000 $, mais c'est tout à fait insuffisant pour un projet que le frère estime, au départ, à environ 250 000 $. Il propose aussi de le réaliser en deux étapes : la première phase serait constituée par la construction du canal jusqu'à un grand réservoir, la deuxième permettrait de distribuer l'eau de ce réservoir en divers points du territoire.

Le père Piasente entre en communication avec Développement et paix qui se montre intéressé. L'Agence canadienne pour le Développement international est aussi approchée. Les autorisations et les recommandations affluent par dizaines! En juin 1977, Développement et Paix demande officiellement à l'ACDI une aide de 20 648 $. On cherche d'autres cofinancements, mais une lettre du Conseil canadien pour la Coopération internationale enlève toute illusion : « Parmi les agences travaillant au Kenya, aucune n'est en mesure d'appuyer la demande »; on suggère plutôt de s'adresser au *Catholic Relief Services* des États-Unis et à *Misereor* en Allemagne. Les questions se multiplient : qui est responsable du projet, le frère Argese ou le diocèse de Meru par son administrateur ? Les documents d'ingénieurs et d'arpenteurs s'accumulent aussi!

Finalement, l'ACDI approuve une première subvention de 22 712,85 $, tout en étant bien consciente qu'il manque au moins 75 000 $.

Un premier chèque de 20 000 $ parvient au Kenya à l'été 1978. Au Kenya, on est perplexe : pourquoi 20 000 $? Ce n'est vraiment pas beaucoup ! S'agit-il du premier d'une série de chèques ou du total de l'aide canadienne ? Sur place, on décide donc d'appliquer ces 20 000 $ au paiement d'éléments de la deuxième phase du projet et non pas à la construction du canal lui-même. Entre temps les contacts en Europe et aux États-Unis avancent avec plus de succès. Le canal sera entièrement construit sur une période de deux années, et la deuxième phase se déroulera presque simultanément grâce à l'aide qui provient de diverses sources, dont le Hall Notre-Dame. Encore en 1981, Développement et Paix insistera pour avoir des rapports sur ce qui a été fait avec l'aide canadienne qui finalement a totalisé un peu plus de 50 000 $ CND. Ce n'est qu'en juin 1982 que le coordonnateur du développement du diocèse de Meru enverra son rapport, expliquant que l'aide canadienne a servi à financer trois plus petits projets d'aqueduc dans le même territoire.[50]

En 1999, la fondation états-unienne *Path to Peace* de New York a remis au frère Argese son prestigieux prix *Servitor Pacis* pour son œuvre en faveur des pauvres du Kenya. Actuellement l'aqueduc de Tuuru a une longueur totale de 250 km et laisse couler 8 millions de litres d'eau par jour desservant une population de 250 000 personnes, même dans les temps de sécheresse.

Les projets d'aqueduc ne sont pas tous aussi imposants et complexes. Entre 1986 et 1988, le Hall Notre-Dame a aidé un autre projet d'aqueduc au

---

[50] Voir u8.211.

Kenya, cette fois dans le diocèse de Nyeri, pour les deux villages voisins de Thungari et de Nyange. Le responsable en était le père Angelo Billio qui demandait une aide d'environ 75 000 $. C'est le père Joseph Galantino qui a présenté le projet au Club 2/3 qui a refusé de le cofinancer.[51]

Le Hall Notre-Dame a eu plus de chance avec deux projets à réaliser en Tanzanie. Le premier venait du père Camillo Calliari, un IMC extraordinairement inventif en faveur du développement de ses gens.[52] Pour les 2 000 résidents du village de Image, il avait élaboré un projet qui amènerait l'eau de la rivière jusqu'en haut de la colline où les gens habitaient ; au départ, le projet prévoyait utiliser un bélier hydraulique (en anglais 'ram'), mais comme le gouvernement tanzanien fit arriver l'électricité cette année-là, une demande de modification fut faite pour remplacer le bélier par une pompe électrique. Le projet fut présenté à la Fondation internationale Roncalli qui approuva une aide de 7 000 $ qui, ajoutée aux 7 000 $ des bienfaiteurs du Hall Notre-Dame, aux 8 000 $ d'un groupe de bienfaiteurs italiens et aux 47 000 $ du District de Njombe, permirent de réaliser ce projet.[53]

Un autre projet d'eau fut réalisé par le père Antoine Zanette pour le petit village de Kitindishwa. On se souvient que la politique de villagisation du président Nyerere de Tanzanie imposait aux gens dispersés dans les champs de se rassembler en villages pour pouvoir profiter des bienfaits de la modernité : école, dispensaire, téléphone, électricité... Ce petit village s'était éta-

---

[51] Voir u9.27.

[52] Un journaliste italien a publié une série d'articles au sujet du père Calliari qui furent rassemblés dans un livre : Giorgio TORELLI, *Baba Camillo e altre storie d'Africa*, Novara, De Agostini, 1986.

[53] Voir u8.26.

bli aux bas d'une colline pour profiter d'un petit ruisseau qui en descendait :

« Mais cette eau coule à l'air libre, et si, au début du village, elle est encore assez propre, à l'autre extrémité elle est souillée par tous les lavages qu'on y a fait grâce à de petites vasques creusées à même le sol, où un peu tout le monde et les enfants se lavent sans gêne et où les femmes lavent continuellement leur linge sale. »

La solution ? Poser des tuyaux depuis la source jusqu'à un réservoir à l'entrée du village et de là jusqu'à 5 robinets, fontaines et vasques dans le village. Nous avons demandé une aide de 6 050 $ au Club 2/3 qui a accordé 5 500 $. Deux ans plus tard, lors d'une nouvelle campagne en faveur de nos missions de Tanzanie, je suis passé par Kitindishwa, j'ai pris des photos des fontaines et des robinets et j'en ai rendu compte dans un article de la revue *Réveil Missionnaire.*[54]

La situation des pays en développement évolue rapidement, et pas toujours dans la bonne direction. L'Ouganda est souvent une exception, car après le règne du dictateur Idi Amin Dada, la situation s'est progressivement améliorée. Actuellement la capitale Kampala a son propre réseau d'aqueduc, mais, pour s'y brancher, il faut payer le raccordement. En 2006, dans notre campagne des trois K : Kampala, Kenya et Kinshasa, un projet consistait justement à aider l'école technique de Bweyogerere à se raccorder à l'aqueduc municipal. Une quarantaine de jeunes filles y apprenne un petit métier, comme la coupe et la couture. Pour effectuer ces travaux, le père Fredrick Ndirangu demandait une aide d'environ 6 000 $, alors que les étudiants, les parents et la

---

[54] Voir u8.35. Jean Paré, « Projets réalisés grâce aux amis et aux bienfaiteurs des Missionnaires de la Consolata au Canada/, en *Réveil Missionnaire*, no 134 d'avril 1986, en page 10.

paroisse y investissaient environ 500 $. La réalisation du projet n'a pas été sans difficulté ; on s'est rendu compte que le raccordement empiétait sur des terrains avoisinants, et évidemment les voisins ont demandé un dédommagement ; de même il a été plus difficile que prévu de réunir des bénévoles pour effectuer une partie des travaux. Mais finalement tout a été accompli et le père Fredrick a fait parvenir des photos de jeunes filles toutes heureuses autour de la nouvelle fontaine. Une trentaine de familles des environs profitent aussi de cette nouvelle source d'eau potable.[55]

Au temps du Congo belge, le gouvernement colonial avait installé dans presque tous les villages des robinets, des pompes et des puits. C'était avant 1960, date de l'indépendance du Congo belge, devenu le Zaïre. Lors de quelques périples au Zaïre pendant que j'y ai œuvré de 1975 à 1981, j'ai souvent vu ces pompes et robinets abandonnés. On m'expliquait que les gens trouvaient que l'eau des robinets avait moins de goût que l'eau de la rivière ! Au premier bris, le matériel n'avait pas été réparé... Il ne suffit pas d'amener de l'eau, il faut aussi une amélioration générale des connaissances grâce à une alphabétisation et à une éducation générales. Parmi ces nouveaux éduqués, il doit y avoir des techniciens qui réparent le nouvel équipement.

Les conditions pour le développement d'un peuple sont multiples et demandent certainement plus qu'une pompe, plus qu'une turbine, plus même qu'une génération...

5. PROJETS D'ARTISANAT ET DE COMMERCE

Certes l'Église n'est ni économiste ni commerçante, mais le développement qu'elle promeut est

---

[55] La documentation de ce projet portant au Hall Notre Dame le no 1114 n'a pas encore été archivée.

un développement intégral, tout l'humain, tous les humains. De plus en plus les missionnaires se sont préoccupés d'aider les gens à trouver du travail ou à améliorer leurs conditions de vie. Un des programmes les plus complets a été élaboré par l'Église du Chili avec son initiative « *Trabajo para un hermano* » (qui signifie Travail pour un frère). C'est dans ce contexte que je désire illustrer des projets d'artisanat.

Une de nos plus belles missions en Tanzanie se trouve à Kigamboni, à quelques kilomètres de Dar Es Salam, la capitale, sur le bord de l'océan Indien. C'est un pittoresque village de pêcheurs. Le responsable de la mission, le père Sylvestre Bettinsoli, nous présenta un projet de construction d'une barque plus grosse qui pourrait fournir du travail à une quinzaine de personnes ; il demandait 14 400 $ qui furent entièrement subventionnés par Développement et Paix.

Les difficultés ne manquèrent pas, le rapport final en mentionna deux : d'abord le bris du traversier entre Dar Es Salam et Kigamboni qui obligea les pêcheurs à s'occuper du transport des gens pendant quelques mois ; ensuite le retard dans la livraison du moteur en provenance du Japon. Le rapport final précise :
« La barque a une longueur de 8 mètres et est entièrement couverte de bois *mninga*, la meilleure qualité de bois pour de telles constructions [...] Il y a entre 15 et 20 jeunes directement occupés dans le travail de la pêche. Tous les jours, une partie du produit de la vente du poisson est destinée à l'achat de diésel et à d'éventuelles réparations des filets, le restant étant divisé entre les ouvriers et le Conseil paroissial. »[56]

---

[56] Voir u9.44.

Quelques années plus tard, des projets ont commencé à affluer de la part de nos missionnaires du Mozambique, cette ancienne colonie du Portugal qui avait vécu plusieurs années de guerres d'indépendance et civile. L'un d'entre eux était semblable au projet de Kigamboni; il s'agissait de filets pour des gens qui pêchaient dans le Lac Nyassa.[57]

Partout dans leurs missions, surtout dans la première moitié du XXe siècle, les missionnaires ont inauguré des écoles. Après la deuxième guerre mondiale, ils se sont rendu compte que cela faisait de beaucoup d'étudiants des intellectuels qui ne voulaient plus retourner aux travaux des champs et se salir les mains. On a alors vu se multiplier les projets d'école technique, où on enseigne l'artisanat ou des métiers courants, comme électricien, mécanicien ou couturier.

Un des premiers projets a sans doute été celui de l'école technique de Sagana au Kenya pour lequel Développement et Paix a fourni une aide de 13 700 $ en 1969.[58] Lorsque j'ai visité le diocèse de Marsabit, dans le nord du Kenya, en 1996, je suis allé rencontrer un laïque missionnaire d'origine suisse, monsieur Andreas Huber. Celui-ci dirigeait un garage qui était aussi une école de mécanique pour de jeunes hommes, le *Catholic Technical Training Centre*. En 1983, 72 garçons et jeunes hommes y suivaient un cours réparti sur deux ans, avec trois départements : la menuiserie, la mécanique et une ferme école. Au départ, le projet qu'on me présenta consistait à offrir aux finissants un petit coffre à outils, mais en mars 1998, Monsieur Huber demanda d'acheter

---

[57] Voir u9.113.
[58] Voir e9.425.

une nouvelle machine de coupe du bois. Le Hall Notre-Dame acquiesça à cette demande.[59]

Dans les années 1980, le Hall Notre-Dame a aussi financé des projets d'école de menuiserie à Ikonda (Tanzanie) avec Oxfam pour une aide totale de 9 400 $, et à Kifumbe (Tanzanie) avec le Club 2/3 pour une aide de 2 600 $. Le premier de ces deux projets avait une particularité; il ne s'agissait pas seulement d'acheter un raboteuse électrique, il s'agissait aussi de pourvoir chaque finissant d'un bon coffre à outils. Et dans ce but, on demandait que chaque étudiant paie 200 $ de frais, ce qui est un montant substantiel dans un pays du Tiers-Monde. Autre singularité du projet d'Ikonda, le professeur était payé par les gens du village.[60]

Quand il s'agit des filles, les projets sont souvent des écoles de coupe et couture. Mon ami, le père Salvador del Molino, était curé de la paroisse d'Ikonda, dans le Centre-Est de la Tanzanie, dans les Monts Njombe qui bordent l'est du Lac Malawi. Il s'occupait aussi des villages des alentours, dont celui de Ukwama, avec une population de 21 000 personnes du groupe des Wakinga. Son projet expliquait que la Tanzanie avait commencé à produire des tissus de sorte que partout foisonnaient de modestes écoles de coupe et couture; on voulait permettre aux jeunes filles de se débrouiller en fabriquant des vêtements ou en les réparant. La petite école de Ukwama voulait accueillir six ou sept étudiantes; pour cela il fallait acheter des machines à coudre, des étoffes et du fil pour commencer. Le coût total était de 5 750 $, mais comme on demandait une minime participation aux étudiantes, l'aide demandée était de 4 250 $.

---

[59] Voir u10.410.
[60] Voir u8.37 et u10.18.

Le Hall a présenté le projet à Développement et Paix qui a obtenu un cofinancement de l'ACDI. Le rapport final daté du 16 avril 1987 a été accepté par Développement et Paix et le dossier a été clos le 15 décembre 1987.[61]

Développement et Paix a aussi financé un projet semblable en faveur des Missionnaires Salésiens originaires de l'Inde qui dirigeaient à Iringa (Tanzanie) un centre pour les jeunes; Iringa est une des grandes villes du centre de ce pays d'Afrique orientale. Il ne s'agissait pas seulement d'un centre culturel et de loisirs, mais aussi d'une école technique. Le projet explique bien la problématique et je le cite :

« Chaque année, 12 400 étudiants terminent l'école primaire, mais il y a place seulement pour 620 étudiants au secondaire [...] L'avenir de la jeunesse nous préoccupe; les emplois dans l'agriculture sont en forte diminution [...] La solution semble être une formation professionnelle sérieuse qui prépare les jeunes à exercer une série de métiers. »

Le Centre salésien offrait déjà des cours techniques aux garçons et aux filles, mais les places étaient insuffisantes. C'est pourquoi, on demandait de renforcer le cours de coupe et couture avec l'achat de 15 machines à coudre. L'aide de 6 500 $ offerte par Développement et Paix et le Hall Notre-Dame a permis de les acheter. Dans son rapport final, le directeur expliquait qu'en 1990, 31 étudiantes suivaient le cours avec 4 monitrices. Il expliquait aussi qu'à la fin du cours, le centre donnait aux dix meilleures étudiantes une petite trousse de couture pour démarrer leur propre entreprise.[62]

---

[61] Voir u10.19.

[62] Voir u10.110. Voir aussi u9.19 pour un projet semblable en Afrique du Sud et u8.32 en Éthiopie.

Le projet présenté par la mission de Machava (Mozambique) était légèrement différent parce qu'il voulait offrir aux jeunes femmes des cours non seulement de coupe et de couture, mais aussi d'économie domestique. Le cours voulait atteindre 80 femmes par année. Pour cela, on demandait 5 000 $. En cofinancement, le Club 2/3 a fourni 2 500$, le Hall Notre-Dame 2 000 $, alors que la contribution locale a été de 500 $. Dans son rapport final, le missionnaire expliqua qu'avec l'aide fournie, ils avaient pu se procurer 6 tables de travail, 7 machines à coudre et 60 chaises. La religieuse en charge du projet était enthousiaste et commentait :

« Nous avons la conviction d'avoir préparé un instrument de formation de bonne qualité qui vient répondre aux besoins réels des familles les plus pauvres et les plus démunies. »[63]

6. PROJETS D'ANIMATION SOCIALE

On remarquera que les cinq projets dont je parlerai maintenant ont tous été réalisés en Amérique du Sud. Il est évident qu'avec les théologies de la libération, les missionnaires ont pris conscience des dimensions communautaires de tout développement. Ce sont les groupes humains qu'il faut essayer de développer, et non pas les individus... C'est pour cela qu'on parle de projets d'animation sociale.

Les deux premiers projets venaient du Brésil. Quand il y a cinquante ans, les Missionnaires de la Consolata ont cherché des œuvres plus missionnaires au Brésil, ils ont assumé la responsabilité du territoire de Roraïma, dans le nord ouest du pays. Là les missionnaires, travaillant

---

[63] Voir u9.110.

essentiellement auprès des indigènes, se sont rendus compte que l'évangélisation n'était pas possible sans un meilleur contact avec les communautés. Rapidement ils ont reconnu qu'il y avait quelque chose de vrai quand on qualifiait ces communautés de primitives, même s'il fallait aussi affirmer la valeur de leurs traditions et cultures. En 1994, ils ont décidé de proposer aux leaders des cours de formation :

« L'objectif principal du projet est la formation de leaders indigènes, tous appartenant à la tribu des Macuxi, afin qu'ils puissent promouvoir la défense de la terre, de la culture, de la langue et des traditions de leur peuple. »

Le projet voulait rejoindre 180 leaders de quelque 15 000 Macuxis ; toute une série de sessions leur étaient proposées qui duraient à chaque fois entre une et trois semaines. Pour ces cours, on demandait une aide de presque 70 000 $ répartie sur deux années. Le Club 2/3 a apporté une aide de 50 000 $, le reste étant fourni par le Hall Notre-Dame. Les cours-rencontres ont été réalisés entre 1991 et 1994 :

« Nous avons choisi le contenu des cours, explique le rapport final, en accord avec les membres du Conseil des Indiens de Roraïma (CIR). Les participants, hommes et femmes, ont été choisis par le CIR et les communautés locales, en tenant compte des qualités personnelles et des tâches à être exécutées après les cours. »

Des cours de législation indigène, sur la question agraire, sur l'environnement, sur les traditions et la culture macuxi ont été donnés aux leaders ; mais deux sesions ont aussi été offertes aux enseignants. Quatorze des vingt cours programmés ont pu être réalisés.

Le rapport final note : « Les résultats obtenus ont été très encourageants; autant les leaders que les communautés macuxi assument courageusement la cause indigène. »[64]

Le même désir d'être plus missionnaire qui avait conduit les IMC du sud vers le nord du Brésil les poussait dans les années 1990 à s'installer dans le nord-est. Ils ont donc remis aux diocèses des œuvres qu'ils dirigeaient dans le sud pour assumer de nouvelles œuvres et responsabilités dans le nord-est, plus pauvre. C'est le cas avec la paroisse qu'ils ont prise en charge dans la banlieue sud de Salvador de Bahia. Un québécois, le père Claude Morneau, a été parmi les premiers missionnaires nommés à cette nouvelle mission et c'est lui qui élaborera et présentera au Canada un projet global d'animation communautaire.

Dans cette nouvelle mission, les missionnaires ont découvert un bidonville bâti sur pilotis dans la Baie des Trépassés, au lieu dit Novos Alagados. La population de ce bidonville hors norme était de 30 000 personnes, dont 1 200 enfants qui fréquentaient la crèche et les trois écoles gérées par la paroisse. Il était difficile de trouver plus de misères, mais en même temps chez ces gens il y avait une telle volonté de s'en sortir qu'ils avaient déjà fondé la Société du 1er mai (*Sociedade 1o de Maio*) pour mieux se développer. Le projet présenté à La Croix d'Or explicitait ainsi l'objectif : « L'objectif général du projet est la scolarisation des enfants du bidonville de Novos Alagados, de la maternelle au premier cycle de l'école primaire. Les objectifs spécifiques sont les suivants :

- formation et rémunération de 40 moniteurs et de 4 agents d'éducation populaire qui

---

[64] Voir u9.39.

opèrent dans les trois écoles communautaires et à la crèche du bidonville;

- production de matériel scolaire à partir de la réalité locale;
- création de deux bibliothèques communautaires dans deux écoles du bidonville;
- renforcement des groupes culturels où les enfants et les adolescents du bidonville sont impliqués. »

On demandait au Canada une aide totale de 27 000 $, dont 17 700 $ à La Croix d'Or, un des organismes fondés par le cardinal Léger. Les participants aux ateliers devaient payer une petite cotisation. Le reste des fonds viendraient du diocèse de Salvador et d'une ONG brésilienne. L'ensemble du projet frisait les 54 000 $.

Le rapport final était présenté en 1995 :
« En grande partie grâce à l'aide reçue de La Croix d'or, l'association *Primeiro de Maio* a réussi à faire fonctionner, de 1992 à 1995, ses trois écoles fréquentées par 1 200 élèves répartis en 40 classes, de la maternelle à la quatrième [...] En juillet 1993, l'association a réalisé trois cours de formation pour les moniteurs qui dirigent les 40 classes. Chaque cours a eu une durée de 40 heures. À tous les mois, les moniteurs se réunissent pour évaluer leur travail et programmer les activités du mois suivant. »

Mais les manuels, les dépliants, de même que les deux bibliothèques, n'ont jamais vu le jour. Le rapport signale aussi que des difficultés ont surgi avec les supérieurs des Missionnaires de la Consolata au Brésil, spécialement après le départ du père Morneau.[65]

---

[65] Voir u9.37.

Les deux derniers projets ont été réalisés en Colombie où quelques missionnaires sont particulièrement sensibles aux questions de l'animation communautaire et culturelle. Les deux projets ont été présentés et réalisés au milieu des années 1980.

Le premier a été financé par Jeunesse du Monde, l'organisme québécois qui s'occupe des jeunes en lien avec les Œuvres pontificales missionnaires. Il a paru dans leur cahier des projets pour 1985-1986 sous le titre de « Coopérative Jeunesse paysanne ». Après avoir brièvement présenté la Colombie, ce cahier présentait le projet de la manière suivante :

« Un projet par des jeunes et pour des jeunes... Le projet Coopérative Jeunesse paysanne a été élaboré par 23 jeunes paysans animateurs de leurs communautés chrétiennes. L'appui fourni par les Jeunes du Monde permettra de construire une ferme modèle visant l'acquisition de nouvelles manières de travailler et l'introduction de nouvelles cultures agricoles. Un espoir pour de nombreux jeunes condamnés à l'exode rural ! »

Il concernait 23 animateurs de six villages déjà inscrits à l' « Association pour le développement intégral de l'homme », en lien avec la mission de Jerusalen. Pour cela on demandait 11 000 $ qui seront entièrement subventionnés par Jeunesse du monde.

Dans le rapport final, on explique qu'étant donné les délais du financement, les jeunes n'ont pas pu acheter la maison convoitée et qu'ils ont dû se contenter d'un autre édifice moins fonctionnel, ce qui a occasionné des coûts supplémentaires et des modifications au projet. On ajoute : « À cause du projet, l'Association pour le développement intégral de l'homme s'est beaucoup consolidée et sert d'exemple et de stimulant pour les autres jeunes; les communautés se sentent plus animées à continuer le chemin de la solidarité, de la coresponsabilité et de la collaboration. »[66]

Depuis le milieu des années 1980, nos missionnaires en Colombie œuvrent auprès de la communauté indigène Paez, composée de près de 15 000 individus, dans la région de Toribio, près de Popayan. Les IMC y prenaient la relève de l'abbé Alvaro Ulcué, le premier prêtre paez, assassiné quelques années auparavant.[67] En 1988, eux aussi ont présenté un projet de formation des jeunes leaders demandant une aide de 9 345 $. L'aide fut accordée par Développement et Paix (6 800 $) et par le Hall Notre-Dame (2 545 $). Comme dans les autres projets de ce type, il s'agissait, ici, de la formation de 70 jeunes leaders indiens du groupe paez « afin qu'ils puissent orienter et accompagner leurs communautés dans l'actuel processus de changement culturel. L'objectif final est la formation de communautés indigènes adultes qui sachent vivre positivement le changement culturel, en conservant leur identité et en intégrant dans leur système de valeurs les éléments culturels positifs de la société environnante. »

Ce sont des jeunes des réserves de Jambalo et de Pitayo qui étaient spécifiquement visés. La description de leurs conditions mentionnait que la communauté paez était le groupe indien le plus nombreux de Colombie, et en même temps l'un des plus pauvres :

« Actuellement les Paeces sont victimes de l'agression culturelle de la société environnante, ce qui se manifeste par une confusion des valeurs, par l'exode continuel des gens de tout âge à la

---

[66] Voir u10.24.

[67] Ezio ROATTINO, *Alvaro Ulcué Nasa Pal. Sang indien pour une terre nouvelle*, Montréal, Missionnaires de la Consolata, 1996.

recherche d'un paradis en-dehors de la communauté et par la déstructuration sociale qui commence dans les familles. Évidemment, les Paeces ne peuvent pas s'isoler, mais il faut qu'ils préservent leur identité culturelle et opèrent une synthèse entre le nouveau et le traditionnel. »

Le projet voulait s'articuler en deux phases. Dans la première, huit rencontres de trois jours seraient proposées au Centre de formation de Jambalo, selon la méthode : voir, juger, agir. Dans la deuxième phase, les responsables du projet entendaient encourager et soutenir les leaders engagés dans leurs communautés. La contribution de la communauté locale consisterait dans les repas offerts aux leaders pendant les rencontres.[68]

On l'aura constaté, ces projets d'animation sont essentiellement des projets de formation de personnes qui exercent une influence dans leurs communautés. Ainsi les missionnaires nourrissaient l'espoir que leur projet pourrait avoir une action à plus long terme.

Le Hall Notre-Dame n'a été impliqué aucunement dans le projet suivant, réalisé et financé par l'organisme SUCO en faveur du village de Fireintournou, à une centaine de kilomètres au sud de Bamako, la capitale du Mali. Comme expliqué dans un livre qui fournit une abondante documentation, ce dernier projet comprenait quatre dimensions :
- l'appui en faveur d'une meilleure organisation politique et sociale et pour une structure qui représente vraiment l'ensemble des personnes et des groupes,
- une formation intensive de tous les groupes

---

[68] Voir u9.32.

du village sous la forme de causeries à l'ombre de l'arbre à palabres,

- l'appui à diverses initiatives économiques, en particulier à un moulin pour les femmes et à des bœufs pour les hommes,

- et une stratégie pour permettre de meilleures communications à tous les niveaux et entre tous les gens du milieu, leur permettant aussi de s'insérer dans des réseaux plus larges

C'est grâce à la création d'une organisation villageoise sur place, le Benkadi, que la population a mieux appris la démocratie et à devenir autosuffisante. L'effort de démocratisation s'est étendu sur de nombreux mois :

« On raconte que lors de la première réunion des représentants de SUCO au village, les Anciens étaient à droite et parlaient au nom de tous, alors qu'à gauche il y avait les jeunes hommes et en face les femmes : il s'agissait donc d'une société hiérarchisée avec les Anciens au sommet (gérontocratie). Au moins cinq ans ont été nécessaires pour modifier cette manière de faire. La première étape a consisté à analyser, tout le monde ensemble, les structures du village et comment tout cela fonctionnait pour en discerner les forces et les faiblesses. À un certain moment, les Anciens se sont sentis menacés et ont prétendus qu'avec ce projet on allait diviser le village. D'autres palabres ont été nécessaires pour que cette opinion soit respectée et intégrée dans la vision générale. L'étape importante a été franchie quand tout le village a accepté de créer une association appelée Benkadi où tous les groupes seraient représentés. »

Les initiatives économiques ont été sélection-
nées avec la perspective de produire rapidement
des profits. Ce fut le cas en particulier du moulin
pour les femmes. Tout de suite, l'équipement fut
acquis et on forma des femmes à la comptabilité
et à la gestion. Le succès économique ne se fit
pas attendre, si bien que très tôt l'association dut
décider quoi faire avec les profits : on commença
par les mettre à la banque, mais rapidement
on décida d'organiser une coopérative financière pour faire des prêts. La population alla
même jusqu'à se doter d'un organisme judiciaire
pour juger des conflits, parce qu'on n'avait pas
confiance à la justice du pays :

« Après seulement deux ans d'opération, les
bénéfices nets du moulin ont été réinvestis, entre
autres, dans l'acquisition d'un système de sono-
risation pour la discothèque mobile des jeunes et
dans l'achat de 15 charrues et 30 boeufs supplémentaires. En effet, le village de Fereintoumou a
pris la décision d'investir annuellement une partie de ses fonds dans l'achat d'équipement agricole
et ce jusqu'à ce que toutes les familles en soient
dotées. De plus, en 1998, le village a cofinancé la
construction de trois nouvelles salles de classe
en ciment. »

Mais les crises n'ont pas manqué :

« Au moment de la campagne agricole de 1998,
une autre crise éclate autour de la gestion du
moulin. Au dire de quelques membres de l'association, les femmes du village s'élèvent contre certaines pratiques des opératrices du moulin, telles
que la rétention d'une partie des produits mou-
lus et la mouture imparfaite des céréales. Ceci
conduit même les femmes à utiliser de nouveau
les services du moulin privé. Il faut de multiples
rencontres entre l'association et les femmes, entre

les femmes elles-mêmes, entre l'association et le conseil des anciens pour sortir le village de cette zone de turbulence. Actuellement, un jeune du village opère le moulin et les femmes de chaque clan se relaient chaque jour pour assurer l'administration et la collecte des recettes. »

Quel bilan faire de ce projet ambitieux ? Les dernières pages du livre tentent de répondre ; le projet a permis une mobilisation sans précédent de toute la population, ce fut un tremplin pour un développement autogéré, on constate une amorce de transformation des rapports sociaux, il y a un réel engouement en faveur de l'alphabétisation et de la formation, et enfin le village a pu s'affirmer même au niveau régional. Sur le premier aspect on écrit :

« À la suite du projet, le changement le plus important est sûrement la transformation des mentalités tant chez les intervenants que chez les populations appuyées. À l'arrivée de SUCO et du Benkadi dans le village de Fereintoumou, la population, selon ses propres dires, se mobilisait difficilement. Un climat de suspicion prédominait entre elle et ses dirigeants. Les affaires du village n'intéressaient que les personnes engagées dans des projets avec des ONG et l'administration. »[69]

Je crois que ces projets qu'ici j'ai appelés d'animation sociale ont ceci en commun qu'ils amorcent un changement dans les groupes humains et leur culture : l'autorité est mieux répartie, le groupe semble mieux vivre sa propre identité, avec plus de participation et d'équité.

[69] M.KONATÉ, P.SIMARD, C.GILES et L.CARON, *Sur les petites routes de la démocratie*, Montréal, Écosociété, 1999. Les citations sont dans les pages 63, 120-121, 132-133, 144-145.

7. PROJETS DANS LES GRANDES VILLES

Selon le *Rapport des Nations Unies sur l'état des villes 2001*, si en 1800 à peine 2 % de la population mondiale habitait en ville et en 1950 30 %, cette proportion a atteint les 47 % en 2000. En 2003, les Nations Unies ont annoncé que plus de la moitié des humains habitent désormais en ville. Le même rapport prévoyait que d'ici 2030 la population urbaine des pays pauvres passerait à plus de quatre milliards.[70] La mission, les missionnaires et les Églises ne peuvent pas ignorer ce signe des temps.

C'est en 1982 que pour la première fois, je suis allé en Amérique latine pour participer à une réunion des Missionnaires de la Consolata des deux Amériques. Le père Claude Morneau, un confrère québécois, était missionnaire à Rio et je voulus le visiter et aussi en profiter pour aller voir les bidonvilles.

J'y suis allé. À Rio, ces quartiers misérables sont souvent situés sur les pentes des collines; la plupart des habitations (sic!), construites de bouts de bois, de cartons et de plastique, étaient pêle-mêle les unes à côté des autres, sans eau et sans électricité. J'avais été fort bouleversé et je me demandais pourquoi des gens venaient résider dans une telle misère; on m'avait répondu que la plupart de ces familles venaient de la campagne où elles mouraient de faim; au moins, ici en ville, elles pouvaient toujours trouver un petit travail ou un commerce, qui leur permettrait de survivre...

Pas seulement de survivre! Mais aussi d'améliorer très progressivement leur sort. À peine réussissent-elles à économiser quelques dollars,

---

[70] Cité dans Agostino PETRELLI, *Villaggi città megalopoli*, Roma, Carocci, 2006 en page 59.

elles achètent une fenêtre, puis une porte, puis des briques et du ciment... Je suis retourné à Rio au début des années 1990 et j'ai pu constater la différence. La plupart des maisons n'étaient plus en papier, en carton ou en boue, mais en briques ou en bois. La ville avait installé l'électricité et quelques robinets. La paroisse m'avait présenté un projet pour construire trois ou quatre dispensaires dans les plus gros bidonvilles. Mais signe précurseur : au moment où je visitais un des endroits où devait être bâti un dispensaire, une Mercédès s'était stationnée sur la place; à mon étonnement, le missionnaire m'avait m'avait dit : « C'est probablement un marchand de drogues! »

Dix ans plus tard, j'y suis retourné, la situation des bidonvilles avait complètement changée. Ils étaient devenus des repaires des cartels de drogue, de la mafia et du crime organisé. Même les missionnaires n'osaient plus y pénétrer. Pour en visiter un, on a dû obtenir la permission d'un chef (sic!) et nous faire accompagner par deux jeunes du quartier avec des « gardes du corps ». Je ne sais pas ce que je verrai la prochaine fois! Mais telle était bien l'impression que tous les visiteurs captaient dans les grandes villes d'Amérique du Sud : l'extrême pauvreté côtoyant une insolente richesse ! La deuxième fois que je suis allé à Rio, j'ai été invité chez des gens qui avaient un logement au dixième étage d'une tour de Copacabana : ils m'avaient confié qu'ils payaient plus de 5 000 $ par mois pour ce logement! C'est une des seules fois de ma vie que j'ai mangé du vrai caviar!

Il n'est donc pas étonnant que les missionnaires aient voulu faire quelque chose pour améliorer les conditions de logement de leurs gens. Les projets en provenance des grandes villes ne sont pas tous des projets d'habitation, mais ici je me concentrerai sur trois d'entre eux, avant de parler du père Jacques Couture que j'ai visité dans un bidonville de l'île de Madagascar.

Au Hall Notre-Dame, une des premières demandes en ce sens nous vint de monseigneur José Luis Serna Alzate, évêque de Florencia (Colombie). Son diocèse couvrait la province amazonienne du Caqueta et Florencia en était la capitale et la ville la plus populeuse ; elle attirait donc les plus misérables qui n'avaient pas réussi à se débrouiller dans la jungle environnante.

En 1981, nous avons présenté son projet à Développement et Paix. L'objectif n'était pas seulement de donner un logement plus décent, mais de (re)constituer un tissu social :

« Le projet veut essayer de reconstituer (ou de créer) le tissu social. Pour ce faire, on veut faire se rencontrer les gens dans la réflexion ensemble et dans le travail ensemble. On pense que la conscientisation doit être accompagnée d'une action concrète dans le milieu. »

Une série de rencontres de conscientisation et d'animation communautaire constituait donc la première étape du projet : « Mais, et c'est la spécificité de ce projet, on veut leur donner aussi des moyens pour faire quelque chose de concret ensemble. »

C'est pourquoi nous avions mis en exergue au projet la citation de Saint-Exupéry : « Force-les de bâtir une tour et tu les changeras en frères ! » : « La construction de ces maisonnettes, en même temps qu'elle satisfait un besoin élémentaire des gens, est un moyen de créer la solidarité et de reconstituer le tissu social autour d'un projet bien concret et immédiat. »

Le projet incluait donc d'engager et de former une travailleuse sociale. On ne pensait pas donner les maisonnettes, mais sur une période assez longue, les familles devaient les rembourser en payant 400 $ par mois. Cette première étape programmait la construction de 40 maisonnettes sous la direction de l'organisme colombien Servivienda. Le projet consistait à demander à Développement et Paix un fond de départ d'environ 50 000 $, alors que le coût total du projet se chiffrait autour de 100 000 $. Mais le 23 novembre 1981, Développement et Paix refusa de subventionner le projet ; le Hall Notre-Dame accorda une aide d'environ 40 000 $, fruit de nos campagnes annuelles de 1981 : « Gens de Colombie, c'est votre tour de vous laisser parler d'amour ! »[71]

Quelques mois plus tard, un projet semblable nous fut présenté par les IMC de Jerusalen sous le titre *Todos con su casa!* Cette fois-ci, nous l'avons présenté à Oxfam Québec qui a accepté de le cofinancer avec le Hall Notre-Dame. Le coût total était de 82 800 $: Oxfam accorda une subvention de 12 000 $, une ONG irlandaise donna 1 150 $, la ville de Jerusalen 40 250 $ et les gens sur place 28 800 $. Voici comment on décrivait le problème : « Quatre-vingt-dix familles n'ont pas d'habitations propres et vivent normalement chez des beaux-parents ou des parents, souvent à quatre ou cinq familles dans la même cabane. Ces cabanes sont tout à fait inadéquates. Normalement, elles sont formées d'une seule pièce, ne possèdent pas de services hygiéniques ni d'eau potable ni d'électricité. Elles sont en terre et boue séchée, avec des toits normalement de feuilles de bananiers, quelques-unes recouvertes de tôles. La promiscuité des personnes avec des animaux

---

[71] Voir u8.33.

entraîne de nombreuses maladies, décuplées par le climat chaud et humide. »

La paroisse fut mise en alerte en 1981 par la situation dramatique d'une famille de onze personnes qui avaient reçu l'ordre de quitter le terrain où elle s'était péniblement construite un logement. Le Conseil pastoral se rendit alors compte que plusieurs familles se trouvaient dans la même situation et décida de lancer la campagne *Todos con su casa!* Un premier recensement des familles constata que près de 90 d'entre elles se trouvaient en situation précaire; on établit un ordre de priorité qui établit que 5 familles avaient besoin d'une solution immédiate; 18 autres devaient en trouver une dans les deux ans. Le Conseil approcha la municipalité qui offrit un terrain pour un prix symbolique, alors qu'un citoyen mit à la disposition de la paroisse un premier morceau de terre pour les 5 premières maisonnettes. On créa donc une coopérative qui devint propriétaire du terrain où une trentaine de maisonnettes pouvaient être érigées. La ville s'affaira à installer l'aqueduc, les égouts et l'électricité, pendant qu'on approchait l'organisme colombien Servivienda spécialisé dans la construction de maisons modestes. En même temps, la paroisse procédait à une grande campagne de carême qui rapporta 2 000 $; mais ces fonds furent envoyés à Popayan après le grand tremblement de terre qui secoua cette ville en 1983.

En mars 1984, je me suis rendu moi-même en Colombie et je visitai le village de Jerusalen. Quelle ne fut pas ma surprise de constater que les 18 maisonnettes avaient déjà été construites. J'appris donc qu'un organisme allemand, *L'aide allemande de Développement pour l'Habitat social,* avait lui aussi reçu, approuvé et financé le projet. Il faut comprendre que souvent les missionnaires présentent leur projet à divers organismes de coopération internationale, ce qui est tout à fait compréhensible; il peut donc arriver qu'ils reçoivent plus qu'un financement pour le même projet. Je demandai des explications au père Salvator Mura; la coopérative avait déjà engagé les procédures pour le deuxième groupe de 18 maisons et on programmait que l'aide canadienne serait appliquée à cette nouvelle phase.

De retour au Canada, j'expliquai la situation à Oxfam qui refusa de subventionner le deuxième groupe de maisonnettes. Le Hall Notre-Dame décida donc de rembourser 12 000 $ à Oxfam.[72]

En 1989, je suis allé rencontrer les Prêtres des Missions-Étrangères du Québec qui travaillaient dans le nord de l'Argentine, à Resistencia. Là, le père Jules Côté me raconta comment il avait réalisé un projet de coopérative d'habitations. Ce projet avait démarré quand un jeune homme lui avait expliqué qu'il « voulait réunir les gens pour l'aider à construire leurs maisons dans un endroit sec et non inondable ». Le missionnaire contacta l'évêque qui s'enthousiasma et suggéra de créer une coopérative : 32 familles adhérèrent et le projet démarra avec une aide de 6 000 $ en provenance du Canada. J'avais demandé au père Côté de m'expliquer comment ce travail trouvait sa place dans son œuvre d'évangélisation :

« C'est un travail d'évangélisation humaine. La libération que le Christ nous apporte et que nous prêchons aux gens n'est pas seulement spirituelle, c'est une libération intégrale de l'homme. Nous voulons promouvoir l'humain, tout l'humain, dans notre paroisse. Nous voulons que les gens se

---

[72] Voir u9.42.

prennent en main et qu'ils sortent de leur misère [...] C'est cela la promotion humaine. »[73]

Le programme le plus complet que j'aie jamais connu, c'est celui du père Jacques Couture dans la banlieue de Tananarive, la capitale de Madagascar, grande île de l'océan Indien. On se souvient que ce jésuite avait débuté son ministère en s'engageant avec les pauvres du quartier Saint-Henri de Montréal, avant de se lancer en politique municipale et provinciale; élu au parlement, il avait été ministre sous René Lévesque. Après cette escapade politique, il réintégra de nouveau la Société des Jésuites et fut destiné au Madagascar. C'est là que je lui rendis visite en 1985 afin de préparer un dossier qui serait présenté dans la revue de la Propagation de la Foi.

Le père Couture avait choisi de vivre dans un des quartiers les plus pauvres et misérables de Tananarive où il avait entrepris une œuvre de conscientisation et de transformation sociale de longue haleine :

« Je me sens incapable d'entrer dans ces pauvres cabanes pour dire aux gens : Écoutez-moi, je vous annonce la Bonne Nouvelle de l'Évangile. Je pense que mon premier devoir, c'est de les aider dans leur vie quotidienne. Mais si je ne savais pas que Dieu est avec moi, je ne resterais pas ici une minute de plus ! »

Dans son projet, il y avait un Centre social où travaillait une douzaine de familles organisées en coopérative pour s'occuper de jardins communautaires : chaque famille avait sa propre parcelle de terre, mais de plus tous devaient aussi travailler trois heures par jour aux jardins de la collectivité. On signait des contrats de six mois et si le travail

---

[73] Jules CÔTÉ, « Un projet de coopérative d'habitations », dans *Univers* d'août 1989, en pages 11 à 14.

était bien fait, le contrat pouvait être renouvelé, ou bien on leur accordait un plus grand jardin. Selon le père Couture, ces jardins « aident un peu certains pauvres à devenir autosuffisants ».[74]

Signalons une autre catégorie de projets que j'aurais pu intégrer aux projets en faveur des femmes et de leur santé, mais si j'en parle ici, c'est que toujours ces projets sont réalisés en villes, spécialement dans les grandes villes. Le Hall Notre-Dame a aidé un tel projet présenté en 2005 par les pères Fernando Rocha et Carlos Alarcon en faveur des femmes d'un quartier de Boa Vista, dans l'état de Roraïma, dans l'extrême nord ouest du Brésil. Dans les villes, les femmes deviennent facilement les proies de la prostitution, du tourisme sexuel et des mauvais traitements, surtout si elles n'ont pas de revenus suffisants. Dans la lettre où il présentait le projet aux bienfaitrices et bienfaiteurs du Hall Notre-Dame, le père Joseph Ronco, le responsable des campagnes de 1996 à 2006, écrivait :

« Le père Fernando et le père Carlos ont décidé d'aider ces femmes à récupérer un peu de leur dignité, car sans dignité elles ne sauront pas être heureuses. »

Les pères Rocha et Alarcon voulaient justement leur assurer une certaine autosuffisance financière en leur enseignant comment s'organiser et fabriquer ensemble du savon. En cofinancement avec la Fondation Roncalli, une aide de 8 000 $ leur fut accordée. Dans le rapport final, les responsables ont signalé que la principale difficulté provenait de l'extrême mobilité des femmes : « Le projet a permis à une trentaine de femmes, souvent seul soutien financier de leur famille à

---

[74] Jean PARÉ, « Jacques Couture à Madagascar », dans *Univers* de février 1986, en pages 15 à 25.

cause de la désertion des maris du toit conjugal, de s'organiser une coopérative de production de barres de savon. Ces femmes, souvent peu scolarisées, ont également reçu une formation pour développer leur confiance en soi et lutter pour leurs droits », explique le rapport final présenté à la Fondation Roncalli en avril 2007.[75]

8. PROJETS EN COMMUNICATION

Permettez-moi d'évoquer brièvement quelques projets dans le domaine des communications. La très grande majorité de ces projets ont été exécutés en Amérique du Sud; je crois, personnellement, que les missions en Afrique ont un retard important dans ce secteur.

Presque tous ces projets argumentent que les énormes distances ne permettent pas de rejoindre toute la population d'un territoire, d'autant plus que les moyens de transport sont limités et les routes pratiquement inexistantes. Pour l'atteindre, la radio apparaît donc comme un moyen extraordinairement efficace et peu coûteux.

En 1983, le Hall Notre-Dame a reçu un projet pour créer une radio communautaire pour les paysans de la région d'El Tambo, dans le Cauca colombien. La mission de El Tambo couvre un territoire de 3 000 km^2 et dessert une population d'environ 80 000 personnes. L'aide totale sera de 6 300 $, dont 5, 300$ proviendra de Développement et Paix.[76]

En 1989, la demande nous vint de monseigneur Castro, le nouvel évêque de San-Vicente-Puerto-Leguizamo; il souhaitait équiper son diocèse de quatre postes émetteurs et demandait une aide de 6 000 $ pour un coût total de presque 7 000 $.

[75] La lettre était datée du 15 novembre 2005, tandis que le projet non encore archivé porte le no. 1090.
[76] Voir u9.43.

La Fondation internationale Roncalli accordera 5 000 $ et le Hall Notre-Dame ajoutera un autre 1 000 $. Monseigneur Castro expliquait :

« La disproportion entre les forces pastorales et l'extension du Vicariat rend impossible le contact fréquent entre les agents de pastorale et les fidèles. Comment rejoindre les 700 villages qui forment notre Vicariat avec seulement 18 prêtres, 18 religieuses et 15 laïques missionnaires ? Il faut ajouter à la visite personnelle d'autres formes de présence. Parmi les différents moyens de se rendre présents dans les familles, nous privilégions le radio émetteur paroissial. »

Le rapport final expliquera qu'après les études de quelques experts, il avait été décidé d'établir seulement deux émetteurs, mais plus puissants. Les deux émetteurs avaient été placés dans les deux zones les plus densément peuplées du diocèse, à Solano et à San Vicente. Monseigneur Castro signalait aussi que le défi était maintenant de mieux former le personnel y travaillant. Il ajoutait :

« Dans nos programmes, nous avons encouragé les cultures alternatives à la coca. Nous avons cherché à favoriser la participation et l'intégration de la population à la vie communautaire dans ses différents aspects. »

Il faut se rappeler que le Caqueta est un des territoires où l'on cultive la coca et qui est partiellement contrôlé par des guérillas.[77]

9. PROJETS CONCERNANT LES DROITS, LA JUSTICE ET LA PAIX

Au deuxième concile du Vatican, l'Église a pris conscience que les efforts en faveur de la paix et de la justice faisaient partie de sa mission de

---

[77] Voir u10.20.

construire le Royaume de Dieu. Après le Concile, le pape Paul VI créa la première commission Justice et Paix ; les conférences d'évêques les instituèrent dans la décennie qui suivit. Bientôt, ce furent les paroisses qui créèrent des groupes de personnes pour coordonner les efforts des chrétiennes et chrétiennes pour mettre plus de justice, de paix et de réconciliation dans leur milieu. Lors de notre dernière grande campagne en faveur du Brésil en 2002, plusieurs paroisses et missions ont présenté des projets en faveur de commissions locales Justice et Paix. La plupart du temps, ces projets demandaient l'aménagement d'un local et l'acquisition d'un ordinateur.

De Colombie, et plus spécifiquement de monseigneur Luis Augusto Castro, qui à ce moment-là était l'évêque de San Vicente-Puerto-Leguízamo, le Hall Notre-Dame a reçu une demande d'aide pour réaliser dans son immense diocèse la Grande Mission nationale de Réconciliation de 1989. On sait comment ce pays est déchiré par diverses guérillas, des mouvements militaires et paramilitaires et des trafiquants de drogue qui sèment violence, destruction et mort depuis cinquante ans. Appuyée par Jean-Paul II, la Conférence des Évêques de Colombie programma donc par tout le pays une grande mission de réconciliation. Monseigneur Castro prévoyait envoyer des équipes de quatre personnes dans 64 endroits différents pour des sessions de retraites d'une semaine. Dans ce but, il invitait plus de 250 personnes, des prêtres, des religieuses et des religieux, de même que des laïques, à venir dans son diocèse à leur propre frais ; mais à partir de leur arrivée, le diocèse les prenait en charge. Dans sa demande, il écrivait :

« La finalité de la mission de réconciliation est de promouvoir la conversion de nos gens de la violence à la paix, de la haine à la fraternité, de la vengeance au pardon, du manque de respect de la vie à l'appréciation de la vie des autres. »

Pour cela, monseigneur Castro demandait une aide de 3 700 $. Le projet fut entièrement financé par la paroisse Notre-Dame-de-la-Consolata et par le Hall Notre-Dame. Dans le rapport final, on peut lire :

« Les résultats ne sont pas visibles, mais la grâce de Dieu travaille en silence dans les cœurs. Néanmoins il y a eu un rapprochement de l'Église [...] Et des personnes demandent déjà une postmission ! »[78]

Le projet du diocèse de Roraïma, au Brésil, était particulièrement ambitieux et complexe. Dans ce territoire à l'extrémité nord-ouest du pays, les Indiens sont les plus nombreux, mais comme leurs terres sont riches de produits forestiers et miniers, des Blancs les envahissent, déstabilisant les groupes et les cultures autochtones. C'est très graduellement que les Missionnaires de la Consolata se sont rendu compte de l'oppression subie par les Indiens. Ils ont alors commencé à travailler pour que des portions du territoire soient réservées exclusivement aux Indiens ; cet effort se poursuit jusqu'à maintenant. Mais au milieu des années 1980, une nouvelle stratégie s'est offerte à eux ; ils avaient remarqué que le gouvernement attribuait la propriété des terres aux fermiers qui y faisaient brouter leur troupeau ! Alors pourquoi ne pas faire la même chose avec les Indiens ? Ainsi est né le projet intitulé « Une vache pour l'Indien » :

« En donnant des troupeaux de vaches aux

---

[78] Voir u10.210.

villages indiens de Roraïma, nous voulons avant tout aider les Indiens à affirmer et faire valoir leur droit à la terre. En effet, même si la Constitution brésilienne reconnaît ce droit aux populations indigènes, en pratique à Roraïma, la terre appartient à celui qui l'occupe avec ses troupeaux. »

Le projet entendait donc fournir à tous les villages indiens un troupeau de 50 vaches et de 2 taureaux. C'est le Conseil intercommunautaire des Indiens qui évaluait si un village était prêt à recevoir son troupeau ; pour cela, le village devait construire les enclos et avoir assez d'argent pour acheter tout le nécessaire aux vaccinations des animaux. Les villages ne deviennent pas tout de suite propriétaire des animaux, mais ils les reçoivent à titre de prêt pour une période de 5 ans. Après cette date, le village qui donne à un autre village le même nombre de bêtes qu'il a reçu, devient propriétaire des animaux nés pendant ces 5 années.

Grâce à divers subsides en provenance d'Europe, le projet a pu démarrer dès 1976. Quand le Canada a été approché en 1988, on souhaitait augmenter le cheptel avec l'achat de six nouveaux troupeaux pour six villages jugés prêts par le Conseil indien. Avec l'expérience des premières années, on savait qu'un nouveau troupeau coûtait 10 000 $ et que le village devait fournir 1 700 $ pour les enclos et les vaccins. On demandait donc une aide de presque 60 000 $ au Canada. Finalement le Hall Notre-Dame accordera une aide de 11 000 $, le reste étant subventionné par le Club 2/3. Dans le rapport final, on peut lire : « Il n'y a pas eu de difficultés de la part des Indiens, parce que le Conseil intercommunautaire coordonne le projet et les Indiens sont conscients de son importance. Les difficultés viennent des propriétaires blancs qui présentent les missionnaires comme des communistes et font recours à l'intimidation et à la violence. Il y a eu des embuscades pour tuer des missionnaires. C'est le prix à payer pour aider les pauvres à se libérer de l'oppression. »

Finalement 5 troupeaux seront offerts à 5 nouveaux villages, changeant ainsi la vie de près de 800 personnes.[79]

Je ne sais pas dans quel type de projet classer ce que j'ai rencontré dans une visite aux missionnaires canadiens au Malawi en 1985. C'est le père Rodolphe Roy, des Missionnaires d'Afrique, qui en était l'initiateur. Tout avait commencé en 1970 quand son évêque l'avait interpellé : « Rodolphe, serais-tu intéressé à travailler pour le développement dans le diocèse ? » Sa première réaction avait été de surprise, mais tout de suite il s'était mis à l'œuvre en organisant de petits clubs agricoles qui partageaient certains outils et amélioraient leurs productions avec l'achat de deux bœufs; ce projet dût être abandonné à cause de pressions politiques. Alors le père Roy a commencé à établir des caisses populaires. Il a dû s'astreindre à une longue préparation pour expliquer aux gens de quoi il s'agissait, comment cela fonctionnait, quels en étaient les avantages et les difficultés... La première caisse fut enregistrée en 1972 à Mzimba et commença à fonctionner en 1973.

Certes, les gens du Malawi ne sont pas riches, mais, selon le missionnaire canadien, ils ne sont pas misérables non plus. Pour le père Roy, sa clientèle, ce sont les gens qui ont un revenu d'environ 500 $ par année; ces gens-là sont capables

[79] Voir u9.35.

d'une modeste épargne, et une fois qu'ils ont un compte à la caisse, ils peuvent obtenir un prêt. Lors de ma visite en 1985, le réseau des caisses populaires du père Roy comprenait 13 succursales avec un actif de trois quarts de million de dollars.

Les caisses font des prêts à leurs membres, ce qui pourrait être dangereux ; mais aucune caisse n'a fait faillite, car, selon le père Roy, les prêts sont bien étudiés :

« En ville, les emprunteurs sont souvent des gens entreprenants qui veulent se partir une petite affaire, un petit commerce, une petite industrie [...] Dans les campagnes, la première raison des emprunts de la part des fermiers, c'est pour se procurer des engrais chimiques. »

Trente sacs d'engrais sont suffisants pour une dizaine d'acres, pour une dépense d'environ 500 $; mais avec ces engrais, la récolte sera doublée, rapportant environ 250 sacs de maïs, pour un revenu autour de 3 000 $. C'est donc bien rentable. À lui aussi j'ai demandé si c'était là un travail missionnaire :

« Je suis convaincu que c'est un magnifique travail d'évangélisation. Un homme, c'est fait d'un corps et d'une âme. S'occuper de l'âme qui est immortelle, c'est très important, mais s'occuper du corps, cela aussi c'est important. »[80]

Œuvrer pour qu'il y ait plus de justice économique, n'est-ce pas travailler pour que vienne le Règne de vie et d'amour, de paix et de justice du Père ?

10. PROJETS ECCLÉSIASTIQUES

Les missionnaires n'ont pas que des projets de développement économique, social et cultu-

[80] Jean PARÉ, « *Mission et développement. L'expérience originale du père Rodolphe Roy, p.b.* », dans *Univers* d'avril 1986, en pages 24 à 29.

rel, ils veulent aussi développer l'Église. Je me contenterai de présenter quatre projets qui, par leur diversité, donneront une petite idée de l'inventivité des missionnaires.

Spécialement en Afrique, la mission a progressé de manière fantastique en ce dernier siècle grâce à la collaboration des catéchistes. En effet, nombreuses sont les petites communautés chrétiennes qui n'ont ni prêtre ni église; comme elles sont éloignées de la mission principale, le missionnaire ne les visite que 2 ou 3 fois par année. La plupart du temps, c'est un catéchiste qui en est responsable, aidé par un conseil pastoral. La première préoccupation des missionnaires est donc la formation de ces catéchistes.

C'est ainsi qu'en Afrique du Sud, au début des années 1980, les Missionnaires de la Consolata ont inauguré un centre de formation de catéchistes pour les 6 paroisses de la région du Transvaal. À cause de sa position centrale, c'est la mission de Damecentre qui avait été choisie comme emplacement de ce nouveau centre. Le supérieur en était le père Hector Viada; ce dernier avait été animateur missionnaire au Canada, il lui fut bien spontané de s'adresser à ses amies et amis canadiens pour financer ce nouveau centre. Il demandait une aide de 12 000 $ que nous avons transmise à l'Office des Missions de la Conférence des Évêques du Canada qui ont accepté de financer le Centre catéchétique de Damecentre pour un montant de 10 000 $, le reste étant ajouté par les bienfaitrices et bienfaiteurs du Hall Notre-Dame.[81]

Souvent, la formation est assurée par des sessions de 2 ou 3 jours données à la mission principale où doivent se rendre tous les catéchistes. Il n'est donc pas étonnant que plusieurs

[81] Voir u8.24.

missionnaires aient eu l'idée de les aider en les pourvoyant d'une... bicyclette! C'est ainsi qu'en 1989 le Hall Notre-Dame a payé des bicyclettes pour les 25 catéchistes animateurs de la mission de Massinga au Mozambique.[82]

Les deux prochains projets sont sans doute les plus importants que le Hall Notre-Dame ait jamais aidé. Le premier venait du Mozambique pour la traduction en macua-scirima de la Bible et le deuxième provenait de la Colombie et demandait une aide pour construire un nouveau grand séminaire.

Le père Joseph Frizzi œuvre au Mozambique auprès des Macuas depuis une trentaine d'années. Cette tribu occupe une grande partie de l'extrême nord du pays; ils sont environ 3 500 000, dont le dixième s'est converti au catholicisme. Plusieurs fois, lui qui avait une formation de bibliste, il avait entendu des gens de cette tribu se lamenter qu'ils ne pouvaient pas lire la Bible dans leur propre langue. C'est ainsi qu'il a conçu l'ambitieux projet de traduire toute la Bible dans la langue macua- scirima. Pour cela, il s'est entouré d'un groupe de catéchistes dont c'était la langue maternelle. En 1994, la traduction du Nouveau Testament était achevée et passait à l'examen du comité de révision du diocèse de Lichinga. En 1998, le Nouveau Testament put ainsi être publié. Commença alors la traduction de tous les livres de l'Ancien Testament, œuvre magistrale qui engagea des dizaines de catéchistes traducteurs, réunis en quatre commissions différentes, puis ensuite il y avait les correcteurs et les réviseurs, pour un travail qui dura plus de cinq ans[83]. Parallèlement à ce travail de traduction des

---

[82] Voir u9.114.

[83] Les traducteurs et réviseurs étaient payés 65 $ US par mois.

textes bibliques à partir des textes originaux en hébreu et en grec, le père Frizzi encouragea les artistes de son Centre culturel à illustrer toute la Bible. Plusieurs fois le résultat fut soumis à des communautés chrétiennes pour recueillir leurs commentaires et leurs corrections.

On peut s'imaginer qu'à tous les ans le père Frizzi envoyait une demande d'aide au Hall Notre-Dame. Le Hall la transmettait à toutes sortes d'organismes d'aide. Mais ce sont certainement les bienfaitrices et bienfaiteurs du Hall Notre-Dame, avec la Fondation Roncalli, qui ont contribué le plus à cette œuvre magistrale, avec des dons qui doivent dépasser les 100 000 $. Heureusement que le père Frizzi avait aussi des amis en Europe, car le coût total de son projet dépassa largement les 300 000 $.

A-t-on une petite idée des difficultés générées par un tel projet ? Quand fut achevée la traduction du Nouveau Testament, tout se trouvait sur papier. Pour faciliter l'impression, les Sœurs de Saint-Pierre Claver demandèrent que tout soit transféré sur un ordinateur Macintosh, qui en plus eut la bonne idée de tomber en panne...

C'est en 1985 que le supérieur et l'administrateur des Missionnaires de la Consolata de Colombie communiquèrent avec le Hall Notre-Dame pour demander une aide pour la construction d'un nouveau grand séminaire de théologie à Bogota. À cette époque, contrairement au Québec, le nombre des candidats prêtres et missionnaires ne cessait d'augmenter et les locaux de l'ancien séminaire, près de la paroisse de Notre-Dame-de-la-Consolata, en plein centre-ville, étaient tout à fait insuffisants et vétustes. Les directions générale et provinciale de l'IMC approuvèrent la construction d'un nouveau séminaire selon les plans d'architectes qui avaient recommandé de raser les vieux édifices pour faire place au nouveau.

Au Hall Notre-Dame, nous étions perplexes : comment impliquer nos bienfaitrices et bienfaiteurs dans un projet aussi ecclésiastique, alors que nous les sollicitons pour tant d'autres projets de développement ? C'est alors que l'idée germa d'une campagne auprès des communautés religieuses du Canada français. Nous invitâmes le supérieur de Colombie, le père Ariel Hoyos, qui connaissait le français puisqu'il avait étudié à l'université Laval, et l'administrateur, le père Philippe Fratino, à venir au Canada rencontrer les supérieures et supérieurs des congrégations religieuses qui manifesteraient de l'intérêt. Une lettre leur fut adressée et quand les deux visiteurs arrivèrent à Montréal au début de décembre 1985, nous avions déjà une vingtaine de rendez-vous.

Finalement les IMC de Colombie avaient besoin de 150 000 $ et nous reçûmes presque 160 000 $ d'une cinquantaine de communautés religieuses ; certaines avaient donné 25 000 ou 10 000 $, d'autres 100 ou 50$. Les 10 000 $ excédentaires, d'un commun accord avec les responsables de Colombie, furent envoyés au Kenya, car là aussi les IMC construisaient un nouveau séminaire.[84]

Les missions changent et avec elles aussi les demandes d'aide. C'est ainsi que de plus en plus la mission de conversion est devenue de conversation ; le dialogue interreligieux est maintenant au cœur de la pratique missionnaire et ecclésiale. Les missionnaires de la Consolata sont arrivés en Corée du Sud en 1988. Mais là, les missionnaires ne peuvent s'intégrer à l'action qu'après plusieurs années d'apprentissage de la langue et d'incul-

---

[84] Voir u10.3 et u1.145.

turation... Ce n'est donc qu'en 1999 que le Hall Notre-Dame a décidé de consacrer sa campagne annuelle à ce pays d'Asie. Un des deux projets était la construction d'un Centre de dialogue interreligieux :

« Notre projet est simple, expliquait le père Antoine Domenech del Rio. Bâtir une maison temple dédiée à la spiritualité, à la prière et à l'échange avec les membres d'autres religions. Le dialogue de vie accompagné du témoignage de notre foi permettra aux uns et aux autres de se connaître davantage et deviendra une source d'engagement commun pour l'amélioration de la société. Ce sera un moyen nouveau de faire la mission. »[85]

Ce centre « Source de consolation » fut érigé dans le village de Ok-Kil-Long. Comme contribution canadienne, le Hall Notre-Dame a envoyé une aide de 100 000 $ pour la construction du centre, alors que l'aide totale en 1999 pour les missions et les projets IMC de Corée atteignait 204 288 $.

---

[85] Voir la demande publiée dans notre revue : Giuseppe RONCO, « Un toit pour prier », en *Réveil Missionnaire*, no 210 de décembre 1998, en page 31.

CONCLUSIONS DE
LA PREMIÈRE PARTIE

Que conclure de l'illustration de tous ces projets ? À cette étape-ci, il ne semble pas encore possible d'évaluer s'ils sont utiles ou non, et dans quelle proportion ils contribuent à un véritable développement des personnes et des groupes. Néanmoins qu'on me permette les commentaires suivants.

On aura remarqué que les projets aidés par le Hall Notre-Dame sont des microprojets, des mini-projets[86]. Je ne crois pas que les missionnaires et les églises se soient souvent impliqués dans des projets nécessitant des investissements en millions de dollars. Il faudra donc s'attendre à ce que les effets de ces projets soient plus proches de la vie des gens, mais aussi moins remarqués par les économistes qui examinent la macro-économie.

Une autre caractéristique qui s'impose, c'est l'extrême diversité de ces projets. La plupart des observateurs s'attendent à ce que les projets des missionnaires soient des projets ecclésiastiques, peut-être dans les secteurs de l'éducation, de la

---

[86] Actuellement, le financement accordé par des organismes de coopération internationale se situe entre 50 000 $ et 100 000 $.

formation et de la santé. Mais il faut bien reconnaître que les projets missionnaires s'étendent maintenant à un éventail de secteurs qui couvrent presque toute l'existence des individus et des sociétés. Les missions ne s'intéressent pas seulement aux écoles et aux dispensaires, mais aussi aux turbines, à la menuiserie, au secteur financier, à l'art et aux identités culturelles... Cela témoigne de l'inventivité et de l'imagination des missionnaires pour aider leurs gens.

Les projets missionnaires ont presque toujours une autre caractéristique commune: la clientèle qu'ils visent, les personnes qu'ils ciblent, ce sont avant tout des personnes souffrantes ou pauvres. Je n'ai jamais rencontré de projet qui avait comme objectif la liberté du commerce ou l'enrichissement des élites... Une bonne partie des projets visent directement un allègement des souffrances : les hôpitaux et les dispensaires, les prothèses et les chaises roulantes... Beaucoup d'autres ont comme objectif une amélioration des conditions de vie : le logement et les écoles, l'apprentissage d'un métier, les moulins, les charrues, les aqueducs et les fontaines...

Pour l'Église et pour les missionnaires, il n'est pas question de réduire le développement à ses dimensions économiques. C'est la personne qui est au cœur de tout projet de développement, toute la personne et toutes les personnes. La variété des projets d'éducation et de formation est étonnante. Cela correspond aussi au charisme de nombreuses congrégations missionnaires ou à extension missionnaire.

La missiologie, c'est-à-dire la science des missions, a mis au cœur de sa réflexion le concept de l'inculturation. Je ne suis donc pas étonné que plusieurs projets soient carrément culturels. Il y a les projets pour encourager et sauvegarder les cultures autochtones et les centres d'art... Mais il y a aussi ces projets qui, comme celui du père Frizzi, ont permis de rendre la Parole de Dieu accessible dans des centaines de langues.

On a vu enfin apparaître des projets en faveur de la paix, de la justice et des droits humains; ils ne sont pas encore assez nombreux. Pour beaucoup de missionnaires, la charité est encore plus importante que la justice...

Les projets ecclésiastiques sont les plus institutionnels, comme les constructions ou les rénovations d'édifices du culte, la construction des séminaires et des centres catéchistiques. Ce me semble moins innovateur, mais, certes, l'Église et le peuple de Dieu en ont besoin.

LES ACTEURS

La présentation qui précède permet de constater qu'il y a trois grands acteurs dans cette collaboration de l'Église au développement des peuples.

1. Les institutions ecclésiales

Le Vatican est certes le premier de ces acteurs. Là, divers organismes aident les missions et financent des projets de développement. Le premier d'entre eux est certainement l'ensemble des Œuvres pontificales missionnaires, composées de quatre départements différents, dont les plus connus sont l'Oeuvre de la Propagation de la Foi, l'œuvre de l'Enfance missionnaire (autrefois appelée la Sainte Enfance) et l'Oeuvre de Saint-Pierre-Apôtre ; alors que cette dernière aide spécialement les séminaristes (en 2007, l'OSPA a aidé plus de 81 000 séminaristes), la deuxième s'intéresse aux enfants. Ensemble, elles pourvoient au fonctionnement ordinaire de plus de 1 500 diocèses considérés comme pauvres. L'Oeuvre de la Propagation de la Foi tire ses principales ressources de la quête qui est organisée dans toutes les églises et chapelles du monde catholique au moment de la Journée mondiale des missions, l'avant-dernier dimanche d'octobre de chaque année. En 2007, elle a distribuée 126 millions de dollars ; 30 % pour le fonctionnement ordinaire des diocèses pauvres, 13% pour la construction d'églises et de chapelles, 12 % comme aide aux catéchistes, alors que le reste consistait en une aide à des milliers d'institutions catholiques dans le monde : hôpitaux et écoles, universités et moyens de communication...

Cor Unum fut créé par Jean-Paul II pour gérer les projets de deux fondations spéciales : la Fondation Jean-Paul II pour le Sahel et la Fondation *Populorum Progressio*. Avec un budget d'environ 10 millions de dollars entre 2001 et 2004, la première de ces fondations est administrée par des évêques du Sahel : 14 % de ces projets sont en agriculture, 14 % dans l'environnement, 21 % en animation, 17 % en hydraulique, 8 % en élevage et autant en santé. Créée en 1992 à l'occasion du cinquième centenaire de la « découverte » des Amériques, la deuxième fondation finance des projets en faveur des pauvres, des Indiens et des Afrodescendants en Amérique latine ; entre 2001 et 2004 elle a financé 2 272 projets pour une aide totale de 7 millions de dollars : 40 % sont des projets d'élevage et d'artisanat, 26 % des projets d'infrastructures villageoises, 15 % en éducation, 14 % des constructions et 6 % en santé.

Caritas International est un organisme qui coordonne l'activité des 162 Caritas nationales; l'ensemble des Caritas aide environ 24 millions de personnes dans 200 pays à tous les ans. Le budget total se chiffre autour de 5,5 milliards de dollars. Voici quelques budgets annuels de neuf de ces Caritas nationales:

Caritas nationales	Budget
Allemagne	68 millions
France	204 millions
Italie	57 millions
Pologne	14 millions
Espagne	½ million
Nigeria	1,2 million
Afrique du Sud	1,3 million
Japon	3 millions
Thaïlande	5 millions
Inde	47 millions

Un peu partout dans le monde, des conférences d'évêques ont créé leurs propres organismes s'occupant d'intervenir en cas d'urgence ou pour des projets de développement. Aux États-Unis, le *Catholic Relief Services*, avec un budget de 560 millions de dollars en 2006, s'est spécialisé dans des opérations d'urgence, tandis qu'au Canada l'Organisation canadienne catholique pour le Développement et la Paix s'intéresse presque uniquement à des projets de développement et d'animation sociale; en 2007, son budget a été d'environ 21 millions de dollars. Ces deux organisations sont membres de Caritas international.[87]

---

[87] Pour le cours de formation missionnaire de l'Union pontificale missionnaire sur « Les Missionnaires du Troisième Millénaire », j'ai rédigé une leçon sur les missionnaires nord-américains; entre autres j'y comparais la vision plus classique de la mission des évêques états-uniens à la vision plus axée sur le développement de la Conférence des Évêques catholiques du Canada : Jean PARÉ, « Missionnaires d'Amérique du Nord et pour l'Amérique du Nord », dans Union pontificale missionnaire, *Cours de formation missionnaire*, leçon 4, Rome, 1990.

Une des Caritas les plus connues est la *Misereor* allemande, créée en 1958 pour lutter « contre la faim et la maladie »; son mandat a été élargi et inclus maintenant la promotion de la justice, de la liberté, de la réconciliation et de la paix. Depuis 1959, la *Misereor* a subventionné près de 80 000 projets; en 1999, son aide s'élevait à environ 300 millions de dollars. L'Église d'Allemagne a aussi créé *Adveniat* pour l'Amérique latine et *Missio* pour l'aide aux missions.

Les Caritas financent des projets dans une grande variété de types. La CAFOD en Angleterre et CEBEMO aux Pays-Bas sont elles aussi membres de la Caritas. En France, il s'agit du Secours catholique.

Certaines organisations ont été créées dans les pays du Sud. Pendant la dictature au Chili, les médias ont beaucoup parlé du Vicariat de la solidarité de l'archidiocèse de Santiago. Mentionnons aussi le Secrétariat d'Étude et d'animation en Guinée et au Brésil la CECAPAS (qui coordonne l'aide dans le nord-est). Signalons que le Mouvement des sans-terre au Brésil est indépendant de l'Église catholique. Je ne sais pas si le CIMI, *Conselho Indigenista Missionario*, est lié à la Conférence des évêques du Brésil.

2. LES INSTITUTIONS MISSIONNAIRES

Les sociétés et les congrégations missionnaires ou à extension missionnaire sont elles aussi parmi les principaux acteurs du développement.

Autrefois, ces sociétés ont été fondées dans les Églises du nord, et c'est du nord qu'elles étaient dirigées : ainsi les Missionnaires d'Afrique, les Missions de Lyon, la Société des Missions Étrangères du Québec et les Jésuites; maintenant, il y a de plus en plus de groupes créés et gérés dans les pays du sud de la planète : comme la Société de Yarumal en Colombie et de multiples communautés féminines fondées en Afrique au XXe siècle. Les Franciscaines missionnaires de Marie sont un cas spécial, ayant été fondées en Inde par des Européennes. Désormais, les missionnaires en provenance des Églises du sud sont plus nombreux que celles et ceux originaires des Églises du Nord.

Ces communautés ont elles mêmes créées des institutions de développement, comme l'INADES créé en 1963 par les Jésuites en Côte d'Ivoire, le Centre d'Études économiques et sociales d'Afrique occidentale (CESAO) fondé par les Missionnaires d'Afrique en 1960 et le *Centro de Investigacion y Educacion Popular* (CINEP) en Colombie.

3. Les organisations non gouvernementales

À partir des années 1960, les ONG se sont multipliées d'abord dans le Nord et, à partir des années 1980, dans le Sud.

Des milliers de groupes, d'associations, de clubs de toutes sortes ont acquis une existence légale comme organisation non gouvernementale. C'est le cas de quelques Caritas nationales, comme le Secours Catholique en France et Développement et Paix au Canada. Mais ici je veux mentionner les autres organisations non gouvernementales, dont certaines sont catholiques sans être liées à la hiérarchie de l'Église; quelques-unes furent créées par des évêques, mais poursuivent une œuvre désormais indépendante de l'Église, comme les Œuvres du Cardinal Léger. D'autres ont été fondées par des chrétiens, comme l'Aide à l'Église en détresse, la Fondation Raoul Follereau,

Secours aux Lépreux, et le Centre d'éducation et de technologie (CET) fondé en 1981 au Chili. De très importantes ONG n'ont aucun lien avec les Églises, comme la Croix Rouge internationale, Amnistie International, Greenpeace, Oxfam, Médecins sans frontières... Souvent, des catholiques participent activement à la vie de ces ONG.

LES SOURCES DE FINANCEMENT

Quand on examine les projets illustrés plus hauts, on se rend compte que le financement provenait de quatre sources principales :

1. Les dons et offrandes

Les Églises et les missionnaires reçoivent des dons et des offrandes, la plupart du temps d'individus, mais de plus en plus aussi de la part de fondations privées. Ces dons sont parfois sollicités par des campagnes, non seulement par la poste, mais aussi par les médias, la publicité et le marketing.

Parmi ces donateurs, une mention spéciale doit être faite des amis et des parents des missionnaires.

2. Les moyens financiers

Églises, sociétés missionnaires et ONG ne cachent pas leurs avoirs dans des bas de laine, mais les investissent dans les banques et toutes sortes d'outils financiers, dont les fonds mutuels. Elles en retirent des intérêts et des dividendes avec lesquels souvent elles financent leurs activités d'administration.

Dans le contexte de la crise de la dette des pays pauvres, des ONG ont acheté des parts de cette dette et se font rembourser par les pays débiteurs selon des conditions meilleures que celles du marché; les profits sont réinvestis dans des projets de développement dans le même pays.

Évidemment, en périodes de crise financière, les revenus de ces investissements peuvent baisser substantiellement.

3. Les subventions gouvernementales

Dans les années 1960, la pression de l'opinion publique a fait que la plupart des gouvernements ont créé des institutions nationales pour contribuer au développement. Au Canada, il s'agit de l'Agence canadienne pour le Développement international (ACDI). Ces institutions réservent une petite partie de leur budget pour cofinancer des projets présentés par des ONG reconnues.

Certains pays sont mieux organisés que d'autres; ainsi l'Allemagne, les Pays Bas et la Suisse, ce qui permet aux ONG de ces pays de recevoir directement de leur gouvernement une partie de leurs revenus ; ainsi, environ 45% des revenus de *Misereor* proviennent du gouvernement allemand.

4. Autres sources

Il arrive de plus en plus que les groupes qui sollicitent une aide soient invités à assurer une partie du financement du projet. On appelle cela la contribution locale.

À ce propos, citons un passage du Synode africain de 1994 (article 11) :

« Le synode a fait un examen de conscience sérieux au sujet de la prise en main financière de nos Églises par elles-mêmes. Chacun des fidèles catholiques doit faire sien cet examen de conscience. Notre dignité exige que nous mettions tout en oeuvre dès maintenant pour notre auto-suffisance financière. Le premier pas dans cette direction est une gestion transparente et une vie simple qui ne jure pas avec la pauvreté, voire la misère de nos populations.

Cette prise en main de nous mêmes n'est cependant pas à confondre avec un quelconque moratoire. Nous saisissons au contraire l'occasion pour remercier les Oeuvres pontificales missionnaires, les Églises soeurs, les Instituts religieux ainsi que les Organisations non gouvernementales qui nous ont aidés jusqu'à présent et les invitons à poursuivre ce qu'elles ont commencé et qui est l'expression de la communion. »

ORIENTATIONS

Une des orientations de la contribution missionnaire au développement, c'est de passer de l'aide et de l'assistance à un système de partenariat : non plus aider au développement, mais développer ensemble, tous partenaires dans le même effort. Les projets que les missionnaires ont réalisés pour leurs gens ont eu moins de succès et ont duré moins longtemps que les projets qui sont venus des gens et qui ont été décidés par eux. C'est pour mieux se prendre en main que des gens des pays pauvres se regroupent et créent une ONG avec l'objectif de contribuer au développement du milieu ; ces organisations sont de plus en plus nombreuses et, la plupart du temps, elles choisissent de ne plus passer par les missionnaires ou leurs congrégations, mais de faire affaire directement avec des ONG de développement dans les pays plus avancés.

Il est tout aussi évident que l'aide qui cible une communauté est plus efficace que l'aide à un seul individu ou à un petit groupe. Il faut bien se rendre compte que les projets traditionnels de la mission s'adressaient plus aux personnes individuelles, soit à des malades, soit à des étudiants par exemple, et non pas à la communauté elle-même et à sa culture. Quand un projet vise la transformation du milieu et prend le temps d'agir sur ce milieu, les résultats apparaissent plus durables et efficaces. Dans notre typologie, plusieurs de ces projets ont été classés comme des projets d'animation sociale. Un des échecs les plus cuisants de l'orientation individuelle a été enregistré avec les bourses d'étude pour inviter des jeunes à venir étudier en Occident. La plupart d'entre eux ne sont jamais retournés dans leur patrie, sauf pour visiter et parader... Le Hall Notre-Dame a encore un programme de bourses d'étude, mais pour des personnes qui se spécialisent dans leur propre pays, pas en Occident.

Une nouvelle orientation fait jour, plus difficile à cerner et à mettre en pratique. La plupart des projets sont des coups d'épée dans l'eau ; on intervient pour résoudre un problème, on en fait une évaluation et puis on s'en va... Ne devrait-on pas assurer un meilleur suivi ? Comment réaliser des projets qui ne soient pas des interventions ponctuelles, mais accompagnent un groupe humain dans sa marche vers le progrès ?

TRANSITION

La première partie de ce livre a décrit d'innombrables projets. Ces pages avaient pour but de mieux faire connaître les projets de l'Église missionnaire dans le monde.

La plupart de ces projets se veulent des projets de développement. En dédiant du temps, des énergies et de l'argent à ces projets, les missionnaires et les institutions ecclésiales ont l'impression d'apporter leur contribution au développement des peuples. S'agit-il d'un rêve ou d'une belle utopie ? Comment en juger ? Quelle évaluation proposer de cet effort extraordinaire ?

Pour cela, il nous faudra, dans une première étape, mieux comprendre ce qu'est le développement, ce sera l'objet de la deuxième partie de ce livre. Il faudra aussi essayer de saisir de quelle manière l'Église comprend sa propre mission et l'articule avec cette coopération au développement des peuples, ce sera la troisième partie de cette étude.

Une fois mieux comprise cette idéologie du développement[88] et comment l'Église l'intègre à sa mission, une certaine évaluation deviendra possible.

---

[88] Quand nous parlons d'idéologie, nous entendons un 'discours sur des idées' ; quels sont les discours qui manifestent les idées du développement ?

La campagne de carême 2009 a aidé le père Richard Larose, IMC, administrateur de l'hôpital Notre-Dame de la Consolata à Neisu en République démocratique du Congo. Le père Larose photographié dans la pharmacie de l'hôpital.

De nombreuses communautés religieuses ont financé la construction du nouveau grand séminaire IMC à Bogota (Colombie) en 1986. Pendant la construction, des séminaristes font la pause pour remercier bienfaitrices et bienfaiteurs du Canada. Le père Torres qui a été directeur du Hall Notre-Dame tient le N.

Pour améliorer la qualité de l'eau potable, nombreux sont les missionnaires qui ont demandé de l'aide pour capter des sources et construire de petits réseaux d'aqueduc. Des femmes de Kitindishwa en Tanzanie puisent leur eau à une fontaine. Dans le numéro 134 de *Réveil Missionnaire,* en avril 1986, on y donnait un compte-rendu de ce projet qui avait aussi été financé par le Club 2/3.

En Amérique latine, nombreux sont les projets en animation sociale qui visent à former les leaders communautaires. En 1985 à Cartagena en Colombie, ces jeunes pouvaient recevoir une formation solide grâce à la générosité des bienfaiteurs du Hall Notre-Dame.

Le père Henry Taborda, IMC, devant le Centre social et communautaire de Monte Santo au Brésil. Le Centre a été bâti au milieu des années 1980 fruit des dons des bienfaiteurs du Hall Notre-Dame. En page 13 du numéro 230 de *Réveil missionnaire* on énumère tous les services qui y sont offerts.

En 2003, les campagnes ont aidé la réalisation de plusieurs projets au Mozambique comme celui du Centre nutritionnel de Massinga. Parents et enfants attendent dans la cour pour la consultation.

Sur l'autre photo, on peut voir sur les tablettes les sacs de lait et autres aliments qui seront remis à chacun pour assurer une bonne alimentation aux petits.

Le père Dominique Zordan, IMC, a longtemps été le directeur du Centre pour les handicapés à Gighessa en Éthopie. Nos bienfaiteurs ont financé la plus grande partie de sa construction. Dans le numéro 178 du mois d'août 1993 de *Réveil Missionnaire* un article parle du projet.

Dans les villages de Dianra et de Sononzo Carrefour, en Côte d'Ivoire, père Pietro Villa, IMC, veut convaincre la population de la nécessité de s'instruire. Comme les gens travaillent aux champs toute la journée, l'installation d'énergie solaire et la confection d'un nouveau mobilier ont permis d'offrir les cours en soirée. (2011)

La vie de ces petits, orphelins, malades, abandonnés de Man Sok en Corée du Sud a changée grâce à nos précieux bienfaiteurs ! Vous pouvez lire dans le numéro 223 de Réveil Missionnaire en page 13, le compte-rendu que les missionnaires de la Consolata responsables du projet nous avaient fait parvenir.

En Afrique dans les années 1980, les Missionnaires de la Consolata ont pu procédert à l'installation de plusieurs moulins. À Sadani en Tanzanie, le père Lucio Abrami, IMC, reçoit les femmes qui sont venues au moulin pour y faire moudre leurs grains. Le soja, le café et le maïs sont ceux qui sont apportés le plus fréquemment.

À Puerto Leguízamo, Colombie, S. Maria Bertha Hernandez a accompagné les femmes chefs de famille et leurs jeunes enfants (0-5 ans) en leur garantissant une aide alimentaire et l'accès aux soins de santé et à l'éducation. Elle les a appuyées dans leur recherche d'emploi. Son dynamisme a fait des miracles.

À Bayenga, en République démocratique du Congo, un encadrement scolaire a été offert aux jeunes pygmées afin qu'ils deviennent les leaders de demain qui sauront prendre en mains la destinée de leur peuple. (2009)

En Côte d'Ivoire, l'éducation demeure un problème pour les enfants Senoufo qui sont requis aux champs. À Grand Zattry un projet d'alphabétisation a permis à une cinquantaine d'élèves de poursuivre leur formation académique en début de soirée. De nouveaux jeunes et des adultes ont demandé à s'inscrire. (2011)

À Isiro, on est parvenu à offrir des services de santé et de nutrition aux enfants en carence alimentaire. Chaque semaine, les bébés de 0 à 5 mois ont reçu chacun une boîte de lait maternisé. Les mamans ont reçu des formations en hygiène. (2009)

À Westland, dans la banlieue de Nairobi, au Kenya, le père Mukalazi, IMC, a répondu aux défis de la jeunesse; le projet a bénéficié à 1 500 jeunes d'origines ethnique, sociale et économique différentes. Le projet a favorisé le développement de nouveaux talents menant à l'autonomisation économique de la jeunesse et leur participation comme instruments de réconciliation. (2012)

À Kahawa West, au Kenya, l'installation d'ordinateurs et la formation offerte répondent à une clientèle puisée parmi les plus pauvres. Le programme vise la compétence des jeunes afin qu'ils se décrochent du travail dans le monde technologique qu'est le nôtre. (2012)

À Kano Village, au Kenya, père G. Omondi, IMC, a fait un important travail auprès des veuves atteintes du sida. Une éducation à leurs droits s'est doublée de formations différentes (couture, élevage, pisciculture) permettant aux femmes de combattre la discrimination à leur égard, d'acquérir des compétences, de travailler et de mieux s'occuper de leurs enfants. (2012)

Parmi nos nombreux projets de développement, un de nos objectifs est de s'occuper aussi de la promotion féminine. Des jeunes filles peuvent suivre des cours de coupe et couture au Irene Center de Maralal au Kenya grâce à une campagne réalisée auprès de nos bienfaiteurs en 2005.

En 2012, un vaste programme d'eau a été mis sur pied pour contrer la sécheresse qui sévit en Afrique de l'Est. En collaboration avec Terre sans Frontières, les IMC de Montréal creusent plusieurs puits et installent des citernes. Ici, le « château d'eau » de la Maison Ya Ufariji à Kahawa West, au Kenya.

À Neisu, les garçons, trop souvent contraints à la violence pour survivre, ont découvert, grâce à l'initiative du frère Wilson Gitonga Kaumbuthu, IMC, qu'ils pouvaient améliorer leur sort en apprenant un métier. On les voit ici maîtrisant fièrement l'art de la briqueterie. (2009)

À San Salvador de Jujuy, Argentine, le projet a permis aux femmes de se familiariser avec la couture et la fabrication de savon. De l'équipement a été acheté : machines à coudre; mobilier divers; laveuse et sécheuse; vaisselle pour la fabrication du savon et des aliments. La vente des vêtements et le partage du savon et des denrées cuisinées sur place assurent un service précieux à la communauté. (2013)

À Isiro, le projet, mené par le père Marandu, IMC, a permis à des jeunes d'apprendre de nouvelles techniques en agriculture. La population est fortement intéressée à poursuivre et plusieurs personnes, impressionnées par les résultats, se sont associées à l'expérience. (2009)

DEUXIÈME PARTIE

QU'EST-CE QUE LE DÉVELOPPEMENT ?

Dans la première partie de ce livre, nous avons examiné les divers types de projets réalisés par les missionnaires et les communautés chrétiennes du Tiers-Monde, et souvent nous les avons qualifiés de projets de développement. Dans cette deuxième partie, je vais me concentrer sur le développement, surtout sur ce qu'on en dit. J'ai préféré commencer mon étude en examinant le côté pratique, les actions, les projets, mais, maintenant, il est temps d'examiner les discours que l'ont produit à leur sujet.

Ainsi donc, depuis plus de cinquante ans, Églises et missionnaires utilisent le concept et le mot de développement pour décrire une partie de leurs activités. Ont-ils raison de parler ainsi de « développement »?

La question se pose, parce que, d'une part, le mot est absent des textes du Nouveau Testament, des paroles de Jésus et des écrits des premières communautés chrétiennes; et d'autre part, aujourd'hui des experts soutiennent qu'il faille abandonner un tel concept. Je veux donc explorer ce discours et cette controverse. Nous le ferons essentiellement selon deux perspectives différentes :

- la première sera plus historique : il s'agit de comprendre le discours du développement à partir de l'histoire des derniers siècles, surtout du XXe siècle : trois chapitres seront consacrés à cette exploration historique.

- La deuxième perspective sera plus théorique et cherchera à examiner comment on définit le développement, quels en sont les théories et les modèles. Tel sera le cinquième chapitre de cette deuxième partie.

- Entre ces chapitres s'insinuera un approfondissement de l'aide au développement. Nombreux sont les chercheurs qui ont prétendu, dès le départ, que les pays du Tiers-Monde ne pourraient pas se développer sans une aide de la part des pays plus avancés. Quelles formes a prises cette aide, est-ce qu'elle a été efficace, telles sont quelques-unes des questions du quatrième chapitre.

CHAPITRE 1

LE DÉVELOPPEMENT DANS SA PRÉHISTOIRE

La situation actuelle de notre monde est une conséquence de l'histoire des derniers siècles. Dans les débats autour du développement, deux thèmes reviennent constamment : dans quelle mesure le commerce des esclaves a-t-il marqué le développement – ou le sous-développement - de l'Afrique et des Amériques ? Et comment évaluer les conséquences des colonisations que les pays européens ont entretenues partout sur la planète pendant plus d'une centaine d'années ? Il nous faudra aussi approfondir comment l'économie et le développement sont reliés.

DE L'ÉGALITÉ À L'ESCLAVAGE

Nous connaissons les routes des épices et de la soie qui reliaient depuis des temps immémoriaux l'Asie au Moyen-Orient et à l'Europe. Le voyageur italien Marco Polo avait été impressionné par les richesses et l'ordre de l'empire chinois qu'il visita à la fin du XIIIe siècle. Mais au même moment, soutiennent quelques experts, l'Afrique était tout aussi développée que l'Europe. Faut-il enfin mentionner, dans les Amériques, les empires des Incas, des Mayas et des Aztèques ? On pourrait donc évaluer qu'autour des années 1500, un développement comparable se retrouvait dans diverses régions de la planète.

Aminata Traoré est une intellectuelle malienne qui a brièvement été ministre de la Culture de son pays. Elle est impliquée dans plusieurs projets de développement, particulièrement avec des femmes. Elle a publié deux livres qui critiquent la situation de l'Afrique dans le contexte mondial.[89]

Elle rappelle que jusqu'au XVIe siècle, l'Afrique était intégrée au système mondial et jouissait d'une égale prospérité économique, sociale et politique. Elle évoque divers empires qui ont dominé l'Afrique occidentale : de Kankou Moussa, empereur du Mali, nous possédons le récit d'un pèlerinage à La Mecque au cours duquel il tissa des relations avec le Maroc et le Portugal. Son cortège impressionnait par son faste et ses dorures. C'était vers 1324-1325. Mais déjà en 1303, l'empereur du Ghana, Aboubakar II, avait initié une exploration des côtes atlantiques, deux siècles avant les Européens. Si elle échoua, c'est que ses capitaines n'avaient ni boussole ni gouvernail. Puis il y eut l'empire des Songhaïs qui, à son apogée au XVIe siècle, s'étendait du Sénégal à la boucle du Niger : en 1507, un voyageur, Léon l'Africain, y visita la capitale, Gao, et fut étonné de la prospérité et de l'ordre qui régnaient sous Askia Mohamed. Évoquons enfin les grandes villes de Tombouctou, avec ses universités, et de Djenné avec ses grands magasins et entrepôts !

---

[89] Aminata D. TRAORÉ, L'étau. *L'Afrique dans un monde sans frontières*, Babel, 2001 et Le viol de l'imaginaire, Paris, Fayard, 2002.

Dans ces entrepôts, il y avait un trafic d'esclaves.

Les effets du commerce triangulaire qui s'installa entre l'Europe, l'Afrique et les Amériques sont encore débattus par les experts. Selon la majorité des historiens, entre 8 et 12 millions d'esclaves ont été exportés vers les Amériques, pendant qu'en Afrique orientale les Arabes faisaient eux aussi autour de 8 millions d'esclaves.[90] Certes, cette saignée ne pouvait pas ne pas avoir de conséquences dramatiques, mais ces effets se font-ils encore sentir aujourd'hui?[91] Un ancien ministre de la République centrafricaine, Jean-Paul Ngoupanda, estime que non :

« Oui, il y a eu le trafic des esclaves et beaucoup se cachent derrière pour expliquer nos difficultés, mais je ne pense pas qu'il puisse expliquer, par exemple, la destruction d'un pays comme la Côte d'Ivoire, qui avait si bien démarré [...]. Ce sont les Africains d'aujourd'hui qui sont les responsables. »[92]

Ce n'est pas l'avis d'Aminata Traoré. Selon elle, les États négriers, aujourd'hui industrialisés et riches, voudraient effacer de la mémoire ces faits passés, mais essentiels, qui éclairent la genèse et la nature du commerce mondial, l'origine de la fortune des gagnants et celle de la marginalisation du continent africain. Pour Traoré, la traite des esclaves conduit tout droit aux colonisations et au mépris des Noirs. Elle relève qu'aux États-Unis, au moment de l'abolition de l'esclavage, les

---

[90] Voir Malek CHEBEL, *L'esclavage en terre d'Islam*, Paris, Fayard, 2008.

[91] Néanmoins il est impressionnant de constater la richesse des trafiquants d'esclaves quand on visite l'île de Feydeau et ses alentours, à Nantes, qui était une des pointes du triangle Europe-Afrique-Amérique.

[92] Cité en Robert CALDERISI, *L'Afrique peut-elle s'en sortir ?* Montréal, Fides, 2006 en page 41-42.

propriétaires blancs furent indemnisés, mais pas les esclaves! Elle ajoute :

« L'esclavage a joué un rôle décisif dans l'accumulation primitive de capital nécessaire à la construction de l'économie européenne [...] Elle (la traite) est enfin celle qui, de toute évidence, peut le mieux rendre compte de la situation actuelle de l'Afrique dans la mesure où en sont issus la fragilisation durable du continent, sa colonisation par l'impérialisme européen du XIXe siècle, le racisme et le mépris dont les Africains sont encore accablés ».[93]

En septembre 2001, Aminata Traoré a participé à la Conférence de Durban où il fut question d'une indemnisation de la part des états qui ont gagné à ce commerce d'humains :

« À Durban, il était question de douleur et de souffrance, celles d'hier et celles d'aujourd'hui : il s'agissait, pour l'humanité tout entière, de les diagnostiquer ensemble, de les prendre en charge afin de les apaiser et d'en guérir les victimes. Il était question d'écoute, de compassion - et non de pitié -, de prévention des haines et des souffrances à venir. Or la conférence a clairement montré que rien n'a changé dans la nature des rapports entre les anciennes puissances colonisatrices, auparavant impliquées pour la plupart dans le commerce transatlantique, et leurs anciennes colonies, excepté la forme et les mécanismes de la dépossession et de l'assujettissement. »[94]

Elle souscrivait aux propositions suivantes :
- proclamation d'une déclaration commune sur l'esclavage,
- mise en place de tribunaux internationaux pour crimes économiques

[93] Aminata TRAORÉ, *Le viol de l'imaginaire*, déjà cité, en pages 114 et 115.
[94] Ibidem, en pages 106-107.

- et création d'un fonds spécial des Nations Unies pour la réparation.

À Durban, les puissants de ce monde ont refusé... S'ils ont pu imposer leur vision des choses, c'est que dans le système mondial actuel, les Africains n'ont plus le rôle et le pouvoir qu'ils avaient au XIVe et XVe siècles.[95]

À la traite des esclaves succéda la colonisation. Dans ce processus, l'Église fut directement impliquée : en 1492, le pape Alexandre VI légitima la colonisation en Amérique du Sud en délimitant la partie orientale réservée au Portugal de la partie ouest attribuée à l'Espagne ; parallèlement, il investit le pouvoir civil d'une mission d'évangélisation.[96] Ce siècle de colonisation a-t-il eu des conséquences sur les économies et les sociétés africaines ? Un professeur de droit de l'université de Dar Es Salam, Issa Shivji, les résume de la manière suivante :

1. la colonisation, en instituant des pays aux frontières arbitraires, a divisé le continent en pays difficilement gérables ;
2. elle a désarticulé les économies locales, jusqu'alors relativement autonomes, en les rendant dépendantes du pays colonisateur, intéressé à en importer les matières premières, surtout agricoles et minières, et à y exporter les produits de son industrie ;
3. les colonisateurs ont concentré l'administration dans les villes, créant ainsi des divisions sociales entre villes et campagnes, ces dernières

---

[95] Pour une vision différente et complémentaire, voir David S. LANDES, *Richesse et pauvreté des nations*, Paris, Albin Michel, 1998, en pages 164-168. Voir aussi un bon résumé des études statistiques sur l'esclavage en : C.A. BAYLY, *La naissance du monde moderne (1780-1914)*, Paris, Atelier, 2006 en pages 454-458.

[96] Voir Bertrand CABEDOCHE, *Les Chrétiens et le Tiers-Monde*, Paris, Karthala, 1990 en page 22.

maintenant les traditions, tandis que les villes sont plus ouvertes à la modernité.[97]

Aminata Traoré décrit aussi la désorganisation du tissu social des sociétés colonisées :
« Dans nos économies d'autosubsistance, il existait un lien organique et sacré entre les communautés (1) et les ressources (2), fondé sur le travail et la génération des biens nécessaires à la satisfaction des besoins humains. La sauvegarde de ce lien entre le social, l'économique et l'écologique était assurée par des chefs coutumiers et/ou religieux. Le pouvoir (3) était certes un privilège, mais aussi une lourde responsabilité: « De la bonne ou de la mauvaise conduite des rois ou des chefs dépendront la prospérité du sol, le régime des pluies, l'équilibre des forces de la nature », souligne Amadou Hampâté Bâ.

Cette relation triangulaire entre les pôles 1, 2 et 3 a été mise à mal par les systèmes d'exploitation qui se sont succédé sur le continent africain : la traite négrière, la colonisation, comme l'économie d'exportation, ont consisté à détourner la production vers un pôle extérieur aux communautés : le marché. »[98]

Pourquoi les Africains ne se sont-ils pas rebellés ? David S. Landes rappelle que c'est ce qui s'est passé au Japon en 1597 quand le chef Hideyoshi a compris qu'aux missionnaires devaient suivre les colons; dix Jésuites et Franciscains furent martyrisées.[99] C'est aussi ce qui se produisit dans une partie des colonies nord-américaines.

[97] Issa SHIJVI, « The Changing Development Discourse in Africa », in www.pambazuka.org no. 224 .

[98] Aminata TRAORÉ, en ibidem, en pages 3 et 4.

[99] David S. LANDES, *Richesse et pauvreté des nations*, Paris, Albin Michel, 1998, en pages 465 et 466.

Chez les Indiens, presque partout dans le monde entier, et même auprès de nombreux groupes actuels, il n'y a pas de propriété privée. La terre appartient à tout le monde; chaque famille peut y cueillir tout ce dont elle a besoin pour vivre![100] L'activiste indienne Vandana Shiva présente le mouvement des *Enclosures*, dans l'Angleterre du XVIIe siècle, comme une désacralisation de la nature en même temps que sa privatisation. On sait que dans ce pays, la plupart des terres appartenait à la Couronne. Au XVIIe siècle, des seigneurs et propriétaires réussirent à faire voter des lois qui leur permettaient d'encercler par des clôtures des morceaux de terres de la couronne et de les déclarer leur propriété privée. Cette même politique sera imposée en Inde en 1865.[101] Il s'agit là d'un des événements déterminants de la croissance du capitalisme.

La traite des esclaves a été destructrice pour l'Afrique. Mais que dire de la colonisation des Amériques? En un siècle, les experts estiment que 90 % des populations indigènes périrent de violence ou de maladie! On connaît les critiques de l'évêque Bartolomé de Las Casas à cette occupation violente du continent américain; il parle de cupidité et d'ambition insatiable et la décrit ainsi :

« Cela s'est produit aussi longtemps qu'ont duré ce qu'ils appellent les conquêtes et qui sont des invasions violentes de tyrans cruels, condamnés non seulement par la loi de Dieu, mais par toutes les lois humaines. Ces actions sont bien pires

---

[100] Voir par exemple les témoignages dans : M.RAHNEMA & V. BAWTREE ed. *The Post-development Reader*, London, Zed, 1997 en pages 49 et 50.

[101] Voir en W. SACHS ed. London, Zed, 1992 en page 211.

que celles accomplies par le Turc pour détruire l'Église chrétienne. »[102]

Faut-il rappeler que c'est seulement en 1534 que les Indiens furent reconnus comme des personnes humaines par le pape Paul III?

Les colonisateurs étrangers ont donc envahi les terres américaines, se concédant d'immenses propriétés. Mais ils manquaient de main d'œuvre, d'où la traite des esclaves. Dans les siècles qui suivirent, on essaiera, par diverses réformes agraires, de remédier à cette fondamentale inégalité entre les propriétaires terriens d'une part, et, d'autre part, les descendants des esclaves et les métis; quelques-unes auront des effets limités dans le temps, mais presque toujours l'élite dirigeante réussira à revenir au pouvoir et à rétablir ses privilèges.[103] D'autres Indiens s'enfuiront et s'isoleront dans la jungle; cela deviendra le « problème indien »![104]

Mais comment mieux préciser les effets de cette colonisation sur les économies des pays? C'est ce que les économistes géographes Paul Knox et John Agnew essaient de faire dans leur extraordinaire manuel *The Geography of the World Economy*.[105] Les puissances colonisatrices, pour leurs industries en croissance, avaient besoin de matières premières et de marchés pour y écouler leurs produits; ainsi se développera cette économie globalisée où des régions sont au centre et d'autres en périphérie, le pouvoir de décision

---

[102] Cité dans René DUMONT et M.-F. MOTTIN, *Le mal développement en Amérique latine*, Paris, Seuil, 1981 en page 29.

[103] Dans leur livre cité à la note précédente, René Dumont et Marie-France Mottin racontent cette histoire spécialement pour la Colombie et le Brésil : voir par exemple en ibidem, en pages 116 à 118.

104 En ibidem, en page 257-261.

[105] Paul KNOX & John AGNEW, *The Geography of the World Economy*, London, Arnold, 1998.

étant évidemment au centre.[106] Dans cette évolution, les colonies perdront leur influence dans l'économie mondiale; on décide pour elles, et la plupart du temps en fonction des intérêts des puissances coloniales. Les économistes géographes commentent :

« De ce point de vue, le sous-développement n'est pas une condition originale, équivalente aux sociétés traditionnelles ou primitives. Au contraire, c'est une situation qui résulte de leur intégration dans l'économie mondiale. »[107]

Certes, il y a des exceptions : les colonies des États-Unis, du Canada, du Japon et des nouveaux pays développés d'Asie ont réussi à s'en sortir, mais c'est presque toujours en se rebellant contre la mère patrie ou grâce à des mesures protectionnistes. Il y a d'autres conséquences à ce système colonial :

- on a imposé aux colonies de se spécialiser dans des produits qui faisaient l'affaire des colonisateurs; cela deviendra parfois des monocultures qui deviendront vite surproduites, ce qui en fera baisser le prix; c'est ainsi que les États-Unis se sont mis à produire du coton pour les industries de Manchester, que le sucre a été imposé aux Antilles, les bananes à l'Amérique centrale, le thé au Sri Lanka.

- Les économies des colonies se sont entremêlées à celles des puissances coloniales, de sorte qu'au moment de l'indépendance, ce cordon sera difficile à couper; Knox et Agnew parlent

[106] Bonne explication de cette division entre centre et périphérie en : ATTAC, *Le développement a-t-il un avenir ?* Paris, 1001 nuits, 2004 en pages 81-84.

[107] En ibidem, en page 261. Voir aussi David S. LANDES, ibidem, en pages 95-97 et 113-136.

d'un « alignement des deux économies » qui aboutira rapidement au déficit commercial.

- La colonisation implique un certain degré d'intégration culturelle; les missionnaires et les enseignants transmettront les valeurs de leur pays d'origine et combattront souvent des éléments de la culture locale qu'ils jugeront superstitieux, primitifs ou retardés... En formant cette élite locale, les puissances coloniales s'assureront des amis pour l'après indépendance.

Évidemment tout n'est pas noir dans la colonisation; en cinquante ans, les colonies se couvriront d'écoles primaires, mais au moment des indépendances le nombre des diplômés universitaires se comptera sur les doigts. Il y a aussi tout le réseau de la santé qui permettra, par exemple, à l'espérance de vie au Ghana de passer de 28 ans en 1921 à 45 ans en 1980.[108] Les experts ne sont pas unanimes; par exemple, pour David S. Landes, les colonies n'étaient pas économiquement rentables pour les puissances coloniales, mais elles l'étaient pour les politiciens qui ont réussi à séduire l'opinion publique : « L'expansion coloniale devint ainsi un leitmotiv des fadaises électorales », écrit-il.[109] Pourtant, explique Amartya Sen, la Grande-Bretagne, imposant à l'Inde la culture du coton et l'extraction du fer et de l'acier, cela devait bien être rentable pour ses industries de Manchester, comme le déclarera lui-même John Strachey, un ministre des finances de la colonie indienne![110]

---

[108] En ibidem, pages 260 à 276.

[109] David S. LANDES, *Richesse et pauvreté des nations*, Paris, Albin Michel, 1998, en page 554.

[110] Amartya SEN, *The Argumentative Indian*, London, Penguin, 2005, en page 336.

En 1953, les évêques – en majorité Blancs – de Madagascar adhèrent au mouvement de l'indépendance; ils sont nombreux celles et ceux qui crient au scandale. Mais dans la décennie qui suivit, plusieurs autorités ecclésiastiques appuieront l'indépendance des colonies. Jean XXIII clôturera ce mouvement avec son encyclique *Mater et Magistra* qui rejette toute domination d'un pays sur un autre.[111]

Au moment des indépendances africaines, Tom Mboya parlera de la « redécouverte de l'Afrique par les Africains », Amilcar Cabral la décrira comme une « ré-africanisation des esprits », tandis que Julius Nyerere[112] expliquera de la manière suivante le rôle des nouveaux pays indépendants : construire la nation et développer l'économie.[113]

ÉCONOMIE ET DÉVELOPPEMENT

Le développement pourrait être défini comme une amélioration des conditions de vie des populations. Or les sciences économiques se présentent comme cette connaissance sur un emploi efficace des ressources pour produire les biens nécessaires ou utiles à la vie des individus et des groupes. Ne s'ensuit-il pas que le développement puisse être décrit comme un processus économique? Rien d'étonnant à ce que les théories et les modèles de développement accordent une place cruciale à l'économie.

---

[111] Voir Bertrand CABEDOCHE, *Les Chrétiens et le Tiers-Monde*, Paris, Karthala, 1990 en pages 24-29.

[112] Julius K. NYERERE, *Man and Development*, London, Oxford University Press, 1974; Bernard JOINET, *Le soleil de Dieu en Tanzanie*, Paris, Cerf, 1977; Sylvain URFER, *Socialisme et Église en Tanzanie*, Paris, IDOC-France, 1975.

[113] Dans l'article de Issa SHIVJI, déjà cité.

Ce n'est pas le cas de rappeler ici toute l'histoire de l'économie et des sciences économiques. Mais pour notre sujet, il est déterminant de se rendre compte que, surtout en Occident, à partir du XVIIᵉ siècle, prend forme une théorie économique qu'on baptisera le capitalisme. Plusieurs philosophes anglais ont joué un rôle important dans sa naissance : John Locke (1632-1704) et ses visions sur la propriété privée; Adam Smith avec *La richesse des nations*, publié en 1776, qui expliquait comment l'enrichissement d'un pays doit passer par une accumulation de capital dans un contexte de marché qui pousse à l'innovation et aux risques; puis Malthus, Bentham, Ricardo et J.S. Mill... Les sciences économiques en émergeront qui mettront toujours plus l'accent sur des méthodes mathématiques.[114]

Le capitalisme émerge donc en Europe et non pas ailleurs. Elles sont multiples les études qui tentent d'expliquer pourquoi pas en Chine, pourquoi pas dans les pays musulmans, pourquoi pas en Inde, pourquoi pas dans les pays baltes? Au XVIᵉ siècle, ces pays étaient presque tous au même niveau technologique, mais l'esprit d'invention et de risques du capitalisme a pris le dessus d'abord en Angleterre! S'agissait-il des valeurs du travail, de l'individu, de l'honnêteté et du bien-être qui sont un héritage du protestantisme?[115] La mentalité européenne était-elle plus ouverte à l'exploration et aux conquêtes au-delà des mers? Les structures politiques de l'Angleterre avaient-elles à ce point évolué pour créer un espace de liberté qui permette les innovations dans un état de droit stable? Il est certain que dans cette première

---

[114] Voir Richard PEET et E. HARTWICK, *Theories of Development*, London, Guilford, 1999 en pages 19 à 40.

[115] On sait que c'est là une des thèses de Max Weber qui a suscité d'innombrables débats et controverses.

phase d'un capitalisme plus organisé, l'état a joué un rôle essentiel. Dans l'empire byzantin musulman, cet espace de liberté n'existait pas ; la vision musulmane du monde liait intimement religion et état ! En Europe de l'Ouest, la séparation du religieux et du séculier a-t-elle favorisé l'esprit de recherche et d'invention ? Est-ce que l'empire chinois a ralenti toute avancée technologique et bloqué les institutions séculières son imposante bureaucratie ? En Inde, la main-d'œuvre était si abondante qu'on ne sentait aucunement le besoin des machines. De plus, en Angleterre, le privé a joué un rôle important ; au départ, c'est lui qui a développé les routes et les canaux à péage, alors qu'en France, les routes commandées par le roi répondaient à des critères plus politiques et moins commerciaux. Mais en Angleterre, il y avait aussi tout un réseau de banques ambitieuses qui avaient de l'argent à investir ! Plusieurs économistes soulignent enfin les progrès de l'agriculture anglaise et européenne ; l'accroissement de la productivité a libéré une main-d'œuvre disponible pour aller travailler dans les usines. Y a-t-il d'autres facteurs comme la géographie, le climat... Cette première liste nous fait saisir la multiplicité des facteurs qui peuvent favoriser ou nuire au démarrage du développement économique.[116]

La révolution industrielle commença vers 1750 en Angleterre : entre 1780 et 1860, le revenu par habitant a été doublé, alors qu'entre 1860 et 1890 il a été multiplié par six. La différence de revenu par personne entre l'ouest de l'Europe et sa par-

---

[116] Dans sa magistrale histoire du XIXᵉ siècle, l'historien C.A. Bayly, professeur à Cambridge, propose une réponse très nuancée et équilibrée à la question : pourquoi l'Europe s'est-elle ainsi développée, et non pas l'Asie ou l'Afrique ? Pour lui, il s'agit d'un ensemble de facteurs économiques, politiques et sociaux : par exemple le sens de l'innovation, des institutions plus stables, une soif de débats et d'échanges : C.A. BAYLY, *La naissance du monde moderne (1780-1914)*, Paris, Atelier, 2006 en pages 68 à 85.

tie est était de 15 % en 1750, de 64 % en 1860 et de 80 % en 1900. Le capitalisme des marchands anglais est devenu industriel, grâce à une série d'inventions (machines à vapeur) et d'améliorations des infrastructures (canaux et chemins de fer). L'apparition des machines et du nouveau mode de production en usine ont permis une augmentation notable de la productivité. Avec le charbon et l'acier, ces changements se sont étendus d'abord à l'ouest européen avant d'influencer le reste du continent.

Au XXᵉ siècle, ce capitalisme se verra contester par le socialisme et le communisme du bloc de l'Est. Mais à la fin du siècle, on assistera à une sorte de victoire du capitalisme. La question se pose donc : est-ce que le capitalisme est la seule voie vers le développement des peuples?[117] Face au développement des personnes et des groupes humains, l'opportunité ou la nécessité du capitalisme, dans ses diverses formes, se pose et revient sans cesse. Les crises financières et économiques qui ont éclaté en 2008 n'ont pas mis fin à ce débat ; elles corroborent plutôt les commentaires suivants.

Marta Harnecker rappelle la position de Samir Amin, l'économiste africain, pour qui « ce qui motive le capitalisme, ce n'est pas le développement, mais plutôt l'appât du gain. »[118]

L'excellente étude de l'ATTAC intitulée *Le Développement a-t-il un avenir ?* considère que

---

[117] Sur ce débat, voir en particulier Paul KNOX & John AGNEW, The Geography of the World Economy. London, Arnold, 1998 en pages 123 à 183 et David S. LANDES, Richesse et pauvreté des nations, Paris, Albin Michel, 1998 en pages 25-26, 64-91, 235-301, 338-357 et 447-457. Voir aussi F. FUKUYAMA, The End of History and the Last Man, Penguin Books, Londres, 1992.

[118] Marta HARNECKER, La gauche à l'aube du XXIe siècle, Outremont: Lanctot, 2001 en page 179.

« le sous-développement est partie prenante d'un système global, le capitalisme. »[119]

Cette ONG recommande donc un nouveau développement qui ne soit ni capitaliste ni socialiste :

« [...] sortir du développement sans parler de sortir du capitalisme est un slogan non seulement erroné mais mystificateur à son tour. Et par conséquent, la notion d'après-développement n'a aucune portée si celui-ci n'est pas simultanément un après-capitalisme [...] Aussi, le projet de construction d'un « autre monde possible » nécessite-t-il de déconstruire et de reconstruire le concept de développement autour de la priorité donnée à la satisfaction des besoins essentiels et des autres besoins pour autant qu'ils ne mettent pas en péril les équilibres des systèmes vivants environnants, qu'ils soient exprimés démocratiquement et que tout être humain puisse y prétendre [...] L'orientation adoptée ici est donc celle du refus du développement actuel totalement disqualifié et d'un choix en faveur d'un développement radicalement requalifié autour de : 1) la priorité donnée aux besoins essentiels et au respect des droits universels indivisibles ; 2) l'évolution vers une décélération progressive et raisonnée de la croissance matérielle, sous conditions sociales précises, comme première étape vers la décroissance de toutes les formes de production dévastatrices et prédatrices ; 3) une nouvelle conception de la richesse réhabilitant la valeur d'usage en lieu et place de la marchandisation capitaliste. »[120]

[119] ATTAC, *Le développement a-t-il un avenir ?* Paris, 1001 Nuits, 2004 en page 103, qui cite : S. AMIN, *Le Développement inégal, Essai sur les formations sociales du capitalisme périphérique*, Paris, Éd. de Minuit, 1973 ; A. G. FRANCK, *Le Développement du sous-développement, L'Amérique latine*, Paris, F. Maspero, 1972 ; C. FURTADO, *Théorie du développement économique*, Paris, PUF, 1970.

[120] ATTAC, *Le développement a-t-il un avenir ?* Paris, 1001 Nuits, 2004 en pages 202-203, 204 et 206.

Pour mieux saisir ce lien entre économie et développement, il faut l'inscrire dans les relations entre l'Occident et le reste du monde. Rappelons qu'en Inde, dans les années 1940, il y avait eu un formidable débat entre Gandhi et Nehru. Gandhi soutenait qu'il était néfaste à son pays de suivre le modèle occidental ; il favorisait donc un développement autonome et autosuffisant ; chaque village devait être capable de produire sa propre nourriture, de satisfaire les besoins fondamentaux de sa population, capable aussi d'instruire les jeunes générations et de soigner ses malades. Nehru, au contraire, qui avait étudié en Angleterre, recherchait les capitaux étrangers pour bâtir des barrages et des usines qui décuplent la production.

Serge Latouche aurait-il raison d'évaluer ainsi cet effort de développement :

« La mondialisation actuelle nous montre ce que le développement a été et que nous n'avons jamais voulu voir. Elle est le stade suprême du développement réellement existant en même temps que la négation de sa conception mythique. Rappelons la formule cynique d'Henry Kissinger : « La mondialisation n'est que le nouveau nom de la politique hégémonique américaine «. Mais alors quel était l'ancien nom ? C'était tout simplement le développement économique lancé par Harry Truman en 1949 pour permettre au États-Unis de s'emparer des marchés des ex-empires coloniaux européens et éviter aux nouveaux États indépendants de tomber dans l'orbite soviétique. Et avant l'entreprise développementale ? Le plus vieux nom de l'occidentalisation du monde était tout simplement la colonisation et le vieil impérialisme. On a toujours à faire à des slogans et à des idéologies visant à légitimer l'entreprise hégémonique de l'Occident. Si le développement, en effet, n'a été que la poursuite de la colonisation par d'autres moyens, la nouvelle mondialisation, à son tour, n'est que la poursuite du développement avec d'autres moyens. »[121]

Peut-on distinguer développement et occidentalisation ? Tout effort de développement aboutit-il à une modernisation ou à une plus grande occidentalisation du monde ? Y a-t-il moyen de développer sans occidentaliser ?

---

[121] Serge LATOUCHE, *Survivre au développement*, Paris, Fayard, 2004 en pages 25 et 26.

CHAPITRE 2

LA NAISSANCE DE L'IDÉOLOGIE DU DÉVELOPPEMENT

Esclavage, colonisation et capitalisme ont marqué la préhistoire du développement. Mais au XX⁰ siècle, l'idéologie du développement a débordé de toutes parts... C'est ce qui se passe dans les années qui suivirent la deuxième guerre mondiale.

Les experts sont presque unanimement d'accord que l'idéologie du développement est née avec la deuxième guerre mondiale.[122] Les États-Unis entrent dans le conflit après Pearl Harbor, mais rapidement ils prennent conscience que leurs intérêts sont attaqués de multiples manières ; l'Europe apparaît essentielle à leur politique étrangère, mais en 1945 elle est en ruines ; d'un autre côté, cette ruine remet en cause leurs empires coloniaux. Quelle politique étrangère

---

[122] Pour cette section, je suis grosso modo Jacques B. GÉLINAS, *Et si le Tier-Monde s'autofinançait*, Montréal, Écosociété, 1994 en pages 18 à 32. La philosophe française Jacqueline Russ souligne que le concept de progrès a triomphé entre les années 1930 et 1950 : Jacqueline RUSS, *Le panorama des idées contemporaines*, Paris, Armand Colin, 1994 en page 27. Pour une histoire du développement, voir aussi G. RIST, *Le développement. Histoire d'une croyance occidentale*, Paris, Sciences Po, 2007.

favorise le mieux les États-Unis? Déjà en 1941, *l'Office of Strategic Services* (la future CIA) propose une liste de trois urgences : il faut aider à reconstruire l'Europe, il faut stopper l'avancée communiste et il faut récolter les fruits de la colonisation. Mais comme le mot colonie a mauvaise presse, on recommande d'employer l'expression « régions sous-développées ». Les raisons économiques et politiques sont manifestes, mais pour faire adopter une telle politique, on l'enveloppe d'un discours de compassion, de partage des richesses et de valeurs américaines...

L'Angleterre impériale avait déjà des lois de développement de ces colonies.[123] Mais maintenant, c'est du monde qu'il s'agit ; à Yalta, Roosevelt, Churchill et Staline avaient résolus de le séparer en deux sphères d'influence, la première occidentale et capitaliste, la deuxième soviétique et socialiste. Quelques mois plus tard, le président des États-Unis convoquent les pays du monde à une conférence pour élaborer un nouvel ordre économique et financier du monde ; dans ces accords de Bretton Woods naîtront le Fonds monétaire international (FMI) et la Banque mondiale (BM), officiellement appelée la Banque internationale pour la reconstruction et le développement.

LE PLAN MARSHALL ET LE QUATRIÈME POINT

Il s'agit donc de reconstruire l'Europe et de développer le monde. Le gouvernement états-unien clame que la pauvreté est une menace pour la paix du monde et contraire aux intérêts des États-Unis. Le 2 avril 1948, le président Harry

---

[123] W. SACHS ed. *The Development Dictionary*, London, Zed, 1992 en page 10.

Truman signe la loi créant *l'European Recovery Program*, ou Plan Marshall[124] ; les États-Unis mettent à la disposition des 17 pays européens une somme de 17 milliards de dollars, tout en les soumettant à des conditions précises : ce sont les Européens eux-mêmes qui doivent d'un commun accord :

- décider quel pays devra recevoir quelle somme,
- contrôler et surveiller les dépenses,
- effectuer les remboursements en monnaie nationale
- et assurer le suivi de l'aide.

Dans un certain sens, ce fut un don des États-Unis pour que les Européens continuent à acheter des produits états-uniens ; n'oublions pas qu'en 1945 les États-Unis produisaient presque la moitié des produits du monde. Notons qu'il ne s'agissait pas de libre-marché, mais d'interventions rigoureuses des gouvernements dans la reconstruction des économies nationales. La somme de 17 milliards peut sembler astronomique, mais en fait elle ne correspondait qu'à 4% du produit intérieur brut des pays européens ; effectivement, la majorité des investissements pour cette reconstruction proviendra de l'intérieur même des économies nationales. David Sogge conclut :

« Néanmoins, il est indéniable que le plan Marshall a aidé au redressement de l'Europe, surtout en Autriche, aux Pays Bas, en Irlande, en France, en Norvège et en Italie. Ce fut la grande

---

[124] À Yalta, les vainqueurs avaient approuvé un autre Plan de Morgenthau qui prévoyait la ruine des ennemis, l'Allemagne et l'Italie. Finalement ce n'est pas cet esprit de vengeance qui prévaudra, mais un plan basé sur l'aide pour plus de sécurité et de prospérité : voir en ibidem en page 62.

réussite de l'aide au développement elle n'a jamais été égalée ni auparavant ni depuis. »[125]

Ce plan a été un énorme succès. Très tôt, le président Truman se demande si on pourrait l'appliquer aux pays pauvres. Peut-on développer le monde entier selon le modèle du Plan Marshall ? Ses experts répondent par la positive, mais derrière la façade de compassion de leurs réponses transparaissent déjà des motivations politiques :

- l'aide aux pays pauvres sera un puissant instrument de propagande politique en faveur des États-Unis et de leur système économique;
- un tel plan d'aide aux anciennes colonies permettra de garantir un meilleur approvisionnement en matières premières.

N'est-ce pas là poursuivre la mission civilisatrice de l'Occident ? La mission de civilisation devient aussi une mission d'aide; les sauvages sont devenus des sous-développés; les missionnaires sont remplacés par des économistes.[126]

On sait que les Nations Unies sont créées en 1945, après l'échec de la Société des Nations qui n'a pas pu empêcher la deuxième guerre mondiale. Dès le 4 décembre 1948, ils votent la résolution 200 qui note le retard technologique des pays sous-développés et recommande la création d'équipes d'experts pour conseiller et aider leurs gouvernements. Jacques Gélinas commente : « Cette date marque la consécration et la reconnaissance officielle par les instances

---

[125] David SOGGE, *Les mirages de l'aide internationale*, Enjeux Planète, 2003 en page 20.

[126] ATTAC ed. *Le développement a-t-il un avenir ?*, Paris, Mille nuits, 2004, en pages 87 et 88.

internationales du développement aidé et planifié de l'extérieur. »[127]

Six semaines plus tard, c'est l'assermentation d'Harry Truman pour son second mandat comme président des États-Unis. Monsieur Gélinas parle de ce 20 janvier 1949 comme de la date de mobilisation générale en faveur du développement. Il cite le fameux quatrième point de ce discours qu'il vaut la peine de reporter presque intégralement :

« Quatrièmement. Nous devons nous engager dans un programme novateur et audacieux visant à mettre au service de l'avancement et de la croissance des régions sous-développées les bienfaits de nos acquis scientifiques et de notre progrès industriel.
Plus de la moitié des peuples de la terre vivent dans des conditions qui confinent à la misère. Ils manquent de nourriture. La maladie est leur lot. Leur économie demeure primitive et stagnante. Leur pauvreté constitue un problème et une menace non seulement pour eux, mais aussi pour les régions plus prospères. [...] Les États-Unis sont à la tête de tous les pays dans le domaine de la recherche scientifique et de la technologie industrielle appliquée. Nous disposons de richesses matérielles certes limitées, mais en ce qui a trait aux connaissances techniques, nos ressources, en croissance continue, sont inépuisables. [...] Nous invitons les autres pays à se rallier à cette opération, en y apportant leurs ressources technologiques. Leurs contributions seront les bienvenues. Il s'agit d'une entreprise commune dans laquelle tous les pays travailleront ensemble, autant

---

[127] J. GÉLINAS, œuvre cité, en page 23.

que faire se peut, sous l'égide des Nations Unies et de ses organismes spécialisés.

Quant au vieil impérialisme fondé sur l'exploitation et le profit, il n'a pas sa place dans nos plans. Ce que nous proposons, c'est un programme de développement fondé sur une conception démocratique et équitable des rapports et des échanges entre les peuples. »

Jacques Gélinas commente immédiatement : « Ce discours sonne l'ouverture d'une campagne d'aide au développement et en fixe les paramètres. D'abord, une situation décrite comme un outrage à la morale : une vie économique et sociale « primitive et stagnante «; un modèle : les États-Unis d'Amérique *preeminent among nations;* un objectif : le niveau de production et de consommation des sociétés développées ; un projet : la course au développement ; un puissant moyen : l'aide extérieure, c'est-à-dire un transfert généreux de capitaux et de technologie vers les pays sous-développés. Dès lors, la croyance au développement aidé se répandra sur toute la terre à la manière d'une vérité révélée. »[128]

Avec ce discours de janvier 1949, le président des États-Unis invitait tous les peuples à suivre le modèle états-unien, qui se distingue par le développement des techniques industrielles et scientifiques, il suggérait que la voie était celle d'une plus grande production et proclamait que son pays était prêt à offrir son aide pour soulager la souffrance des populations.[129] Selon Gustavo Estela, c'est le mot « sous-développement » qui caractérise le discours de Truman ; en un battement d'yeux, les deux tiers des pays du monde

[128] Ibidem, en page 24.

[129] Voir Serge LATOUCHE, *Survivre au développement*, Paris, Fayard, 2004 en page 16.

sont devenus sous-développés, leurs conditions de vie n'étant plus jugées dignes d'êtres humains.[130]

Dans le discours du président Truman, la logique impériale était masquée sous un discours d'aide, de compassion et de partage. Il arriva qu'on laisse tomber le masque; ainsi au Conseil de tutelle des Nations Unies, conseil qui avait pour tâche d'aider à la décolonisation des pays du monde. Au cours des premières discussions en 1947, le délégué de la France exprima sa satisfaction que son pays apporte « la manière occidentale de raisonner aux Africains »; celui de la Grande Bretagne loua les efforts de son pays « pour réaliser le potentiel des pays sous tutelle »; en 1951, le délégué états-unien présenta la politique coloniale comme une continuation des activités missionnaires... Dans un autre Conseil des Nations Unies, celui sur l'économie et la société, on parlait de plus en plus des pays ou régions retardées, insuffisamment développées, insuffisamment avancées, peu développées, moins évoluées ou en développement...[131] La prémice de tous ces discours, c'est que la modernisation serait capable de venir à bout de toutes les misères, et que ce processus devait passer par l'industrialisation et l'urbanisation. Évidemment, comme cela prend beaucoup d'argent, les pays sous-développés, qui ont peu de capital, devaient donc faire appel à l'aide internationale.[132]

LA PRATIQUE DU DÉVELOPPEMENT

En juin 1950, le Congrès états-unien vote la Loi pour le développement international qui autorise

---

[130] Voir en W. SACHS, œuvre cité, en page 7.
[131] Voir en RAHNEMA ed. œuvre cité, en pages 191 et 192.
[132] Voir en ibidem, page 86.

le gouvernement à signer des accords d'aide avec les gouvernements de pays sous-développés. La plus grande partie de cette aide sera militaire ; en 1954, ce sera le cas de 86 % de cette aide.

Presque au même moment, alors que l'Europe s'est reconstruite et n'a plus besoin du surplus des récoltes américaines, les agriculteurs états-uniens pressent leur gouvernement de faire quelque chose face à leurs énormes surplus agricoles. Pour liquider ces surplus, n'est-ce pas une bonne idée de les expédier dans les pays qui souffrent de la faim ? Dans les années 1910, le président Hoover avait envoyé des vivres pour venir en aide aux populations européennes des deux camps en guerre. Il avait ensuite lancé l'*American Relief Association* qui avait spécialement secouru la Russie pendant la grande famine de 1921. Des critiques avaient souligné que de cette manière on aidait des ennemis ! En conséquence, pendant la deuxième guerre mondiale, le président Roosevelt avait interdit d'envoyer des secours dans les pays occupés.[133] En 1954 néanmoins, est votée la Loi des vivres pour la paix. Blé, farine, lait en poudre et viande en conserve sont expédiés gratuitement et indistinctement dans des pays sous-développés. D'autres pays imiteront les États-Unis, dont le Canada. Gélinas commente :

« Les Églises et autres organismes charitables se prêtent avec empressement à cette opération de superdumping dont le résultat, au fil des ans, sera de casser les reins de l'agriculture vivrière de la plupart des pays sous-développés. »[134]

---

[133] Voir en A. HOUZIAUX dir. *L'aide au Tiers-Monde, à quoi bon ?* Paris, Atelier, 2005 en pages 96-99.
[134] En ibidem, pages 26 et 27.

Les commentaires négatifs se multiplient, d'abord dans les pays sous-développés. En 1955, plusieurs d'entre eux se réunissent pour la Conférence de Bandoeng; on y adoptera des déclarations anticolonialistes et anti-impérialistes. Puis en 1961, ils sont 77 à se rencontrer à Belgrade, donnant naissance au mouvement des non-alignés; ces pays refusent de s'aligner sur un des deux modèles dominants, le modèle capitaliste de l'Occident ou le modèle socialiste du Bloc soviétique. Au contraire, ils avancent quelques propositions intéressantes : le soutien du prix des matières premières, des mécanismes qui permettraient de résoudre les conflits économiques entre pays...[135]

Pour conforter cette vision économique du développement sort en 1960 le fameux livre de Walt Whitman Rostow, *The Stages of Economic Growth, A Non-Communist Manifesto*. L'économiste conseiller des présidents Eisenhower et Kennedy explique que, pour se développer, les pays passent à travers cinq étapes successives : de la société traditionnelle à un stade de préparation à l'industrialisation; suit le décollage industriel, puis la marche vers la maturité et, enfin, la société de consommation. Selon Rostow, le décollage se produit quand les investissements atteignent entre 10 et 12 % du revenu national; c'est pour atteindre ce taux que l'aide et les investissements étrangers sont absolument nécessaires. Il recommande donc une substantielle augmentation de l'apport extérieur en capitaux.[136]

---

[135] On parle alors de recolonisation, qu'on est passé de la colonisation politique à une nouvelle colonisation de type économique : voir Jean ZIEGLER, *Main basse sur l'Afrique*, Paris, Seuil, 1980 qui expose les vues des non-alignés. L'histoire du mouvement des non-alignés est bien racontée dans : Le Monde diplomatique, *Vies et mort du Tiers-Monde 1955-2006*, Paris, Manière de voir no. 87 de Juin-juillet 2006 dont le thème central n'est pas le sous-développement, mais le Tiers-Monde.

[136] Voir GÉLINAS, œuvre citée en pages 36-37.

Le président John Kennedy lancera son Alliance pour le progrès et le Corps de la paix au début des années 1960 et, en décembre 1961, il appuiera la proclamation par les Nations Unies de la première Décennie du Développement. Un objectif chiffré est fixé pour cette décennie : que le PIB des pays sous-développés augmente de 5 % par année. Les agences spécialisées des Nations Unies entrent dans le bal : la FAO veut que les pays pauvres d'Asie offrent à chacun de leur habitant 2 300 calories et 10 grammes de protéines animales ; l'UNESCO définit son objectif à 10 copies de journaux, 5 postes de radio et 2 sièges de cinéma par mille habitants ![137]

C'est par une résolution de l'Assemblée générale que les Nations Unies déclarèrent le 19 décembre 1961 que la période 1961-1970 serait la première Décennie du développement. Quoi retenir de ces dix ans ? Les pays sous-développés atteindront une croissance de leur PIB entre 3,5 et 4 %, alors que les partenaires développés en auront une d'environ 4 %. Étaient-ce suffisants ? Non, parce que durant la même période, la population des pays sous-développés avait augmenté beaucoup plus vite que celle des pays avancés. Et donc le revenu était passé entre 1960 et 1967 de 100 $ à 157 $ par personne dans les pays pauvres, alors que, dans les pays plus riches, il passait de 1 190 à 2 130 $; ainsi, alors que le revenu des pauvres augmentait de 57 $, celui des riches croissait de 940 $! Cette décennie du développement avait donc engendré une plus grande inégalité entre riches et pauvres.

Mais dans quelques pays, comme à Taiwan et à Singapour, au Chili et à Cuba, le taux de

---

[137] Voir en RAHNEMA, œuvre cité en page 198.

fertilité avait baissé; plusieurs se demandaient s'il s'agissait là d'un effet de l'enrichissement. En même temps, les agronomes exploraient la possibilité d'une révolution verte, qui permettrait d'augmenter sensiblement la production agricole.

La deuxième Décennie fut donc lancée qui, elle, voulait dépasser une vision purement économique du développement en faveur d'un développement intégral. Cela signifiait :

- de ne laisser aucun secteur de la population exclu de l'effort de développement,
- de procéder à des changements structurels qui bénéficient à tous les secteurs de la population,
- de viser l'équité sociale en faveur d'une meilleure répartition des revenus et des biens de la nation
- et de donner priorité au développement de toutes les potentialités humaines.

Cette vision unifiée ou holistique du développement se heurta tout de suite à des problèmes concrets : on prenait conscience que le développement entraînait la pollution; de plus en plus de femmes protestaient de ne pas être assez impliquées dans tout le processus...

À partir de 1964, à la demande des pays non alignés, sont organisées les rencontres de la CNUCED, la Conférence des Nations Unies pour le commerce et le développement. Au cours de la première CNUCED, des voix réclament rien de moins qu'un nouvel ordre économique mondial. En 1965, les Nations Unies créent le Programme des Nations Unies pour le développement, le PNUD; plusieurs pays suivirent, comme le Canada avec l'Agence canadienne pour le développement international et les États-Unis avec l'USAID.

Le 4 décembre 1986, l'Assemblée générale des Nations Unies adopte sa *Déclaration sur le droit au développement* :

« Consciente que le développement est un processus global, économique, social, culturel et politique, qui vise à améliorer sans cesse le bien-être de l'ensemble de la population et de tous les individus, sur la base de leur participation active, libre et significative au développement et au partage équitable des bienfaits qui en découlent [...]

Préoccupée par l'existence de graves obstacles au développement, ainsi qu'à l'épanouissement complet de l'être humain et des peuples, obstacles qui sont dus notamment au déni des droits civils, politiques, économiques, sociaux et culturels, et considérant que tous les droits de l'homme et libertés fondamentales sont indivisibles et inter-dépendants et que, pour promouvoir le développement, il faudrait accorder une attention égale et s'intéresser d'urgence à la mise en œuvre, à la promotion et à la protection des droits civils, politiques, économiques, sociaux et culturels [...]

Réaffirmant qu'il existe une relation étroite entre le désarmement et le développement, que des progrès dans le domaine du désarmement contribueraient dans une mesure considérable à des progrès dans le domaine du développement et que les ressources libérées grâce à des mesures de désarmement devraient être consacrées au développement économique et social et au bien-être de tous les peuples, en particulier ceux des pays en développement,

Considérant que l'être humain est le sujet central du processus de développement [...]

Proclame la Déclaration sur le droit au développement ci-après :

Article 1

1. Le droit au développement est un droit inaliénable de l'homme en vertu duquel toute personne humaine et tous les peuples ont le droit de participer et de contribuer à un développement économique, social, culturel et politique dans lequel tous les droits de l'homme et toutes les libertés fondamentales puissent être pleinement réalisés, et de bénéficier de ce développement [...]

Article 2

1. L'être humain est le sujet central du développement et doit donc être le participant actif et le bénéficiaire du droit au développement.

2. Tous les êtres humains ont la responsabilité du développement individuellement et collectivement [...]

3. Les Etats ont le droit et le devoir de formuler des politiques de développement national appropriées ayant pour but l'amélioration constante du bien-être de l'ensemble de la population et de tous les individus, fondées sur leur participation active, libre et utile au développement et à la répartition équitable des avantages qui en résultent [...]

Article 4

1. Les États ont le devoir de prendre, séparément et conjointement, des mesures pour formuler des politiques internationales de développement en vue de faciliter la pleine réalisation du droit au développement.

2. Une action soutenue est indispensable pour assurer un développement plus rapide des pays en développement. En complément des efforts que les pays en développement accomplissent, une assistance internationale efficace est essentielle pour donner à ces pays les moyens de soutenir un développement global. »[138]

---

[138] Du site www.un.org.

CHAPITRE 3

LE DÉVELOPPEMENT NÉOLIBÉRAL

C'est en 1944 que naissent la Banque Mondiale (BM) et le Fonds monétaire international (FMI) dans une conférence tenue à Bretton Woods, dans les magnifiques montagnes du New Hampshire, au pied du Mont Washington. Le secrétaire états-unien aux finances lut le mot de bienvenue du président Franklin D. Roosevelt et suggéra que l'objectif à atteindre était « la création d'une économie mondiale dynamique dans laquelle les peuples de chaque nation seront en mesure de réaliser leurs potentialités dans la paix et de jouir davantage des fruits du progrès matériel sur une terre bénie par des richesses naturelles infinies. »[139]

La BM, dont le nom officiel est : Banque internationale pour la reconstruction et le développement, devait s'occuper, comme son nom l'indique, de la reconstruction de l'Europe et du développement des anciennes colonies; pour cela, elle devait prêter de l'argent que ses membres avançaient. Le FMI avait pour tâche de prévenir les crises

---

[139] Cité dans Aminata D. TRAORÉ, *L'étau. L'Afrique dans un monde sans frontières*, Babel, 2001 en page 71.

dans les échanges commerciaux entre pays : en effet, on ne peut pas accepter qu'un pays achète beaucoup plus qu'il ne vend. Les chartes des deux institutions stipulaient qu'elles ne devaient pas interférer dans les affaires politiques intérieures des états.

Au cours des 25 premières années de leur existence, les interventions de ces jumeaux terribles comme on les désignera plus tard, sont discrètes et respectueuses ; d'abord, on fait des prêts pour construire des routes, des chemins de fer, des barrages, puis après 1960 dans l'éducation et l'agriculture. Robert McNamara est élu président de la Banque mondiale en 1968 et le reste jusqu'en 1981 ; il a comme programme de restructurer la banque et de canaliser ses efforts contre la pauvreté ; on vise la satisfaction des besoins essentiels des populations, en multipliant les projets en agriculture et en animation paysanne. Et pour avoir plus d'argent à prêter, on crée les obligations de la BM. L'argent afflue et les agents de la banque parcourent le monde pour offrir équipements et usines clés en main ; l'aide de la BM, qui était de 172 millions en 1968, passe à 3,8 milliards en 1981.

Sur les marchés financiers, il n'y a pas que l'argent de la BM. En même temps, les pays de l'OPEP augmentent considérablement les prix du pétrole. Cette première crise du pétrole apporte dans les banques des pays exportateurs de pétrole beaucoup d'argent de tous ceux et celles qui achetaient de l'essence, c'est-à-dire de presque tout le monde. Nombreuses sont donc les banques qui se sont retrouvées avec un surplus d'argent. Quoi en faire ? Comme les québécois le savent, la solution n'est pas de le cacher sous le matelas, mais de le prêter. Des milliards de ces pétrodollars sont mis à la disposition des pays sous-développés, ou mieux de leurs gouvernements, à de très bas taux d'intérêt. Ces gouvernements, souvent dictatoriaux, les ont investis, parfois dans des projets productifs ou d'infrastructures (routes, aéroports, industries...), et souvent pour acheter des armes, réaliser de beaux monuments ou procurer des produits de luxe à leurs élites. Pour payer leurs factures, les pays pauvres doivent de nouveau emprunter. Ainsi sont recyclés les pétrodollars. Mais les prêts, eux, doivent être remboursés...

Mais voici qu'autour de 1980, les taux d'intérêts se mettent à monter ; les prêts accordés à des taux avantageux sont renouvelés, mais cette fois-ci, à des taux entre 15 et 20 %. Les dettes des pays sous-développés se mettent à monter vertigineusement. Pour de nombreux pays, la dette devient insupportable.[140]

Susan George, qui appelle la BM et le FMI les jumeaux terribles, ajoute ironiquement :

« Je pense souvent au tournant radical qu'aurait pris l'histoire du XX^c siècle si les pays de l'OPEP, majoritairement musulmans, avaient suivi sérieusement les préceptes de leur religion et refusé de déposer leur argent dans les banques occidentales. Ils auraient pu alors le prêter directement aux gouvernements du Tiers-Monde, sans réclamer d'intérêt (l'Islam juge impie de tirer de l'argent d'un prêt). Mais ils ne l'ont pas fait et ont donc, indirectement, mis le pied à l'étrier aux

---

[140] Voir Aminata D. TRAORÉ, *L'étau. L'Afrique dans un monde sans frontières*, Babel, 2001 en pages 71 à 75 et Susan GEORGE, livre cité en pages 69 à 73 et aussi Susan GEORGE, *Jusqu'au cou. Enquête sur la dette du Tiers-Monde*, Paris, Découverte, 1988 ; Muhammad YUNUS avec Alan Jolis, *Vers un monde sans pauvreté*, Jean-Claude Lattès, 1997 en pages 198-200 ; Robert CALDERISI, *L'Afrique peut-elle s'en sortir ?* Montréal, Fides, 2006 en pages 51-53 ; HOUZIAUX dir. *L'aide au Tiers-Monde, à quoi bon ?* Paris, Atelier, 2005 en pages 15 et 69 ; et Jacques B. GÉLINAS, *Et si le Tiers-Monde s'autofinançait*, Montréal, Écosociété, 1994 en pages 62-75.

jumeaux terribles, ainsi qu'à l'Occident en général et aux États-Unis en particulier. »[141]

Pour résoudre ces crises de dette, le FMI et la BM décident d'intervenir; c'est dans ce contexte qu'ils élaborent les critères et les stratégies des fameux programmes d'ajustement structurel, les PAS.

LE NÉOLIBÉRALISME À LA REAGAN ET À LA THATCHER

Au début des années 1980, des élections portent au pouvoir Ronald Reagan aux États-Unis et Margaret Thatcher en Grande Bretagne; ce sont deux ardents défenseurs du libéralisme. Se met alors en place ce qu'on appelle le consensus de Washington :

- les déficits des gouvernements ne doivent pas dépasser 2 % du PIB, si non il faut couper les dépenses;
- les dépenses publiques ne doivent pas interférer avec l'économie, mais favoriser l'éducation, la santé et les infrastructures;
- il faut réduire les taxes sur les profits des compagnies
- et encourager les investissements directs étrangers;
- les taux d'échanges entre les monnaies doivent être décidés par le libre-marché, car il faut traiter la monnaie comme n'importe quelle autre marchandise;
- les investissements étrangers doivent être encouragés et donc les gouvernements doivent ouvrir leurs frontières;
- les entreprises d'état doivent être privatisées;
- il faut le moins possible de règlements

---

[141] Susan GEORGE, *Un autre monde est possible si...* Paris, Fayard, 2004 en page 70.

établis par les gouvernements et leurs fonctionnaires;

- il faut renforcer les droits de propriété intellectuelle.[142]

C'est ce consensus que les institutions de Bretton Woods s'efforcent d'exporter partout sur la planète. Les médias occidentaux se font d'excellents porte-parole de ce néolibéralisme, puisqu'ils deviennent souvent la propriété de grandes compagnies transnationales.[143]

LES PROGRAMMES D'AJUSTEMENT STRUCTURELS (PAS)

À partir des années 1980, pour maîtriser la dette de plus en plus insolvable des pays sous-développés, les institutions de Bretton Woods leur imposeront des programmes d'ajustement structurel. Les buts de ces programmes sont peut-être bien intentionnés : il s'agit, par diverses « mesures correctives », d'ajuster les structures économiques et sociales au nouveau système économique mondial.[144] Robert Calderisi a travaillé à la Banque mondiale de 1979 à 2002 et explique ainsi les finalités des PAS :

« Le but des programmes d'ajustement structurels de la Banque mondiale et du FMI avait été de modifier les sources de la croissance et de promouvoir l'agriculture et le développement rural comme plateformes de lancement d'une nouvelle

---

[142] Voir Richard PEET et E. HARTWICK, *Theories of Development*, London, Guilford, 1999 en pages 52 et 53 et Jacques GÉLINAS, *Dictionnaire critique de la globalisation*, Montréal, Écosociété, 2008 en page 102.

[143] *Forum on Globalization*, livre cité en pages 322 et 334 ; voir aussi Gregory BAUM, *Étonnante Église. L'émergence d'un catholicisme solidaire*, Montréal, Bellarmin, 2006 qui rappelle les critiques de Jean-Paul II au néolibéralisme, en pages 96-99.

[144] Bon exposé sur ces programmes en Jacques GÉLINAS, *Dictionnaire critique de la globalisation*, Montréal, Écosociété, 2008 en pages 60 à 64.

variété d'activités. Ils savaient que de bonnes politiques pouvaient changer le cours des choses assez rapidement. »[145]

Il donne l'exemple du Nigeria ; exportateur de pétrole, ce pays avait négligé son agriculture, de sorte qu'en 1980 le pays importait de la nourriture. Les experts internationaux parlaient aussi de corruption, d'investissements non productifs, de dépenses au-dessus des moyens... Donc, continue Calderisi, « il fallait absolument réduire les dépenses des gouvernements. La question la plus controversée était de savoir comment le faire sans que les pauvres n'en souffrent. »[146]

Telles étaient les intentions. Qu'est-ce qui s'est passé en réalité ? Un peu partout dans le Tiers-Monde, ce sont les services de santé et d'éducation qui ont été coupés !

L'ATTAC explicite quelques conséquences de ces programmes :

« En Afrique, huit pays ont vu l'état nutritionnel des enfants diminuer pendant l'application de ces plans. Le taux d'inscription dans les écoles primaires avait progressé de 41 % à 79 % entre 1965 et 1980. En 1988, il était redescendu à 67 %. Les filles sont les premières retirées de l'école lorsque celle-ci devient payante : entre 1985 et 1997, les taux d'inscription des filles ont chuté dans 42 pays. Le taux de mortalité infantile a augmenté de 54 % en Zambie au début de la décennie 1990. De 1985 à 1995, les dépenses d'éducation par habitant y ont été divisées par 6. De 1990 à 1993, la Zambie a consacré 37 millions de dollars pour l'enseignement primaire et 1,3 milliard

[145] Robert CALDERISI, *L'Afrique peut-elle s'en sortir ?* Montréal, Fides, 2006 en page 227.
[146] Ibidem, en page 229.

pour le service de sa dette (remboursement plus intérêts). »[147]

Une étude citée par David Sogge a comparé la période de 1960 à 1980, soit avant les programmes, à celle de 1980 à 1998, période d'application des PAS. Les résultats sont dramatiques : en Amérique latine, le PIB par personne a augmenté de 75 % pendant la première période sans PAS et de seulement 6 % pendant la période avec PAS ; en Afrique au sud du Sahara, le PIB s'est élevé de 36 % pendant la première période, alors qu'il a diminué de 15 % pendant la seconde.[148]

Mais, au moins, ces PAS ont-ils permis de contrôler la dette des pays pauvres ? Je cite encore l'ATTAC :

« Or, tandis que les plans d'ajustement structurels sont appliqués, la dette fait son chemin. Entre 1968 et 1980, la dette extérieure des pays du Tiers-Monde a été multipliée par 12, puis par 4 jusqu'à aujourd'hui. En une trentaine d'années, elle est passée de 50 à près de 2 500 milliards de dollars : multipliée par 50. Le service de la dette a été multiplié par 6. Il s'est élevé en 1999 à 350 milliards de dollars. Alors que l'aide publique au développement sous forme de prêts ne dépasse pas 50 milliards de dollars par an et que le PNUD a calculé qu'il suffirait de 80 milliards de dollars par an pour assurer l'alimentation, l'eau, l'éducation, les soins de gynécologie et d'obstétrique dans tous les pays pauvres. En 1997, l'État fédéral brésilien a payé 45 milliards d'intérêts, 72,5 en 1998, 95 en 1999, tandis que le budget de la santé

---

[147] ATTAC, *Le développement a-t-il un avenir ?* Paris, 1001 Nuits, 2004 en page 147.

[148] Voir SOGGE, livre cité en page 225, qui cite M. Weisbrot et al., *The Emperor Has No Growth: Declining Economic Growth Rates in the Era of Globalization,* Washington (D.C.), Center for Economic and Policy Research (CEPR), 2000 ; Ecumenical Coalition on Economic Justice, *Recolonization or Liberation ?* Toronto, 1990.

publique n'était que de 19,5 milliards en 1999. L'Afrique subsaharienne rembourse chaque année 15 milliards de dollars, soit 4 fois plus que ce qu'elle dépense pour la santé et l'éducation. »[149]

Donnons la parole à Aminata Traoré, cette femme qui fut aussi ministre de la Culture au Mali et qui a connu de près toutes ces négociations : « Sur l'ordre de la Banque mondiale et du Fonds, les pays débiteurs ont privé leur peuple, et en particulier ses classes les plus pauvres, des biens de première nécessité afin de verser aux banques privées et aux prêteurs publics l'équivalent de six plans Marshall. Cette assistance financière sans précédent, prodiguée aux riches par les pauvres, peut paraître inconcevable, elle n'en est pas moins mathématiquement réelle. »[150]

Elle présente la BM, le FMI et l'OMC comme les vrais gouvernants du monde qui tentent d'imposer des politiques non pas en faveur des pays pauvres, mais selon les intérêts des riches. Elle conclut que les pays africains ne doivent plus obéir aux diktats des institutions financières internationales.[151]

Même les Églises africaines prennent la parole pour critiquer ouvertement ces PAS. Leur argument central est que les méthodes actuelles de développement se caractérisent par une dépendance de plus en plus grande, alors qu'un authentique développement devrait engendrer plus d'autonomie et d'indépendance.[152]

Quelle fut la réaction des « terribles jumeaux » ? Au départ, ils nient toute culpabilité ; ils prétendent que c'est la corruption et la

---

[149] Ibidem, en pages 147 et 148.

[150] Aminata D. TRAORÉ, *L'étau. L'Afrique dans un monde sans frontières*, Babel, 2001 en page 75.

[151] Voir en ibidem, en pages 149-155.

[152] Voir J. MIHEVC, *The Market Tells Them So*, Penang & Accra, Third World Network, 1995, en pages 225 à 248 et 275.

mauvaise gouvernance des états sous-développés qui sont en cause. Dans les années 1990, on parlera donc beaucoup de gouvernance, et non sans raison.[153] Je me souviens qu'un jour quelqu'un m'expliqua qu'au moment de l'indépendance du Congo Belge en 1960, il n'y avait pas dix Congolais avec un diplôme universitaire! Comment veut-on bien gouverner avec si peu d'experts? Les institutions de Bretton Woods proposent donc des projets pour améliorer l'efficacité dans la gestion des pays.[154]

Au début des années 2000, même les institutions internationales se rendent compte que les programmes d'ajustement structurel posent plus de problèmes qu'ils n'apportent de solutions, et, dans un rapport annuel, la Banque mondiale propose de les remplacer par un Cadre de développement intégré![155]

Parallèlement les critiques aux thèses néolibérales se multiplient :

- le libre échange n'est jamais vraiment libre,
- les pays qui se sont développés l'ont toujours fait avec des interventions déterminantes de leur gouvernement ;
- on ne peut pas faire de tout une marchandise ;
- l'environnement doit être inclus dans les comptes économiques
- et il doit y avoir des règlements pour assurer l'ordre, la paix et la stabilité.

---

[153] Voir aussi Jacques GÉLINAS, *Dictionnaire critique de la globalisation*, Montréal, Écosociété, 2008 en pages 151 à 154.

[154] Voir par exemple *Démocratie et gouvernance mondiale*, Paris, Unesco-Karthala, 2003 ; Haut Conseil de la coopération internationale, *Les non-dits de la bonne gouvernance*, Karthala, 2001.

[155] Voir Forum on Globalisation, livre cité en pages 103-106é

Mais il est vrai que les gouvernements plus démocratiques procurent un meilleur développement à leurs peuples.[156]

On entend alors de plus en plus de voix pour demander l'annulation pur et simple de la dette ; parmi eux, sa Sainteté le pape Jean-Paul II. Plusieurs fois dans leur réunion annuelle, les membres du G7 puis du G8 en débattent. Des actions suivent, mais toujours timides, il ne faut pas effaroucher les investisseurs et les ONG...[157]

Comment évaluer cette controverse autour de la dette des pays pauvres ? Entre le 15 et le 26 octobre 2001, l'agence DIA, *Documentation et Information sur l'Afrique,* publie l'étude d'un jésuite tanzanien, le père Aquiline Tarimo, sur la dette des pays africains. Dans une première partie fort détaillée, il explicite les causes de cette dette, pas toutes attribuables à l'Afrique. Il y donne quelques chiffres : entre 1970 et 1979, la dette des pays africains est multipliée par quatre ! De 1974 à 1982, cette dette passe de 140 à 560 milliards $. C'est à ce moment-là que les institutions financières internationales imposent leurs programmes d'ajustement structurels qui n'engendrent que plus de souffrances et plus de pauvres. En 1986, les 45 pays d'Afrique sub-saharienne versent au FMI 895 millions de dollars de plus que ce qu'ils ont reçu en aide ! Paradoxalement, ce sont les pays sous-développés qui enrichissent le Nord. Mais pour le père Tarimo, l'annulation de cette dette ne suffira pas à résoudre tous les problèmes :

---

[156] Voir en particulier le livre de Oswaldo de Rivero, *Le mythe du développement,* Enjeux Planète, 2003.

[157] Par exemple, la France, en mai 1989, a annulé la dette publique des 35 pays plus pauvres et endettés d'Afrique ; en 1992, elle procède à des annulations de créances de pays à revenu intermédiaire de la zone franc ; et en 2001, elle accorde une réduction supplémentaire en reversant les remboursements aux banques centrales.

« L'annulation de la dette des pays africains ne saurait suffire, pour cette simple raison que cette dette est liée à la persistance de structures économiques injustes, tant au niveau national qu'international. Aucune solution durable n'est donc possible si l'on n'identifie les causes profondes de cette crise, et si l'on ne s'attache à modifier les structures qui en perpétuent les effets. Cet article voudrait mettre en lumière ce qui peut contribuer à infléchir le courant actuellement favorable à l'annulation de la dette dans le sens d'une motivation plus réaliste en faveur de la croissance économique de l'Afrique. »

Ce qu'il faut donc, c'est une croissance économique... Est-on tout simplement revenu à la case de départ ?

« Il s'agit maintenant de formuler des suggestions concrètes en vue de la transformation structurelle de l'économie tant au niveau national qu'international, de manière à permettre à l'Afrique de participer pleinement au marché mondial, d'assurer l'égalité des chances et de promouvoir son auto-détermination. »

Selon lui, la crise de l'endettement est un symptôme que quelque chose ne va pas dans le système économique international; une réforme des économics s'imposent, tout comme une réforme de l'aide et des institutions financières internationales. Il faut surtout contrecarrer toute forme de dépendance :

« Il convient de décourager toute dépendance excessive vis-à-vis de l'aide extérieure. C'est ce type de dépendance qui est à l'origine du retard structurel de l'Afrique. En effet, l'aide extérieure a créé une culture de dépendance permanente. Les économistes qualifient cette situation en parlant de « syndrome de dépendance ». L'octroi d'une assistance économique sous forme d'aide extérieure apparaît aujourd'hui comme dépassé et incapable de remédier à la pauvreté de l'Afrique. Ce dont nous avons besoin aujourd'hui est la volonté politique d'aborder les besoins des populations comme un problème global qui ne peut être résolu que par l'établissement de structures de partenariat aptes à assurer une assistance technique. »

Le jésuite parle de formation, de fuite des cerveaux et de la société civile qui cherche des solutions alternatives...

« L'Église catholique peut jouer un rôle important pour favoriser un tel changement, dans la mesure où elle peut coopérer plus efficacement avec d'autres Églises en vue d'exercer une influence sur le processus de renouveau politique, d'éducation de la conscience collective, de la promotion de droits humains et de la justice sociale. Il n'est donc plus possible pour l'Église en Afrique, et pour l'Église universelle en d'autres parties du monde, de considérer les pauvres et la pauvreté structurelle comme une simple option à considérer, comme appartenant ou non à l'essentiel de sa mission. »

Il termine en souhaitant une « rigoureuse analyse » des cultures africaines afin de détecter des éléments qui font obstacle au développement.

L'ORGANISATION MONDIALE DU COMMERCE

À Bretton Woods, une troisième organisation internationale a été planifiée dans le but de gérer le commerce entre les nations pour parvenir au plein emploi. Une autre rencontre la suit, organisée à La Havane, et propose la création d'une organisation internationale du commerce. Mais comme le projet est rejeté par le sénat des États-Unis, on doit se contenter d'un Accord général sur les tarifs douaniers et le commerce, plus connu sous son acronyme GATT. Des années plus tard, de longues négociations reprennent, avec le Cycle d'Uruguay, qui aboutissent, en 1994, à la création de l'Organisation mondiale du Commerce. Le rôle de l'OMC est semblable à celui de la BM et du FMI, mais spécifiquement pour le commerce international. Pour mieux comprendre l'OMC, examinons quelques-unes de ses décisions.

- Le Canada est blâmé de protéger ses propres magazines, parce que cela nuit aux magazines états-uniens.
- On demande à l'Inde de modifier sa Constitution parce que les règles de l'OMC ne permettent pas à un pays d'offrir à ses citoyens des médicaments génériques, ce qui nuit aux grandes compagnies pharmaceutiques.
- De même l'OMC avertit l'Europe que, dans l'importation de bananes, elle ne peut favoriser les Antilles, car cela va contre les intérêts des multinationales de l'agroalimentaire.

Ces décisions font comprendre que, derrière l'OMC, il y a une idéologie économique bien précise... celle du néolibéralisme : Reagan et Thatcher triomphent!

Doit-t-on aussi rappeler le scandale des subventions agricoles? Entre 60 et 80% des gens du Tiers-Monde vivent de l'agriculture; lancées en 2001 par l'OMC, les négociations dites de Doha, tentent d'éliminer la plus grande partie des subventions agricoles des pays du Nord : il s'agit de plus de 400 milliards de dollars que ces gouvernements versent à leurs agriculteurs. Aux dernières nouvelles, les pays riches refusent de diminuer ces subventions. Il s'agit clairement de pratiques injustes et intolérables qui maintiennent les agriculteurs des pays sous-développés dans la misère. En 2003, les producteurs de coton des États-Unis et d'Europe ont perçu un minimum de 1,50 $ au kilo, alors que les producteurs d'Afrique de l'Ouest ont reçu 0,25 $ le kilo. De cette manière, on enrichit plus les riches que les pauvres. Les producteurs du Tiers-Monde reçoivent de moins en moins pour leurs produits, alors que la part la plus grande du profit va aux compagnies internationales qui achètent des producteurs, transportent leurs produits en Occident et les écoulent sur les marchés des pays riches; selon l'Organisation internationale du café, les pays producteurs reçoivent 5,5 milliards de dollars sur des ventes totales de 70 milliards, alors qu'en 1990 ils percevaient 12 des 30 milliards des ventes au détail.[158] Ainsi l'ONG *Forum on Globalization* peut conclure :

« Manifestement, l'OMC a démontré qu'elle sert en priorité les intérêts du gouvernement et des grandes entreprises des États-Unis au détriment de ceux des pays en voie de développement et de la société civile. »[159]

RETOUR AUX NATIONS UNIES ET AU PNUD

Au niveau international, il n'y a pas que les institutions de Bretton Woods, il y a aussi les Nations Unies et l'ensemble de leurs agences, programmes et fonds. Souvent le système des Nations Unies a exprimé de la perplexité et du désaccord

---

[158] Voir L. HOUZIAUX dir. *L'aide au Tiers-Monde, à quoi bon ?* Paris, Atelier, 2005 en pages 71 et 72.

[159] Forum on Globalization, *Alternatives à la globalisation économique*, Montréal, Écosociété, 2005 en page 111; voir aussi en pages 109-111.

face aux décisions des institutions de Bretton Woods, mais les deux systèmes sont séparés, les Nations Unies ne commandent ni à la Banque mondiale ni au Fonds monétaire international ni à l'Organisation mondiale du commerce.

Depuis leur création après la deuxième guerre mondiale, les Nations Unies n'ont pas eu que des succès, mais leur note est passablement plus brillante.

- Il n'y a pas eu d'autre guerre mondiale, et même si les conflits se sont multipliés depuis 40 ans, ils sont la plupart du temps contenus dans certaines limites, certes toujours inacceptables; mais les Casques bleus ont fait des merveilles des centaines de fois! Pour beaucoup, le Conseil de sécurité est une planche de salut.

- Il y a eu l'effort extrêmement réussi de la décolonisation, au point que le Conseil de Tutelle ne siège plus.

- Et que dire des droits de la personne? Certes, les violations sont encore trop nombreuses, mais les Nations Unies ont réussi à développer un droit international où dictateurs et violents de tout acabit sont de moins en moins protégés, de plus en plus accusés et quelques-uns condamnés.

- À cette liste de succès, il faut ajouter quelques réussites des agences spécialisées comme la FAO, l'UNESCO, l'UNICEF et l'OMS...[160]

Le système n'est pas parfait, mais il est certainement plus démocratique que celui des institutions de Bretton Woods. Peut-on acheter les

---

[160] Voir par exemple Commission on Global Governance, *Our Global Neighborhood*, Oxford University Press, 1995 en pages 228 et 267.

votes de pays pauvres aux Nations Unies? Oui, disent certains.[161]

Pour mieux contribuer au développement, les Nations Unies ont créé le Programme des Nations Unies pour le développement (PNUD). Des centaines de projets de développement ont ainsi été aidés; il appert que le taux de réussite ou de satisfaction soit plus élevé! En 2006, ce Programme a aidé la République démocratique du Congo à organiser des élections, ce qui est tout un défi dans un pays qui n'avait jamais rien vu de pareil. C'est aussi le PNUD qui est impliqué dans le programme mondial d'élimination des mines terrestres non explosées.

Une des grandes gloires du PNUD est, selon moi, sa réflexion sur la pauvreté. On se souvient que la Banque mondiale avait, dès 1948, une conception très quantitative et économique de la pauvreté et donc du développement. La BM mesure la pauvreté de diverses manières, mais presque toujours à partir de données économiques : c'est le cas des seuils de pauvreté, c'est aussi le cas avec les seuils dits absolus de 1$ par jour ou de 2$ par jour. Quand elle compare la richesse ou la pauvreté entre les pays, elle se sert essentiellement du Produit intérieur brut ou du PIB par tête. En 1990, insatisfait des indicateurs de la BM, le premier *Rapport mondial sur le développement humain* de la PNUD proposait un nouvel indicateur dit de développement humain. Canadiennes et Canadiens se souviendront des réactions de notre premier ministre Jean Chrétien devant cet indicateur qui, dans ses premiers rapports, plaçait le Canada en première place. Dans son rapport 2007, qui donne

---

[161] C'est le cas de Sylvie Brunel dans A. HOUZIAUX, livre cité, en page 114.

les statistiques de 2005, le même rapport classe en premier les cinq pays suivants :

Islande	0,968
Norvège	0,968
Australie	0,962
Canada	0,961
Irlande	0,959

La France est au dixième rang, les États-Unis au douzième et l'Italie au vingtième. Pourquoi y a-t-il progrès avec cet indicateur de développement humain ? C'est parce qu'il essaie d'aller au-delà d'une conception purement économique du développement. Pour le PNUD, la pauvreté n'est pas seulement économique, elle est essentiellement un manque de possibilité, l'inhabilité à réaliser ses capacités, individuelles ou communautaires. En conséquence, le PNUD propose cette nouvelle définition du développement :

« Le développement humain est un processus visant à élargir les possibilités offertes aux individus. En principe, ces possibilités sont infinies et évoluent au cours du temps. Cependant, quel que soit le niveau de développement, les trois principales, du point de vue des personnes, sont de mener une vie longue et saine, d'acquérir des connaissances et d'avoir accès aux ressources nécessaires pour disposer d'un niveau de vie décent. En l'absence de ces possibilités fondamentales, un grand nombre d'autres opportunités restent inaccessibles. Pour autant, le développement humain ne s'arrête pas là. D'autres potentialités, auxquelles les individus attachent une grande valeur, vont des libertés politiques, économiques et sociales à la possibilité d'exprimer sa créativité ou sa productivité, en passant par la dignité personnelle et le respect des droits de l'homme [...]

Dans le concept de développement humain, il est clair que le revenu n'est qu'un des éléments - aussi important soit-il - recherchés par les individus. Mais l'existence ne saurait être réduite au seul aspect financier. Le développement a pour objet d'élargir, pour les êtres humains, le champ des possibles dans son ensemble, et pas seulement les revenus. »[162]

Au fil des ans, le PNUD a raffiné son indicateur; il est construit non seulement à partir des résultats économiques calculés par le PIB, mais aussi à partir de statistiques concernant la santé, la longévité et le niveau d'éducation.

Dans son rapport de 1997, le PNUD propose cette définition de la pauvreté :
« La pauvreté possède une multiplicité de visages, et va bien au-delà d'une insuffisance de revenu. La pauvreté se reflète aussi dans de mauvaises conditions de santé ou d'éducation, dans le manque d'accès au savoir et aux possibilités de communication, dans l'impossibilité d'exercer des droits politiques et de faire valoir les droits de la personne humaine et dans l'absence de dignité, de confiance et de respect de soi-même. Il faut ajouter la dégradation de l'environnement et la paupérisation de pays entiers, dans lesquels la quasi-totalité de la population vit dans la pauvreté [...] La pauvreté peut signifier davantage que l'absence de ce qui est nécessaire au bien-être matériel. La pauvreté, c'est aussi la négation des opportunités et des possibilités de choix les plus

---

[162] Cité en R. POULIN & P. SALAMA dir *L'insoutenable misère du monde*, Hull, Vents d'ouest, 1998 en pages 75-76 qui cite le rapport mondial en pages 14 et 15.

essentielles au développement humain [...] La notion de pauvreté au regard du développement humain se définit dans une analyse en termes de capacités. Selon le concept de capacité, la pauvreté d'une existence ne tient pas uniquement à l'état d'indigence dans lequel une personne se trouve effectivement, mais également au manque d'opportunités réelles - pour des raisons sociales ou des circonstances individuelles - de bénéficier d'une existence qui vaille la peine et qui soit considérée à sa juste mesure. »[163]

Ainsi le PNUD propose-t-il un autre indicateur, celui de la pauvreté humaine (IPH), qui prétend mesurer l'ampleur des déficits rencontrés dans la vie humaine.[164]

LA RÉFORME DU SYSTÈME

Selon l'*International Forum on Globalization*, il faut réformer les institutions internationales, pas seulement celles de Bretton Woods, mais aussi les Nations Unies.

Ce forum ne propose rien de moins que l'abolition des institutions de Bretton Woods et leur remplacement par un Conseil économique au sein des Nations Unies, à côté du Conseil de sécurité et du Conseil économique et social. Pourquoi cette orientation dramatique :

« Le système onusien a un mandat beaucoup plus large et malgré ses défauts qui sont considérables, il est plus ouvert et plus démocratique. Dans la

---

[163] Cité en ibidem, en page 79 qui cite les pages III, 4 et 16 du rapport mondial.

[164] Pour ces diverses conceptions de la pauvreté, voir en POULAIN & SALAMA, livre cité, pages 66 à 87. Amartya Sen, un économiste indien, a joué un rôle déterminant dans ces évolutions : voir ses livres suivants : Amartya SEN, *Repenser l'inégalité*, Paris, Seuil, 2000 et *Development as Freedom*, New York, Anchor Books, 2000.

pratique, il accorde beaucoup plus d'importance aux priorités humaines, sociales et environnementales que ne le font les institutions nées des accords de Bretton Woods, beaucoup plus secrètes. »[165]

Selon les experts du forum, il n'est pas sage de répartir la gouvernance mondiale en deux systèmes distincts et ce serait une erreur d'étendre le mandat des organisations issues de Bretton Woods.

Mais il faut quelque organisme régulateur : « Nous avons besoin de règles internationales [...] Nous croyons que le temps est venu de revoir tout le système de gouvernance économique planétaire sous les auspices des Nations Unies, en leur fournissant toutes les ressources humaines et financières nécessaires pour accomplir leur mandat initial et pour mettre en place des réformes permettant de renforcer leur rôle d'organe de gouvernement démocratique. »[166]

Le forum recommande donc une nouvelle organisation financière, mais à l'intérieur du système de l'ONU. Entre autres, celle-ci devra « annuler les dettes, stabiliser les prix des biens de consommation, instituer un contrôle du flux de biens et d'argent qui entrent et sortent de chaque pays, mettre en place des mesures antitrust pour contrer la concentration du pouvoir entre les mains de quelques grandes sociétés, retirer leur charte aux entreprises qui ont été plusieurs fois condamnées pour avoir violé les lois, reconstruire les économies nationales et les réorienter vers la satisfaction des besoins locaux au moyen de régimes régulateurs adéquats, soigner l'environnement, restreindre le pouvoir des grandes sociétés, imposer des règles strictes à la spéculation financière, répartir la

[165] Forum on Globalization, *Alternatives à la globalisation économique*, Montréal, Écosociété, 2005 en page 419.

[166] Ibidem, en page 422.

richesse de manière plus équitable et établir l'imputabilité démocratique des gouvernements ».[167]

D'autres propositions : redonner un rôle important à la CNUCED à la suite du démantèlement de l'OMC, créer un tribunal international d'insolvabilité pour examiner la dette des pays et un autre tribunal pour les différends commerciaux entre pays, amener à la même table l'Organisation des Nations Unies pour l'environnement avec la nouvelle organisation du commerce pour résoudre les problèmes d'environnement...[168]

LES OBJECTIFS DU MILLÉNAIRE

Autour de l'an 2000, les Nations Unies favorisaient l'adoption d'une Déclaration du Millénaire qui proposait des objectifs précis pour sortir les pauvres de leur misère d'ici 2015 ; ces sept objectifs étaient présentés comme un schéma directeur pour l'avènement d'un monde meilleur :

- réduire l'extrême pauvreté et la faim,
- garantir l'éducation primaire,
- promouvoir l'égalité et l'autonomie des femmes,
- réduire la mortalité infantile,
- améliorer la santé maternelle,
- combattre les maladies, dont le VIH-SIDA et le paludisme,
- assurer un environnement durable
- et mettre en place un partenariat mondial de développement.

À cette occasion, le secrétaire général des Nations Unies déclara :
« Nous aurons le temps d'atteindre les objectifs, à l'échelle du monde entier et dans la plupart,

---

[167] Ibidem, en page 424.
[168] Pour toute cette section, voir en ibidem, en pages 419 à 442.

sinon la totalité, des pays, mais seulement si nous rompons avec la routine. Cela ne se fera pas en un jour. Le succès exige une action soutenue pendant les 10 années qui nous séparent de l'échéance. Il faut du temps pour former des enseignants, des infirmiers et des ingénieurs, pour construire des routes, des écoles et des hôpitaux, pour créer de petites entreprises et de grandes sociétés qui créent à leur tour des emplois et des revenus. C'est pourquoi nous devons commencer tout de suite. Dans les quelques années qui viennent, nous devrons faire mieux que doubler l'aide au développement dans le monde, sinon, il n'y aura pas moyen d'atteindre les objectifs. »

En 2008, le PNUD a proposé une évaluation de cette démarche :

- le nombre de personnes vivant avec moins d'un dollar par jour est passé de 1,25 milliard en 1990 à 980 millions en 2004 ;
- le taux de scolarisation dans les régions en développement est passé de 80 % en 1990 à 88 % en 2004 ;
- la participation des femmes a légèrement progressé, surtout en Asie et en Océanie ;
- la mortalité infantile a diminué en certaines régions, mais augmenté ailleurs ;
- les niveaux de mortalité maternelle demeurent élevés, en particulier en Afrique subsaharienne, où il est de 1 sur 16, alors que ce risque est de 1 sur 3 800 dans les pays développés ;
- les malades du VIH-SIDA sont passés de 33 millions en 2001 à 39 millions en 2006 ;
- la déforestation continue à un rythme alarmant, entraînant une perte de la biodiversité ;
- l'aide totale est passée de 107 milliards en 2005 à 104 milliards en 2006 ; en termes réels,

l'aide a diminuée de 5,1 %, soit la première baisse depuis 1997.

Tout n'est pas rose... Parfois on a l'impression d'un pas en avant et de deux en arrière!

Avons-nous besoin du Tiers-Monde?

Au terme de ce long survol historique, force est de constater que des solutions existent, mais qu'elles n'ont jamais été appliquées. Se pourrait-il que quelqu'un ne veuille pas les appliquer? De plus en plus, des penseurs estiment que c'est l'intérêt des pays riches que de garder les pays pauvres dans le sous-développement.

Jacques Gélinas, dans son dernier livre de 2008, considère avec justesse que les pays du Tiers-Monde sont utiles aux pays riches :
« Les pays du Tiers-Monde remplissent aujourd'hui cinq fonctions principales, indispensables à la bonne marche et à la croissance de l'économie globale :

1. Les pays du Tiers-Monde constituent un vaste réservoir de matières premières et de ressources énergétiques vendues à rabais sur les marchés internationaux.

2. Le Tiers-Monde offre un bassin inépuisable de main-d'œuvre bon marché, parfois très qualifiée, qui contribue au nivellement des salaires par le bas partout dans le monde.

3. Les pays émergents ou maldéveloppés sont des fournisseurs à prix réduits de produits semi-manufacturés à faible teneur technologique comme la chaussure, le textile, le vêtement et les jouets.

4. La plupart des pays sous-développés concèdent aux compagnies étrangères des

zones franches aux conditions idéales pour les délocalisations et la sous-traitance.

5. Le Tiers-Monde constitue un vaste marché en grande partie inexploité et de plus en plus indispensable à l'écoulement de la surproduction des pays développés. »[169]

Depuis cinq siècles, nous avons construit un système qui profite aux riches aux dépens des pauvres. Nombreux sont les experts qui estiment que le développement international, malgré de bonnes intentions et quelques réussites, n'a été qu'une étape ou une forme de ce système injuste.

---

[169] Jacques GÉLINAS, *Dictionnaire critique de la globalisation*, Montréal, Écosociété, 2008 en page 255.

CHAPITRE 4

L'AIDE AU DÉVELOPPEMENT

Dès les premiers discours et études sur le développement après la deuxième guerre mondiale, il était clair à presque tous les experts que les pays pauvres ne pourraient pas atteindre le niveau de développement des pays avancés sans une aide substantielle.

LES FORMES DE L'AIDE

Cette aide au développement a été définie dans une Convention de l'Organisation pour la coopération et le développement économique : « L'octroi de ressources aux pays en voie de développement, à titre de dons ou de crédits préférentiels, comme les prêts à long terme à des taux d'intérêts bonifiés d'au moins 25 % par rapport à ceux du marché ».[170]

Cette aide est accordée par des gouvernements ou par des privés. L'aide du Hall Notre-Dame est une aide privée, elle n'est pas gouvernementale. On se souvient qu'aux fonds donnés par les bienfaitrices et bienfaiteurs du Hall Notre-Dame,

[170] Cité en GÉLINAS, *Et si le Tiers-Monde s'autofinançait*, Montréal, Écosociété, 1994 en page 58.

qui sont des personnes privées, s'ajoutait assez souvent une aide en provenance d'organisations, comme OXFAM, le Club 2/3 et la Fondation internationale Roncalli, toutes des organisations elles aussi privées; parfois, ces organisations reçoivent des subsides de l'Agence canadienne pour le développement international, l'agence du gouvernement fédéral. L'aide à travers les missionnaires, les églises et les ONG est une aide privée. Certains estiment que cette aide privée finance de 3 à 4 % du total de l'aide au développement.

La plus grande partie de l'aide au développement est une aide publique au développement (APD), c'est-à-dire que cette aide est accordée par les gouvernements. Elle est bilatérale quand un gouvernement aide un autre gouvernement, elle est multilatérale quand un gouvernement transmet son aide à une organisation internationale de développement; c'est le cas, par exemple, des subsides que le gouvernement canadien accorde à chaque année au Haut Commissariat pour les Réfugiés ou à l'Organisation mondiale de la santé des Nations Unies, ou bien à la BM ou au FMI. Souvenons-nous que dans une aide bilatérale, le gouvernement du pays riche et donateur a le dernier mot dans la négociation des conditions de l'aide!

De l'aide bilatérale surtout, on dit qu'elle est liée ou non; elle est liée quand, dans le contrat, le pays qui reçoit est lié par des conditions qui consistent souvent à devoir acheter des produits dans le pays donateur ou à employer de ses experts, etc. Au cours des vingt dernières années, alors que les gouvernements des pays riches diminuaient leur aide bilatérale, la proportion de leur aide multilatérale a augmentée, atteignant aujourd'hui le tiers du total de l'aide publique au développement.

Dans ce système, deux tendances s'affrontent : les uns étant plus humanitaires, les autres prétendant que la meilleure forme d'aide consiste à investir et à faire du commerce avec les pays sous-développés. Selon la définition de la Convention internationale, cela reste une aide quand les crédits sont bonifiés d'au moins 25 % par rapport aux normes du marché. Ainsi sont nées des banques, des sociétés et des programmes plus mercantiles; ainsi à l'ACDI, il y a un Programme de coopération industrielle. Ainsi, au niveau multilatéral, y a-t-il les banques multilatérales, comme la Banque mondiale, les banques de développement pour l'Asie, pour l'Afrique, pour l'Amérique latine, etc., de même que des banques de développement créées par les états, comme la Banque de développement du Canada[171] et l'*Export-Import Bank* aux États-Unis. Souvent les grandes compagnies passent par ces banques pour obtenir des avantages pour leurs exportations : Bombardier et Boeing en jouissent souvent pour vendre leurs appareils. En 1999, les banques multilatérales avaient accordé 65 milliards en aide dont un tiers à l'Europe de l'Est, un autre tiers à l'Amérique latine, 28 % en Asie et un maigre 5 % à l'Afrique. Ensemble les 112 banques de développement de l'Union européenne avaient versé, la même année, 1,7 milliards d'euros, surtout à des pays à faible revenu. Il appert que désormais c'est à travers ces banques de développement et ces agences à l'exportation que la

---

[171] À son site www.mdeic.gouv.qc.ca, on peut lire : « La Banque de développement du Canada est une institution financière qui appartient entièrement au gouvernement du Canada. Elle fournit des services financiers et des services de consultation aux petites et moyennes entreprises canadiennes, et accorde une attention particulière aux entreprises exportatrices ainsi qu'à celles des secteurs de la technologie. »

plus grande partie de l'aide publique est accordée. On aura compris que cette aide mercantile et commerciale veut aussi faire de l'argent, c'est donc une aide avec des visées économiques pour le pays donateur, un don certes, mais qui rapporte au bienfaiteur !

Depuis quarante ans, les investissements directs à l'étranger (IDÉ) ont littéralement explosé : on parle de 25 milliards de dollars en 1975, de 60 milliards en 1985 et de 1 250 milliards en 2006, une augmentation d'environ 5 000 %! Ces IDÉ sont une des caractéristiques de la globalisation économique.[172] Je ne compte pas comme aide ces investissements à l'étranger qui sont essentiellement le fait des compagnies transnationales ; il est clair que leur intention est le profit.

Il faudrait encore parler de l'aide d'urgence, c'est-à-dire de ces sommes d'argent qu'un gouvernement octroie quand quelque part il y a un désastre : 5 millions pour un tremblement de terre en Chine versé à travers la Croix Rouge internationale, 1 million pour les victimes d'une inondation à la Nouvelle Orléans ou au Mozambique.

En 2004, l'APD a atteint 79,5 milliards de dollars et en 2005 106,5 milliards.[173]

Qui sont les principaux donateurs ? Pour chaque pays, le tableau suivant donne le total de l'aide en $, puis en % du PNB et enfin par habitant du pays donateur pour l'année 2005 :

---

[172] Voir Jacques GÉLINAS, *Dictionnaire critique de la globalisation*, Montréal, Écosociété, 2008 en page 168.

[173] L'augmentation substantielle en 2005 est due à un allègement des dettes de l'Irak et du Nigéria. Voir Jacques B. GÉLINAS, *Et si le Tiers-Monde s'autofinançait*. Montréal, Écosociété, 1994 en pages 58 et 59 et SOGGE, livre cité en pages 104 à 117.

	Aide en millions $	Aide en % du PNB	Aide par habitant
États-Unis	27 622	0,22	93 $
Japon	13 147	0,28	103 $
Royaume-Uni	10 767	0,47	72 $
Allemagne	10 082	0,36	122 $
France	10 026	0,47	165 $
Pays-Bas	5 115	0,82	313 $
Italie	5 091	0,29	87 $
Canada	3 756	0,34	116 $

Ainsi le Canada a donné en APD en 2005 un total d'un peu moins de 3,8 milliards de dollars, ce qui équivaut à 0,34 % de son Produit intérieur brut et à 116 $ de don par Canadien. En 1970, l'APD canadienne atteignait 0,56 %, en 1980, elle n'était plus qu'à 0,45 %, en 1990 à 0,44 % et aujourd'hui elle est tombée à 0,34 %.[174] Un peu plus du tiers (34 %) de l'aide bilatérale canadienne était liée. Par citoyen, ce sont les Pays Bas qui ont donné le plus, soit 313 $ par personne. La Norvège a donné 600 $ par habitant, soit 0,94 % de son PIB ; le Luxembourg 570 $, soit 0,82 %, le Danemark 388 $, soit 0,81 % et la Suède a accordé une aide totale de 3 362 millions de dollars, soit 256 $ par personne correspondant au 0,91 % de son produit intérieur brut.

Quels sont les pays qui ont le plus reçus d'aide au développement ? Le PNUD classe les pays en trois groupes : les pays à développement humain élevé, ceux à développement humain moyen et ceux à développement humain faible. Une certaine aide va à des pays à développement

---

[174] Tiré du *Rapport provisoire au parlement sur les relations entre pays développés et pays en voie de développement*, du Groupe de travail parlementaire sur les Relations Nord-Sud, à la Chambre des Communes du Canada, en 1980, en page 10.

élevé : par exemple, 546 millions $ à la Bosnie-Herzégovine, 319 millions à l'Albanie et 189 millions au Mexique. Parmi les pays à développement moyen aidés en 2005, mentionnons les suivants :

	Aide en millions $
Chine	1 757
Indonésie	2 523
Inde	1 724
Pakistan	1 666
Soudan	1 828
Ouganda	1 198
Ghana	1 119
Égypte	926
Congo	1 449

Il reste l'aide accordée aux pays les plus pauvres :

	Aide en millions $
Nigeria	6 437
Tanzanie	1 505
Congo	1 827
Mozambique	1 285
Burkina Faso	660
Zambie	945
Rwanda	576
Sénégal	689
Malawi	575
Mali	692
Angola	442

Peut-on faire l'hypothèse qu'une partie de l'aide accordée à l'Égypte et au Soudan leur permette d'acheter des armes et du matériel militaire ?

Signalons aussi qu'Israël a reçu 2,6 % de son PIB en provenance de l'APD, spécialement de la part des États-Unis. D'après le même rapport 2007 du PNUD, les dépenses militaires, en % du PIB, ont été de 2,8 % en Égypte et de 2,3 % au Soudan, comparativement à 1,1 % au Canada, 2,5 % en France et à 4,1 % aux États-Unis : ainsi, ce dernier pays dépense presque 20 fois plus pour les armes que pour l'aide au développement des peuples!

Selon ce rapport PNUD de 2007-2008, l'APD totale a été en 2005 d'environ 106 milliards de dollars, dont 44 milliards sont allés aux pays pauvres, 42 aux pays à développement moyen et 2,5 milliards aux pays à développement humain élevé. En % du produit brut total du monde, cela faisait une aide de 0,2 %, alors qu'elle était de 0,3 % en 1990. Un nouveau rapport vient de sortir qui chiffre l'APD en 2007 à 103,7 milliards de dollars, ce qui marque un recul par rapport à 2006[175] et cela même si les leaders du G8 s'étaient engagés en 2005 à accroître leur aide.

Au même moment quel était le total de l'aide privée? Les calculs sont difficiles à faire, mais l'aide privée par les ONG est estimée à entre 3 et 10 % de l'APD, ce qui ferait un total entre 4 et 12 milliards de dollars.

Il y a aussi les prêts privés qui se font surtout pour des raisons marchandes, donc vers des pays qui sont en train de réaliser leur décollage économique. Actuellement, on estime que la Chine et l'Inde reçoivent près du quart de tous ces prêts mondiaux. Dans ce cadre, l'Afrique ne reçoit pratiquement rien. Qu'en est-il des investissements directs, souvent des compagnies qui se délocalisent et vont ouvrir des succursales dans les autres pays, spécialement en Chine, en

---

[175] De www.oecd.org

Inde, au Vietnam? La BM parle d'investissements d'un peu plus de 1 milliard de dollars en Afrique subsaharienne pour un total d'à peu près 120 milliards de dollars d'investissements.[176] En fait, il appert que les investissements que les riches font dans le Nord pourraient même être plus élevés![177]

Entre 1997 et 2001, l'APD a été d'environ 50 milliards de dollars par année.[178] Dans une allocution en avril 2004, James Wolfensohn, président sortant de la BM a regretté que l'APD soit aussi faible, alors que l'aide que les pays riches accordent à leurs propres agriculteurs se chiffre à 350 milliards! De plus, la moitié de cette APD, ajouta-t-il, ne sert qu'à annuler ou alléger des dettes![179] On calcule qu'en 1999, les pays du Sud ont versé aux pays du Nord cinq fois plus qu'ils n'ont reçu d'aide; « en 2000, ils ont remboursé 127 milliards de plus qu'ils n'ont reçu et en 2001 138 milliards de plus. »[180]

EST-CE BEAUCOUP?

En 1964, à la première Conférence sur le commerce et le développement (CNUCED), on suggérait aux pays plus riches d'accorder une aide de 1 % de leur produit intérieur brut. Le 24 octobre 1970, une résolution des Nations Unies réduisit cette demande à 0,7 %. On instaurait en quelque sorte un impôt international qui permettrait une certaine répartition des richesses de la planète des régions riches vers les populations plus pauvres. Ce pourcentage n'a jamais été atteint

---

[176] Voir HOUZIAUX, livre cité en pages 67 et 68.

[177] Voir en ibidem, en page 23,

[178] Voir Susan GEORGE, *Un autre monde est possible si...* Paris, Fayard, 2004 en page 34.

[179] Voir en ibidem, en pages 39 et 40.

[180] En ibidem, en pages 13 et 14.

sauf par quelques plus petits pays d'Europe du Nord, comme on le voit dans le rapport du PNUD cité plus haut.

Peut-on comparer avec d'autres dépenses ? Les dépenses militaires ont augmenté de 7 % par année entre 1998 et 2001 et beaucoup plus après le 11 septembre 2001 ! Le seul budget militaire des États-Unis fut de 396 milliards en 2003 et de 470 milliards en 2007, soit trois ou quatre fois plus que l'aide au développement de tous les pays développés ensemble.[181] En 1980 déjà, la Commission indépendante sur les problèmes de développement international, présidée par Willy Brandt, révéla que :

- avec le coût d'un char de combat, soit 1 million de dollars, on pourrait bâtir 1 000 salles de classe pour 30 000 enfants,
- avec le prix d'un avion à réaction (20 millions), on pourrait créer 40 000 pharmacies,
- et « avec 0,5 % des dépenses militaires du monde entier, on achèterait tout le matériel agricole nécessaire pour accroître la production de nourriture et permettre aux pays à faible revenu, déficitaires en matière de nourriture, de se suffire à eux-mêmes, à peu de chose près. »[182]

Annuellement, il se dépense dans le monde 11 milliards de dollars pour la crème glacée, 17 milliards pour nourrir les animaux domestiques, 50 milliards pour les cigarettes, 105 milliards pour les boissons alcoolisées seulement en Europe, 400

---

[181] Voir ATTAC, livre cité en pages 92-94.

[182] *Rapport de la Commission indépendante sur les problèmes de développement international, Nord-Sud : un programme de survie*, Paris, Gallimard, 1980. Le rapport a attiré l'attention sur la satisfaction des besoins de base des humains comme premier pas de tout développement.

milliards pour les stupéfiants et 780 milliards de dollars pour les armées.[183]

Le dernier rapport de l'OCDE fait le commentaire suivant :

« De façon générale, la plupart des donneurs ne sont pas en voie de concrétiser les engagements qu'ils ont souscrits en vue d'accroître leur aide et devront procéder à des augmentations substantielles sans précédent pour atteindre les objectifs qu'ils se sont fixés pour 2010. »

On peut évaluer que depuis 30 ans « l'aide internationale est restée stagnante », mais qu'en monnaie constante elle a baissé, commente l'ancien expert de la Banque mondiale, Robert Calderisi ; néanmoins, c'est lui qui ajoute : heureusement, la moitié de l'aide va vraiment aux pays les plus pauvres de l'Afrique. De quel montant s'agit-il ? Calderisi parle d'environ 25 milliards de dollars par année pour l'Afrique, mais il le compare aux 300 milliards de dollars dépensés pour la guerre en Irak et aux 350 milliards de dollars que l'Union européenne consacre à aider ses agriculteurs :

« Les budgets de l'aide diminuent parce qu'ils ont été inefficaces, et le défi est de gérer ces montants restants d'une façon plus productive [...] Dans de nombreux cas, donner de l'argent à l'Afrique a été comme donner de l'argent à l'ivrogne au coin de la rue et s'attendre à ce qu'il achète de la nourriture. Les approches actuelles donnent l'illusion de progresser tout en bloquant de réelles percées. »[184]

Pour résoudre les principaux problèmes de la pauvreté, ne faudrait-il pas des sommes astrono-

---

[183] Ces chiffres ont été donnés dans une conférence de Denis Thibeault de Développement et paix à une session de la Conférence des religieux du Québec en août 2000.

[184] Voir en CALDERISI, livre cité en pages 243, 334 et 337.

miques? Je cite le livre de l'ATTAC qui se réfère à des études du PNUD :

« Depuis plusieurs années, le PNUD estime les sommes nécessaires au financement de l'accès de tous à l'école, à l'eau potable et aux soins de base. Ces sommes sont évaluées à 80 milliards de dollars par an pendant dix ans. Quand on sait que le service de la dette des pays en voie de développement engloutit plus de 300 milliards par an, que les dépenses militaires s'élèvent à 800 milliards, que les subventions agricoles des seuls pays riches représentent 350 milliards, on prend l'exacte mesure du problème. »[185]

On sait que les groupes de l'ATTAC proposent depuis plusieurs années une taxe sur les changes de monnaie, parfois appelée taxe Tobin. De quoi s'agit-il? Il s'agirait d'une taxe que paieraient toutes les personnes qui procèdent à un change de monnaies, par exemple les Canadiens quand ils achètent des dollars états-uniens ou des euros. Des évaluations ont été faites par la CNUCED; on estime qu'une taxe Tobin de 1 % produirait des recettes de 720 milliards de dollars par an, ce qui serait pratiquement suffisant pour assurer l'école, la santé et l'eau potable à tous les humains![186] Développement et reconstruction, nous souvenons-nous? Quels étaient les chiffres du Plan Marshall de reconstruction de l'Europe? Au plus fort de ce plan, les États-Unis donnaient 2,5 % de leur PNB, alors qu'actuellement ils consacrent à l'aide au développement moins de deux dixièmes de 1 %, soit douze fois moins.[187]

---

[185] ATTAC, livre cité, en page 209.

[186] Howard M. WACHTEL, « Trois taxes globales pour maîtriser la spéculation », dans *Le krach du libéralisme*, Manière de voir no 102, Le Monde diplomatique, décembre 2008-janvier 2009, en pages 90 et 91.

[187] Voir Stephen SMITH, *Négrologie. Pourquoi l'Afrique meurt?* Paris, Calmann-Lévy, 2003, en page 104.

Faut-il ajouter quelques données sur les iné-galités entre pays ? De nouveau l'ATTAC cite le rapport 2002 de la PNUD:

« Le revenu des 1 % les plus riches du monde est équivalent à celui des 57 % les plus pauvres. Le revenu des 10 % d'habitants les plus riches des États-Unis est équivalent à celui des 43 % d'habitants les plus pauvres de la planète. En d'autres termes, le revenu cumulé des 25 millions d'Américains les plus riches est égal à celui de près de 2 milliards de personnes [...] À l'échelle de la planète, les inégalités ont atteint un niveau grotesque. »

L'écart entre le revenu des 20 % les plus pauvres et celui des 20 % les plus riches était de 1 à 30 en 1960, il est aujourd'hui de 1 à 80.[188]

Pour le Hall Notre-Dame, notre secteur d'aide aux missions et au développement demande beaucoup de travail et d'énergie, mais au niveau international il faut bien reconnaître que l'aide au développement est bien moins qu'une goutte-lette dans l'océan des économies mondiales, pas même 1 %, une fraction de 1 %.

Rappelons aussi les conditions de cette aide ; elle est souvent liée à l'achat de biens dans le pays donateur. Cela n'équivaut-il pas à une aide directe à nos propres industries ? Souvent, les raisons pour aider ne sont pas la compassion ou le partage : ces motivations sont politiques – par exemple quand on veut qu'un pays soutienne une résolution aux Nations Unies ou à l'OMC ou la guerre en Irak... David Sogge rapporte deux études à ce sujet ; dans la première on a examiné les discours des politiciens néerlandais, belges et bri-tanniques qui parlaient de l'aide de leur pays res-pectif : pour les néerlandais, l'aide faisait partie

---

[188] ATTAC, ibidem, en pages 27-28.

d'une lutte contre les injustices pour promouvoir la stabilité et la sécurité internationales; pour les belges, il s'agissait de promouvoir des intérêts économiques et commerciaux de leur pays; et pour les britanniques, il s'agissait de promouvoir le pouvoir et l'influence de la Grande Bretagne dans le monde. La deuxième étude a examiné les intentions des donateurs états-unien, français, japonais et suédois dans leur aide à l'Afrique :

« Les résultats jettent une douche froide sur ceux qui croient que ce sont des motivations humanitaires qui régissent l'aide au développement. Les principaux déterminants sont plutôt idéologiques et commerciaux.»[189]

Outre les motifs sociopolitiques et stratégiques, les motivations commerciales et les raisons humanitaires et éthiques, Sogge signale aussi les compensations : c'est ainsi que le Japon, entre 1950 et 1981, a accordé des crédits de 1,9 milliard de dollars à 13 pays d'Asie en compensation pour les dommages de la deuxième guerre mondiale.[190] On sait que certains pays d'Afrique demandent une compensation aux pays négriers et que d'anciennes colonies en veulent une pour les dommages causés à leur économie par le système colonial.

ÉVALUATION DE L'AIDE AU DÉVELOPPEMENT

Il est très difficile de proposer une évaluation globale de l'ensemble de l'aide au développement. Dans les prochains paragraphes, je me limiterai à certains aspects de l'aide publique, réservant l'évaluation de l'aide par les ONG et les sociétés missionnaires au dernier chapitre de cette étude.

---

[189] SOGGE, livre cité en pages 69 et 70.
[190] Ibidem, en page 71.

Faut-il être totalement pessimiste et négatif face à l'aide au développement ? Pourtant, tout n'est pas qu'échec. Rappelons des constatations que le premier rapport du PNUD faisait en 1991 :

- dans les pays sous-développés, la moyenne de vie est passée d'une quarantaine d'années en 1950 à 63 ans,
- le taux de mortalité des enfants en dessous de 5 ans a diminué de moitié,
- la proportion des personnes ayant accès à des soins de santé est de 63 %,
- celle des populations rurales a doublé,
- le taux d'alphabétisation des adultes est passé de 46 à 60 %
- et la participation des filles à l'école primaire est passée de 79 à 87 %.

Le rapport concluait que le développement « avait réussi au-delà de toute attente raisonnable [...] Les pays développés ont accompli en 30 ans ce que les nations industrielles ont réalisé en un siècle [...] L'effort de développement fonctionne. Le développement international a fait une différence. »

Mais le rapport notait aussi que les écarts entre les riches et les pauvres, entre les pays développés et les sous-développés, avaient augmenté. Je crois que si on reprenait ces statistiques pour 2009, on arriverait à des conclusions semblables. Certes, il y a eu des erreurs, mais il y a aussi eu des succès.[191] Ne jetons pas le bébé avec l'eau du bain...

On se souviendra que les théories dominantes pour dépasser le sous-développement et faire décoller l'économie recommandaient une augmentation des productions. Or, quand on visite nos centres d'achat, nous nous rendons bien

---

[191] Cité dans Richard PEET et E. HARTWICK, *Theories of Development*, London, Guilford, 1999 en page7.

compte que beaucoup des produits viennent désormais du Tiers-Monde et, de plus en plus, y ont été manufacturés. Les pays sous-développés produisent beaucoup, mais contrairement aux thèses des années 1950 et 1960, leurs populations ne se sont pas enrichies pour autant! Comment expliquer ce paradoxe? La réponse est double :

- quand nous achetons ces produits, la plus grande partie de ce que nous payons ne va pas aux producteurs ou aux ouvriers de la manufacture qui les ont produits, mais aux compagnies qui les ont transportés dans le nord et les vendent dans leurs magasins. L'économiste Michel Chossudovsky donne un exemple : nous achetons à Montréal une chemise, supposons, à 80 $: moins de 3 % de ces 80 $ va au Vietnam où la chemise a été manufacturée et 97 % reste dans les pays développés : 70 % en profit commercial des magasins et des compagnies de publicité, et même environ 12 % en taxes pour le gouvernement où la chemise a été vendue, sous forme de TVA ou de TPS![192] On peut dire que dans le commerce international, les pays du nord ont toujours été capables de garder chez eux la plus grande partie du profit et de la valeur ajoutée à tout service et à tout produit, agricole ou manufacturé.[193]

[192] Voir Michel CHOSSUDOVSKY, *La mondialisation de la pauvreté*, Montréal, Écosociété, 1998.

[193] Sans conteste les relations entre cultures et économie doivent être approfondies; certains prétendent que si l'Afrique ne se développe pas, c'est parce que les Africains sont paresseux et n'ont pas d'initiative. Mais plus profondément, il semble y avoir des relations entre des structures sociales et les niveaux d'éducation – par exemple l'âge de mariage des filles et leur éducation – et le développement de l'économie : voir en particulier Olivier TODD, *L'illusion économique*, Paris, Gallimard, 1999; Robert CALDERISI, *L'Afrique peut-elle s'en sortir ?* Montréal, Fides, 2006 en pages 127 à 139; Stephen SMITH, *Négrologie. Pourquoi l'Afrique meurt ?*, Paris, Calmann-Lévy, 2003 en page 50; David S. LANDES, *Richesse et pauvreté des nations*, Paris, Albin Michel, 1998 en pages 662-663; Aminata D. TRAORÉ, *L'étau. L'Afrique dans un monde sans frontières*, Babel, 2001 en pages 130 à 135 et *Le viol de l'imaginaire*, Paris, Fayard, 2002, en pages 163-165; Amartya SEN, *Development as Freedom*, New York, Anchord, 2000 en pages 262-265.

- Cela est-il toujours le cas ? Non, il y a eu des exceptions, rappelons le cas du pétrole et de l'OPEP ; ce cartel des pays producteurs du pétrole a été capable d'augmenter les prix de son produit. Mais alors, pourquoi ces pays ne se sont-ils pas tous enrichis ? Certes il y a une grande différence entre l'Arabie saoudite et le Nigéria, entre Bahrein et le Venezuela. Si des exportateurs du pétrole ont réussi à accumuler des profits faramineux, les populations n'en ont pas toujours profité, parce que ces profits sont allés dans les poches du sultan, du dictateur, ou de quelque mafia locale. Le Zaïre est encore un des principaux producteurs de diamants, mais à qui vont les profits ? Non pas aux Congolais, mais, parce que l'état est mal organisé et ne contrôle ni l'extraction ni la vente des diamants, les profits vont à des trafiquants locaux et internationaux : je me souviens qu'un jour, à l'aéroport de Kinshasa, quelqu'un m'a approché pour me demander d'apporter des « produits locaux » à sa fille étudiante en Belgique ; sans doute, cachés dans ces fruits, y avaient-t-il des diamants ! La thèse selon laquelle une augmentation de la production de biens et de services entraîne automatiquement un enrichissement du pays est fausse.[194]

Amartya Sen explique que la démocratie n'est pas une conséquence du développement, mais que la démocratisation est une cause de l'enrichissement d'un pays. Il n'y a pas d'authentique développement sans démocratie. Seule la démocratie permet une répartition plus équi-

---

[194] Sur les productions des pays sous-développés, on trouve un bon bilan dans KNOX & AGNEW, en ibidem.

table entre riches et pauvres. Évidemment, par démocratie, on n'entend pas seulement la tenue d'élections (j'ai vu au temps de Mobutu comment un dictateur peut manipuler des élections), mais la participation des citoyennes et des citoyens aux affaires publiques. Quand les citoyennes et citoyens sont impliqués dans les décisions politiques, alors les richesses de cet état ne vont pas toutes dans les poches du chef d'état et de ses amis. Certes, il n'est pas question d'exporter dans les pays du Sud un modèle particulier de démocratie; il conviendrait plutôt de stimuler un processus de démocratisation qui visent à faire participer l'ensemble de la population d'un pays à sa vie et à ses décisions.[195] Sen constate qu'il n'y a pas de famines dans les pays démocratiques, parce que, dès les premiers indices, les gouvernements s'empressent de trouver des solutions, tout simplement en vue d'être réélu![196]

Ces pays sont-ils pauvres parce qu'ils ont trop de bouches à nourrir? Certains l'ont pensé qui ont recommandé des mesures − parfois obligatoires, parfois volontaires − de contrôle des naissances; le cas le plus connu est celui de la Chine qui a imposé la règle d'un seul enfant par couple. L'économiste Sen explique que d'autres méthodes sont plus efficaces : partout où on a donné une meilleure éducation aux filles, les taux de fertilité (et de mortalité) ont diminué; de même un système démocratique engendre normalement une fertilité plus basse des femmes. Oui, il y a un lien entre population et développement, mais pour

---

[195] Dans Bertrand CABEDOCHE, *Les Chrétiens et le Tiers-Monde*, Paris, Karthala, 1990, en page 61-63, on trouve une partie des objections contre la démocratie à l'occidentale.

[196] Voir Amartya SEN, *Development as Freedom*, ibidem.

améliorer les conditions de vie, des lois de contrôle obligatoire de la fertilité ne suffisent pas.[197]

Nombreux sont les experts qui clament qu'une des causes des nombreuses pauvretés est que les agriculteurs ne sont pas propriétaires de la terre qu'ils cultivent, mais qu'en tant que locataires, ils doivent remettre une trop grande portion des revenus aux propriétaires terriens. C'est un diagnostic que les Évêques du Brésil ont effectué déjà en 1980 et 1982 dans deux importants documents sur la possession de la terre en régions rurales et en villes. Nombreux donc sont les pays qui ont tenté, qui tentent ou essaient de réaliser une réforme agraire ; l'expérience montre que, la plupart du temps, les élites politiques et économiques réussissent à contourner ces réformes à leur profit. Néanmoins la propriété de la terre demeure un des problèmes clés du développement.[198]

La plus importante critique qu'on entend sur l'APD est qu'elle crée une dépendance et même un complexe d'infériorité. Quand le Canada accorde une aide bilatérale au Zaïre pour qu'il achète des niveleuses au Canada, il se passe plusieurs choses : les routes zaïroises sont meilleures pour quelques années, mais cela ne dure pas, parce que dès que ces grosses machines brisent, il n'y a ni mécanicien ni pièce de rechange pour les réparer, à moins de les commander aux mêmes compa-

---

[197] Ibidem en pages 153-154 et 195-199 et 210-226 ; voir aussi W. SACHS ed. *The Development Reader*, London, ZED, 1992 en pages 149-152 ; AT-TAC, *Le développement a-t-il un avenir ?* Paris, 1001 Nuits, 2004 en pages 35-38 ; Robert CALDERISI, *L'Afrique peut-elle s'en sortir ?* Montréal, Fides, 2006 en pages 263-265.

[198] Voir René DUMONT & M.-F. MOTTIN, *Le mal développement en Amérique latine*, Paris, Seuil, 1981 en pages 36-44 ; le deuxième des textes des évêques brésiliens a été publié en français : Conférence nationale des évêques du Brésil, « Sol urbain et action pastorale », dans *La Documentation catholique*, 1982, 714 à 736. *Le Forum on Globalization* détaille comment une telle réforme peut réussir : Forum on Globalization, *Alternatives à la globalisation économique*, Montréal, Écosociété, 2005 en page 317.

gnies canadiennes. Ainsi le Zaïre, en acceptant cette aide, est devenu dépendant du Canada pour les pièces de rechange. Cela vaut pour beaucoup de l'équipement industriel que nous « donnons » au Tiers-Monde, entre autres pour les centrales nucléaires CANDU... Mais ce n'est pas seulement une dépendance à la technologie et aux pièces de rechange, c'est aussi une affiliation à un système économique; cela était plus visible au moment de la guerre froide. Certains pays pauvres procédaient à du chantage : si toi États-Unis tu ne m'accordes pas ton aide, je vais aller à Moscou ou à Beijing![199]

Calderisi, qui sait de quoi il parle puisqu'il a œuvré au sein de la BM, insiste que l'aide est humiliante, avilissant le donateur aussi bien que le récipiendaire.[200]

Il est clair que l'aide maintient parfois en vie des régimes antidémocratiques. C'est l'aide internationale des pays de l'Ouest qui a maintenu Mobutu à la tête du Zaïre et lui a permis d'accumuler une fortune personnelle estimée à plus de 10 milliards de dollars. Pourquoi ce soutien? Parce que Mobutu était au cœur de l'Afrique le plus ardent défenseur du capitalisme et des pays de l'Ouest, surtout quand il s'agissait de voter aux Nations Unies, au GATT ou au FMI... N'est-ce pas ce qui se passe actuellement avec l'aide à Israël? Mais il faut aussi rappeler les appuis consistants aux dictatures d'Indonésie, de Malaisie ou du Shah d'Iran! L'aide est trop souvent liée à la corruption; il y a eu des scandales

---

[199] Voir Majid RAHNEMA, *Quando la povertà diventa miseria*, Torino, Einaudi, 2005 en pages 139 et 140. Voir aussi : Harold WELLS, *A Future for Socialism ?*, Valley Forge (Penns.), Trinity Press, 1996 en page 88 et Marta Harnecker, *La Gauche à l'aube du XXIᵉ siècle*, Outremont, Lanctot, 2001 et RAHNEMA, livre cité en page 123.

[200] Voir CALDERISI, ibidem, en page 257. Pour compléter cette évaluation : M.RAHNEMA & V. BAWTREE ed. *The Post-development Reader*, London, Zed, 1997 en pages 95-110 au sujet de Ivan Illich.

très médiatisés en France et en Italie à ce sujet. C'est pourquoi il est aisé de reconnaître que l'aide publique au développement est un instrument de politique étrangère.[201] Une manifestation de cette dépendance est précisément la dette qui, explique Jacques Gélinas, rend les pays sous-développés « dépendants des marchés financiers extérieurs ».[202]

Monsieur Gélinas décrit une autre conséquence qu'il appelle l'extraversion du système économique. Voici comment il la décrit :

« L'économie des pays sous-développés repose principalement sur l'exportation des matières premières, ci-devant appelées « denrées coloniales », à faible valeur ajoutée, dont ils ne contrôlent pas les prix. Ils ne contrôlent pas non plus les prix des produits manufacturés ou alimentaires qu'ils importent. Ils ne disposent d'aucun moyen efficace pour faire évoluer les termes de l'échange en leur faveur de façon équitable. Le service de la dette les oblige à exporter toujours davantage et à se livrer entre eux une concurrence effrénée qui conduit infailliblement à l'effondrement des cours. »

Cela entraîne aussi une désarticulation de leur économie nationale, de même qu'une subordination des élites locales aux intérêts externes.[203]

Il n'y a pas que la corruption, il y a aussi les cas de gaspillage. Je veux bien excuser les chefs d'État qui, aux rencontres de la FAO pour étudier la faim dans le monde, résident dans des

---

[201] Voir SOGGE, ibidem, en page 36. Voir Pierre PÉAN, *L'argent noir. Corruption et sous-développement*, Paris, Fayard, 1988 ; Robert Calderisi donne plusieurs exemples de corruption en Afrique : Robert CALDERISI, *L'Afrique peut-elle s'en sortir ?* Montréal, Fides, 2006 en pages 96, 100-101, 106, 125, 141-143,158. Dans son livre Sen montre comment contrecarrer cette corruption : Amartya SEN, *Development as Freedom*, New York, Anchor, 2000 en pages 276-278.

[202] GÉLINAS, ibidem, en page 46.

[203] Ibidem, en page 48.

hôtels 5 étoiles et font de grands banquets![204] Mais combien y a-t-il de sessions et de stages coûteux et inutiles ? Plusieurs fois, j'ai moi-même constaté que, pour un projet évalué avec réalisme à 10 000 $, on demandait 12 000 $ au cas où...

L'aide alimentaire a désorganisé une bonne partie de l'agriculture du Sud; quand dans les années 1950, les États-Unis et d'autres pays du Nord ont inondé les pays sous-développés de leurs produits agricoles sous prétexte d'aider les gens qui souffraient de la faim, ils ont pratiquement mis en faillite les producteurs locaux qui, eux, ne pouvaient pas « donner » leurs récoltes. Sogge donne l'exemple du maïs qui sur les marchés internationaux se vend à 21$ à cause des subventions agricoles, alors que les producteurs locaux le produisent au coût de 74 $.[205] Il aurait fallu non pas exporter nos surplus agricoles, mais acheter les produits des agriculteurs locaux. Car avec notre farine de blé, on les a aussi habitués au pain, plutôt qu'aux galettes de maïs ou de manioc. Une fois la disette finie, nombreux sont ceux qui ont voulu continuer à manger du pain !

Actuellement les subventions que les pays du Nord accordent à leurs propres agriculteurs font que les produits agricoles du sud ne sont pas compétitifs. Je me souviens que dans la capitale du Zaïre, Kinshasa, le riz en provenance des États-Unis coûtait moins cher que le riz produit dans le Kivu et qui devait être acheminé par avion jusqu'à Kinshasa; le riz états-unien arrivait en bateau. En 1986, Haïti produisait assez de riz pour nourrir sa population; le pays fut forcé d'ouvrir ses frontières, de sorte qu'en 1996,

---

[204] Voir SOGGE, ibidem, en pages 34-37.
[205] Voir SOGGE, ibidem, en page 61.

il importait 196 000 tonnes de riz au prix de 100 millions de dollars :

« La production de riz haïtien devint négligeable. Une fois le pays devenu dépendant du riz étranger, les prix commencèrent à monter, livrant complètement la population haïtienne, surtout les pauvres des villes, aux caprices des prix mondiaux du grain. »[206]

Sogge mentionne aussi que la plus grande partie de l'aide publique ne va pas aux pays les plus pauvres ; moins du tiers de l'aide va aux pays les moins avancés, car une grande partie de l'aide va à la Chine, à l'Indonésie, au Pakistan, à l'Égypte et à Israël, qui ne sont certes pas parmi les pays les plus pauvres. Sogge prétend que le tiers de l'aide est ainsi attribuée à des pays qui ne sont pas vraiment pauvres.[207]

Aujourd'hui un Africain sur trois qui possède un diplôme universitaire travaille en-dehors de son continent. On appelle cela l'exode des cerveaux. Il faut reconnaître que la meilleure aide est celle de la formation et de l'éducation. Mais malheureusement, surtout parmi les jeunes qui viennent se spécialiser en Europe et en Amérique du Nord, ils sont peu nombreux ceux qui retournent faire profiter leur pays de leur expertise. Dans les années 1950, les Missionnaires de la Consolata aux États-Unis ont fait venir plusieurs étudiants et étudiantes d'Afrique, car à ce moment-là il n'y avait pratiquement pas d'institutions supérieures d'enseignement dans ce continent ; le Hall Notre-Dame a financé les études d'un agronome du Tchad dans les années 1980 et notre direction générale des études en

---

[206] SOGGE, ibidem, en pages 61 et 62.
[207] Voir SOGGE, ibidem, en pages 54-55.

droit pour un Congolais. Les deux sont restés au Canada et ont marié des Canadiennes!

À l'exode des cerveaux, il faut accoler la fuite des capitaux. Sa fortune, Mobutu l'avait placée dans des comptes en Suisse et en France. On sait qu'il en fut de même de Marcos (Philippines). La même fuite des capitaux n'est pas le fait seulement des chefs d'état, mais aussi de l'ensemble des élites des pays sous-développés. Faut-il les en blâmer? Si vous aviez un million, iriez-vous l'investir en Bolivie ou au Mali, au Canada ou en Allemagne? On prête aux riches...[208]

Faut-il parler des doublons? On parle de doublon quand deux pays – ou deux ONG - financent le même projet. Mais il y a aussi du doublement bureaucratique; nous avons déjà vu comment les institutions de Bretton Woods doublent pratiquement le Programme des Nations Unies pour le développement. Évidemment chaque donateur impose ses propres règles, ses propres formulaires. Je me souviens qu'une fois en Afrique, nous avions dû rédiger trois rapports différents pour un seul projet réalisé : une ONG avait financé la construction du bâtiment, une deuxième l'achat de l'équipement et la troisième la formation du personnel![209] Sogge explique que cette duplication se produit aussi dans les pays donateurs, alors qu'une kyrielle d'ONG double le travail qui devrait être réalisé par les gouvernements et leurs fonctionnaires. Il en résulte souvent un « affaiblissement des institutions nationales ».[210]

---

[208] Voir SOGGE, ibidem, en pages 59 et 60.
[209] Voir aussi ATTAC, ibidem, en pages 91-92.
[210] Voir SOGGE, ibidem, en page 216.

Muhammad Yunus est le principal initiateur de la Banque Grameen fondée au Bangladesh pour les petits épargnants et investisseurs. Sa critique du développement international nous offre donc une opinion en provenance des pays pauvres. Il commence par expliquer à qui est allée l'aide étrangère dans son pays :

« Depuis 1972, le Bangladesh a bénéficié de quelque 30 milliards de dollars d'aide étrangère. Cette année, il recevra près de 2 milliards de dollars. Mais où est allé tout cet argent ? Quand on visite nos villages, on ne lit nulle trace de cette munificence sur les visages de leurs habitants.

Où est allé l'argent ?

Lorsqu'on suit la filière de l'argent, ce qu'on découvre n'est guère reluisant ni pour le donateur ni pour le bénéficiaire.

Près des trois quarts de toute l'aide étrangère destinée au Bangladesh est dépensée dans le pays donateur ; en somme, l'aide est devenue un moyen pour les pays riches de donner du travail à leur population et de vendre leurs produits.

Quant au dernier quart, la quasi-totalité en revient à une petite élite bangladaise de consultants, d'entrepreneurs, de bureaucrates et de fonctionnaires corrompus - lesquels dépensent leur argent en produits d'importation ou le transfèrent sur des comptes à l'étranger, ce qui n'apporte rien à notre économie.

Le problème est le même partout dans le monde [...]

Le mauvais usage de l'aide étrangère constitue une double tragédie pour le Bangladesh. Utilisée à bon escient, l'aide pourrait contribuer pour une large part à l'amélioration des conditions de vie en milieu rural et dans les bidonvilles.

Si, par exemple, ne serait-ce que 2 milliards de dollars étaient transférés directement aux dix millions de familles bangladaises les plus pauvres, environ la moitié de notre population pourrait se voir octroyer 200 dollars à titre individuel. Même s'ils n'investissaient pas tout l'argent, les bénéficiaires l'utiliseraient principalement pour acquérir des biens et des services produits tant par les familles pauvres bénéficiaires que par les non-bénéficiaires, ce qui apporterait un sang neuf à l'économie rurale.

L'aide sert généralement à construire des routes, des ponts et ainsi de suite, toutes infrastructures censées aider les pauvres « à long terme ». Mais à long terme, on a largement le temps de mourir. Et cette aide, les pauvres n'en voient jamais la couleur.

Seule une poignée de nantis bénéficie directement et indirectement de cette manne, même si elle le fait au nom des pauvres. L'aide étrangère équivaut dès lors à un acte de charité envers les puissants, tandis que les pauvres continuent de s'enfoncer dans la pauvreté.

Si l'aide étrangère doit améliorer tant soit peu les conditions de vie des pauvres, il faut qu'elle soit réorientée vers les ménages pauvres, en particulier vers les femmes des familles les plus défavorisées. L'aide doit être entièrement repensée, et ses objectifs redéfinis [...]

C'est la notion même de développement qu'il faut redéfinir. Par développement, il faudrait entendre un changement concret de la situation économique de la moitié la plus pauvre de la population dans une société donnée. Si l'aide ne parvient pas à améliorer les conditions économiques de cette frange de la population, alors on ne devrait pas pouvoir parler d'aide au développement. En d'autres termes, il s'agit de mesurer le développement économique à l'aune du revenu réel par habitant de la moitié la plus pauvre d'une population.

Le plus grand problème de l'aide étrangère, c'est qu'elle ne bénéficie en définitive qu'aux privilégiés, à la moitié supérieure de la population. Les gens en place s'en trouvent confortés dans leur pouvoir, ce qui leur permet de s'enrichir encore davantage au détriment d'autrui. »[211]

Je me suis permis cette longue citation parce qu'elle provient d'un expert sur le terrain et qu'elle résume bien des objections qu'on fait à l'APD.

Inutile d'ajouter que Yunus est contraire à la charité : « La charité n'est pas une solution ni à long terme ni même à court terme ». Il s'explique avec netteté :

« Du point de vue du bénéficiaire, la charité peut avoir des effets désastreux. Dans bien des cas, elle démotive le mendiant, qui n'a plus la volonté ni l'envie de s'en sortir. Quant au malade, il n'essaie même plus de guérir, car dès l'instant où il sera guéri, il cessera de recevoir de l'argent. On a même vu des cas, dont la presse s'est faite l'écho, où des bandes de mendiants mettaient des nouveau-nés dans des pots pour qu'ils deviennent difformes en grandissant ; ainsi, les mendiants professionnels pouvaient en faire des instruments destinés à amadouer les passants.

Dans tous les cas, la mendicité prive l'homme de sa dignité. Le dispensant de subvenir à ses besoins, elle l'incite à la passivité. Ne suffit-il pas de rester assis là et de tendre la main pour gagner sa vie ?

---

[211] Muhammad YUNUS avec Alan JOLIS, *Vers un monde sans pauvreté*, Jean-Claude Lattès, 1997 en pages 34 à 36.

Lorsque je vois mendier un enfant, je résiste à l'envie naturelle de donner. Force est d'avouer qu'il m'arrive parfois de faire l'aumône, en particulier lorsque la misère humaine est si terrible - une maladie, une mère avec son enfant qui est en train de mourir - que je ne peux pas m'empêcher de mettre la main à la poche et de donner quelque chose. Mais autant que faire se peut, je réprime cette envie.

Cet exemple à l'échelon individuel illustre parfaitement ce qui se produit au niveau mondial avec l'aide internationale.

La dépendance à l'égard de l'aide crée un environnement favorable aux gouvernements qui sont passés maîtres dans l'art de négocier toujours davantage d'aide.

Les tenants de l'effort, de l'austérité et de l'autonomie passent pour des farfelus. L'aide alimentaire encourage la perpétuation des pénuries : importateurs et exportateurs de céréales, transporteurs et responsables politiques intervenant dans les achats et la distribution de céréales, tous ont quelque chose à perdre dans la perspective d'une autosuffisance alimentaire.

Ainsi, loin d'encourager des solutions locales, l'aide fausse le climat économique et politique, pour le plus grand profit des quémandeurs, des hommes politiques qui savent s'y prendre avec les donateurs, des entrepreneurs et des fonctionnaires corrompus. »[212]

Il ajoute que la charité, comme l'amour, peut se transformer en prison. Il est donc aussi contraire à l'assistance sociale dans les pays développés. Une des raisons de ces échecs, selon Mohammad Yunus, est qu'on n'a pas bien défini qui est le vrai

---

[212] YUNUS, ibidem, en pages 42 à 44.

pauvre, celui qui aurait vraiment besoin de notre charité ou aide, au lieu de se laisser emporter par les émotions.[213] Yunus estime qu'il ne faut pas donner de l'argent aux pauvres, mais la leur prêter, à des conditions similaires à celles qu'on impose dans les banques ordinaires. Tel est bien en effet son extraordinaire projet avec la Banque Grameen, pour lequel il a reçu le Prix Nobel de la Paix en 2006.

S'étonnera-t-on qu'Aminata Traoré, l'ancienne ministre de la Culture au Mali, soit elle aussi contraire à toute aide internationale ? Pour elle, il n'y a là que « chantage aux financements extérieurs, ingérence macroéconomique et politique, défense des intérêts économiques et financiers des puissances donatrices et colmatage des brèches en vue d'avoir les coudées franches dans la poursuite des réformes économiques néolibérales. »[214] Pour elle, l'aide profite avant tout aux donateurs eux-mêmes et ensuite à une petite classe de privilégiés dans les pays sous-développés.[215]

Faut-il en conclure qu'il faut abolir toute aide publique au développement ? Un ancien ministre de Côte d'Ivoire, Pierre Kipré, ne veut pas l'abolir, mais la gérer autrement.[216] L'aide publique pose donc beaucoup de problèmes. Mais qu'en est-il de l'aide privée ? Qu'en est-il de l'aide qui est offerte par les ONG, les missionnaires et les Églises ? À ce sujet, même notre expert Calderisi est moins catégorique :

« Les inconvénients de l'aide de gouvernement à gouvernement sont aujourd'hui évidents, mais

---

[213] Ibidem, en pages 238 et 239, puis 92 à 95.

[214] Aminata TRAORÉ, *Le viol de l'imaginaire*, Paris: Fayard, 2002 en page 185.

[215] Ibidem, en pages 86 et 87. Pour une évaluation plus systématique de l'aide, voir SOGGE, en ibidem, en pages 219 à 244.

[216] Voir HOUZIAUX, ibidem, en pages 79 et 80.

des individus et des organisations caritatives continuent de faire une contribution importante au développement de l'Afrique. Les contacts de personne à personne sont porteurs de valeurs et constituent un exemple encourageant qui va au-delà des effets immédiats des petits projets. L'aide privée n'est pas toujours plus efficace que l'aide publique, mais ses motivations sont claires et elle est offerte avec courage et détermination. »[217]

Nous reviendrons sur cette question dans le dernier chapitre de notre étude.

---

[217] Robert CALDERISI, *L'Afrique peut-elle s'en sortir ?* Montréal, Fides, 2006 en page 268.

CHAPITRE 5

LES THÉORIES ET LES MODÈLES DU DÉVELOPPEMENT

UN VOCABULAIRE VARIÉ

Depuis plus d'un siècle, la biologie parle du développement et de la croissance des êtres vivants. Rapidement, la sociologie s'est emparée du même concept pour signifier l'évolution des sociétés. Ce n'est qu'avec l'avènement des grandes idéologies politiques que le mot « développement » a acquis un sens plus politique et économique.[218]

Est-ce René Dumont qui, avec ses nombreuses études sur l'Afrique et l'Amérique du Sud, popularisa la distinction entre sous-développement et mal développement, en s'inspirant de la distinction entre sous-alimentation et malnutrition ? Il y a des sociétés qui ont atteint un premier degré de développement, ces sociétés sont donc sous-développées, alors que d'autres produisent des biens et des services en quantité suffisante, mais comme les revenus sont mal répartis entre

---

[218] Voir SACHS, livre cité en pages 8 et 9.

les membres de cette société, elles sont mal développées :

« Les bénéfices ne sont guère distribués que dans une fraction très modeste de la population. Plus la proportion de ces privilégiés diminue et plus leur gaspillage s'accentue, plus, à notre avis, cette évolution mérite l'appellation de mal développement [...] L'écart, non seulement des revenus, mais de la santé et de l'éducation, donc du savoir et du pouvoir, entre les villes et les campagnes, et surtout entre les riches et les pauvres, ne cesse de s'y accentuer sous nos yeux ignorants ou indifférents. »[219]

Toute une série d'expressions ont été suggérées pour qualifier ces pays qui n'ont pas encore atteint l'idéal proposé : pays sous-développés, pays en voie de développement ou tout simplement en développement, pays en voie de sous-développement, pays les moins avancés, le Tiers-Monde, les pays pauvres, les pays de la périphérie ou du Sud, et plus positivement les pays émergents ou les pays en transition. Chaque expression a ses partisans et ses opposants, chacune s'accompagnant de ses propres interprétations.

Il n'y a sans doute que le terme « Tiers-Monde » qui mérite une explication. Souvenons-nous que dans les années 1950, le monde était partagé entre pays capitalistes dits du premier monde et pays socialistes ou communistes du bloc soviétique, dits du second monde. Avec le mouvement des pays non alignés, certains ont alors parlé d'un troisième monde. Selon ce même critère, d'autres parleront

---

[219] Son livre, d'ailleurs, s'intitulait : René DUMONT et M.-F. MOTTIN, *Le mal développement en Amérique latine*, Paris, Seuil, 1981 ; la citation en pages 6 et 7. Voir aussi : René DUMONT, *Pour l'Afrique j'accuse*, Paris, Plon, 1986 et avec Marie-France MOTTIN, *L'Afrique étranglée*, Paris, Seuil, 1980.

du quart monde pour parler des pauvres dans les pays des premier et second mondes.[220]

Plus tardivement, certains penseurs établiront une distinction entre développement et croissance, ce dernier terme étant réservé à la croissance économique, alors que le mot développement ferait référence à un ensemble plus vaste qu'on qualifie d'humain et d'intégral. La croissance se rapporterait à un accroissement quantitatif, alors que le développement ferait référence à une amélioration qualitative.[221]

DIVERSES THÉORIES DU DÉVELOPPEMENT

Ainsi dans l'histoire des idées et des pratiques par laquelle le développement est passé au cours des dernières soixante années, on peut discerner diverses interprétations, diverses lectures, diverses théories du développement. Par rapport aux pratiques, d'autres parleront de modèles de développement. Nous souhaitons être particulièrement succinct à ce propos, renvoyant pour un approfondissement à l'excellent livre de Richard Peet et E. Hartwick, *Theories of Development*, publié à Londres en 1999.[222]

THÉORIES ÉCONOMIQUES DU DÉVELOPPEMENT

Tout de suite après sa création, la Banque mondiale propose une vision essentiellement économique du développement : c'est par une croissance de la production des biens et des services

---

[220] Voir par exemple ATTAC, ibidem, en pages 98 à 100 et HARNECKER, ibidem. L'expression semble avoir été popularisée par le père Joseph Wresinski qui a fondé le mouvement ATD Quart Monde dans les années 1960.

[221] Voir Frank-Dominique VIVIEN, *Le développement soutenable*, Paris, La Découverte, 2005, en page 59.

[222] Richard PEET et E. HARTWICK, *Theories of Development*, London, Guilford, 1999.

que les sociétés se développent. Cette croissance est mesurée par le PIB, cet indicateur qui mesure l'ensemble des biens et des services produits pendant une période déterminée ; il en résulte qu'une augmentation du PIB signifie un développement. Cette croissance se réalise essentiellement à travers l'industrialisation et l'urbanisation ; l'urbanisation permet à chaque famille de posséder son eau courante, ses toilettes et l'électricité, mais aussi son poêle et son réfrigérateur, sa télévision, son téléphone et son Internet, sa (ou ses) voiture(s), pour aller au travail, au centre d'achat, à l'université ou au cinéma ! Plus les gens posséderont de biens, plus ils atteindront le bien-être et seront heureux. L'amélioration des conditions de vie passe par un surplus économique qui doit être réinvesti dans plus d'industries et de productions afin de toujours augmenter les richesses produites. Ce mouvement apparaît infini, dans le sens que ces penseurs croient que l'humanité pourra toujours produire et consommer plus.[223]

Mais il y a plus : ce mouvement de développement est une loi de l'histoire, les peuples ne peuvent pas ne pas s'y engager. Il y a un mouvement irréversible qui fait passer les sociétés dans cette modernité ; on se rappelle que Rostow a décrit les diverses étapes de ce processus économique. Car il s'agit du même mouvement qui a permis à la raison humaine de produire les sciences et les technologies et aux peuples de devenir rationnels et de s'engager dans des processus de démocratisation. Le progrès de l'esprit humain ne peut pas être arrêté. En 1950, il n'est pas contesté que les sociétés qui se sont rapprochées le plus de cet idéal se trouvent en Amérique

---

[223] Quelques penseurs entrevoient des limites, comme Malthus qui se posent des questions sur l'augmentation de la population.

du Nord et en Europe; on peut donc assimiler ce mouvement à une occidentalisation, mais en Occident on l'appelle modernisation.

Au moins jusque dans les années 1980, cohabiteront deux versions de ces théories économiques du développement, la version capitaliste et la version socialiste et marxiste. Au moment de la chute du régime soviétique, plusieurs estimeront que la version capitaliste a vaincu et qu'elle s'imposera à la planète tout entière.

Dans ces mêmes années, cette version prendra la coloration du néolibéralisme qui rejette l'intervention de l'état pour mettre toute sa confiance dans le libre marché, comme unique moteur du développement; dans la première phase du capitalisme économique, on croyait encore que les gouvernements avaient un rôle déterminant dans les processus d'industrialisation et d'urbanisation, mais avec le néolibéralisme, on clamera que le moteur le plus efficace pour produire plus et mieux, c'est le marché, et uniquement le marché. Sophie Bessis commente :

« Quelle qu'ait été la profondeur de leurs divergences, les tenants des deux versions concurrentes du modèle ont aussi en commun d'avoir ramené les populations à qui les progrès étaient supposés bénéficier au rang d'objets du développement, sans jamais les considérer comme les sujets de leur histoire en train de se faire. »[224]

Il n'y a pas de doute que la définition économique du développement a dominé le XXe siècle

---

[224] Sophie BESSIS, *L'Occident et les autres. Histoire d'une suprématie*, Paris : La Découverte, 2001 en page 129. Pour cette section, voir PEET et HARTWICK, dans le livre cité, spécialement les chapitres VI et VII; VIVIEN, ibidem, en pages 31 à 33; ATTAC, ibidem, en pages 153-156; et dans le dictionnaire du développement, surtout l'article de Otto Ulrich sur les technologies en SACHS, ibidem, en pages 275 à 280, de même que l'article de Serge Latouche sur les standards de vie, en ibidem, pages 254-256.

et qu'elle possède encore aujourd'hui une force d'attraction extraordinaire.

THÉORIES DU DÉVELOPPEMENT INTÉGRAL

Rapidement des penseurs critiqueront une conception du développement formulée uniquement en termes économiques. Le Programme des Nations Unies pour le développement sera un des principaux promoteurs de cette évolution, particulièrement grâce aux recherches de l'économiste indien Amartya Sen. Ce dernier, en comparant l'évolution de différents États indiens, constatera que le bien-être des populations ne résulte pas seulement d'une augmentation quantitative des biens matériels, mais que l'éducation et l'engagement des femmes, par exemple, jouent un rôle déterminant dans l'amélioration des conditions de vie. C'est dans ce contexte qu'il proposera une nouvelle théorie d'un développement non plus exclusivement économique, mais intégral et humain, visant à développer non seulement l'économie, mais toutes les potentialités humaines ; le concept clé devient donc celui d'avoir la possibilité ou la « capabilité » de développer tous ces talents.

Ce sont donc ces penseurs qui distinguent plus nettement entre croissance économique et développement humain. Dans ce cadre, le PNUD proposera de nouveaux indicateurs de développement, dont l'indicateur de développement humain et, plus récemment, l'indicateur de pauvreté humaine.

On peut résumer cette théorie en affirmant que le développement est conçu comme un processus qui permet aux personnes de développer librement toutes leurs capacités; cela s'applique aussi aux sociétés et aux cultures.[225]

Comme les théories capitalistes, les théories marxistes du développement sont économiques et matérialistes, en ce sens que le développement est une affaire d'augmentation des produits et des services; pour elles, le salut est entièrement terrestre. Elles prévoient qu'inévitablement les sociétés capitalistes vont se transformer en un monde unifié et socialiste.

Leur principale spécificité est de concevoir les processus modernes de production, surtout dans l'industrie, non pas comme une émancipation, mais comme une aliénation qui se déploie de manière conflictuelle, à travers la lutte des classes.

Marx et Engels estiment que les humains se sont distingués des animaux quand ils ont commencé à produire leurs moyens de subsistance. Dans ce sens, le travail est un processus par lequel l'humanité transforme la nature et se l'asservit. Néanmoins, Marx met en lumière que ce processus d'industrialisation se déroule de manière conflictuelle, le conflit se jouant sur la propriété des moyens de production. Dans les sociétés capitalistes, c'est une petite partie de l'élite qui s'est accaparé cette propriété et s'est asservi la classe des travailleurs pour faire fonctionner ses usines. Le développement des sociétés passera donc nécessairement par une révolution violente où les travailleurs prendront le pouvoir pour contrôler les moyens de production.

---

[225] Voir ATTAC, ibidem, en pages 76-78 et surtout Amartya SEN, Development as Freedom, New York, Anchor Books, 2000.

Ainsi, pour Marx, il y a un premier développement quand croissent les forces de production, spécialement grâce aux machines-outils et aux infrastructures, c'est-à-dire grâce au travail des humains. Mais, sur le long terme, le développement n'est pas que quantitatif, il suppose aussi un renversement dans la propriété des moyens de production et la prise de pouvoir par le prolétariat, la classe des travailleurs. Ainsi, c'est par l'élimination de la classe bourgeoise que la classe ouvrière atteint son plein développement et « les lendemains qui chantent ».[226]

LES THÉORIES SOCIOLOGIQUES

Les sociologues étudient les différences entre les sociétés ; quelques-uns se sont demandés pourquoi des peuples s'enrichissent et d'autres non : est-ce à cause du climat ou de plus grandes ressources en matières premières ? Un groupe prédominant voit la raison, la science et la technique comme le principal moteur du développement des sociétés. Jusqu'à ce moment, ces théories restent à l'intérieur de la vision économique du développement.

C'est avec des sociologues comme Durkheim et Parsons que la vision change. Car, pour eux, l'économie ou le matériel n'est pas le seul facteur dans l'évolution des systèmes sociaux. C'est ainsi que pour Parsons, le plus important changement est dans l'amélioration des capacités d'adaptation d'un groupe humain, c'est-à-dire quand un groupe change sa structure interne pour affronter des situations nouvelles, ou bien quand le

[226] Voir en PEET et HARTWICK, le chapitre IV, en pages 91 à 102. On remarquera que notre étude, dans sa plus grande partie, a presque fait abstraction des visions marxistes, qui ont peu influencé le Hall Notre Dame et sa pratique du développement. Le marxisme n'avait pas bonne presse chez les missionnaires!

groupe assume des éléments d'une autre culture ou groupe.

Il s'agit là d'une présentation caricaturale de la vision sociologique du développement, car mon but était tout simplement de souligner le rôle de ces penseurs dans l'élargissement du concept du développement humain et social, quand ils ont montré l'importance d'autres facteurs que ceux de l'économie.[227]

LES THÉORIES FÉMINISTES DU DÉVELOPPEMENT

Après quelques années de pratique du développement, certaines voix s'insurgent que les femmes n'y soient pas assez présentes. On se rend compte qu'elles travaillent beaucoup sans participer aux richesses et aux bienfaits de la croissance. Les Nations Unies proclament la décennie de 1975 à 1985 une Décennie pour l'avancement des femmes et, pour la traduire en réalité, une série de grandes conférences internationales se succéderont de Mexico en 1975 à Copenhague en 1980 et à Nairobi en 1985. À Nairobi, le forum alternatif attirera plus de 16 000 femmes pour discuter des dimensions concrètes de la condition féminine. Dans un des rapports, on explique que les femmes reçoivent environ 10 % des revenus mondiaux et qu'elles possèdent environ 1 % des ressources, alors qu'elles accomplissent les deux tiers des tâches![228]

On voit ainsi naître non seulement le souhait d'une autre forme de développement, mais aussi la revendication que les femmes participent davantage; finalement on verra la réflexion se concentrer sur le patriarcat comme d'un caractère qui

[227] Voir en PEET et HARTWICK, le chapitre 3 en pages 65 à 83.

[228] Voir aussi Jacques GÉLINAS, *Dictionnaire critique de la globalisation*, Montréal, Écosociété, 2008 en pages 238 à 240.

a marqué les sociétés humaines depuis des millénaires; on ajoute que les projets de développement, élaborés par des hommes, sont aussi réalisés par des hommes et pour les hommes; Descartes attribuait la raison aux hommes et les émotions aux femmes, de même les théories économiques du développement sont strictement masculines, tout comme les sciences et les technologies. Dans ce cheminement, certaines organisations de femmes acquerront une réputation internationale : mentionnons seulement le *DAWN, Development Alternatives with Women for a New Era,* créé à Bangalore (Inde) en 1984, l'*Acão Democratica Feminista Gaucha au Brésil, le CHIPKO* en Inde... Une des activistes les plus connues est l'indienne Vandana Shiva et ses études sur les droits injustement acquis par les compagnies multinationales.

En un mot, le mouvement féministe a fait évoluer le concept du développement en mettant en relief la participation des deux sexes.[229]

LES THÉORIES ÉCOLOGIQUES DU DÉVELOPPEMENT

L'expression développement durable résume l'orientation de cette nouvelle vision du développement, née à la fin des années 1980 dans les institutions internationales pour qualifier une troisième décennie du développement. Cette réflexion avait été provoquée par une série de tragédies environnementales qui eurent de grands échos dans les médias internationaux : en 1953 on révèle que dans la baie de Minamata, au sud de Tokyo (Japon), les eaux intoxiquées au mercure ont contaminé les poissons que mangent les pêcheurs! C'est le 10 juillet 1976 qu'a lieu, à Seveso,

---

[229] Voir RAHNEMA, ibidem, en pages 246-251, 161-166 et en PEET et HARTWICK, ibidem, en pages 164 à 193.

dans le nord de l'Italie, l'explosion d'un réacteur de l'usine chimique Icmesa, laissant échapper un nuage de dioxine ; aucun décès humain, mais 193 personnes sont atteintes de chloracné et plus de 70 000 têtes de bétail doivent être abattues. Puis il y a l'explosion, le 3 décembre 1984, de l'usine de la succursale indienne de l'Union Carbide, à Bhopal (Inde), qui fit plus de 3 000 morts et 20 000 handicapés, surtout des aveugles. Mais surtout, le 26 avril 1986, c'est l'explosion d'un réacteur nucléaire dans la centrale Lénine, près de Tchernobyl (Ukraine), qui met en évidence que les problèmes environnementaux sont globaux, dans le sens qu'ils concernent toute la planète ; en effet, le nuage toxique qui s'est échappé de Tchernobyl a parcouru des milliers de kilomètres au-dessus d'une trentaine de pays différents! Deux villes et soixante-dix villages sont évacués en quelques heures : près de 250 000 personnes. Il était devenu clair : à problème global, la solution ne peut être que planétaire.[230]

Mais il y avait aussi un autre argument : les théories classiques du développement le concevaient pratiquement comme infini, les ressources de la terre étant considérées comme sans limites. C'est dans ce ciel optimiste que, sous la guide du Club de Rome, paraît en 1971 le rapport Meadow *Halte à la croissance!* Ce rapport montre que si les habitantes et habitants de la terre avaient toutes et tous le même niveau de vie et de consommation que les Nord-américains et Européens, les ressources de la terre ne suffiraient pas! Un développement à l'américaine ou à l'européenne est planétairement impossible! Non seulement à

[230] Le film *Erin Brockovich, seule contre tous*, avec Julia Roberts, raconte l'histoire vraie d'une femme qui, en Californie, a réussi à obtenir une indemnisation de plusieurs milliards de dollars de la Pacific Gas and Electricity pour des gens qui avaient développé des cancers à cause des émissions toxiques de la compagnie.

cause des ressources limitées – on explique alors que le pétrole sera épuisé dans cinquante ans -, mais aussi à cause de cette autre conséquence de l'industrialisation qu'est la pollution. La ville de New York ne savait plus où mettre ses déchets, elle les exportait en Afrique! L'évidence s'imposait : développement et environnement ne vont pas toujours ensemble dans le bon sens.

Une première conférence internationale se réunit à Stockholm en 1972 sous le slogan : Une seule terre! On y diagnostique clairement la vulnérabilité de la petite planète terre. Le Canadien Maurice Strong a été le secrétaire général de cette conférence ; c'est lui qui dès 1974 commence à parler d'écodéveloppement. Dans un symposium, tenu en 1974 sous l'égide du Programme des Nations Unies pour l'environnement, dont il est devenu secrétaire général, on déclare :

« Nous croyons à la possibilité d'établir des modes de vie et des systèmes nouveaux plus justes, moins arrogants dans leurs exigences matérielles, plus respectueux de l'environnement de la planète entière. La voie ne passe ni par l'attente désespérée d'un désastre ni par la croyance optimiste en une succession de prouesses techniques. Elle passe par une évaluation attentive et dépassionnée des limites externes, par une recherche collective de la manière de respecter les limites internes des droits fondamentaux de l'homme. Elle passe par l'édification de structures sociales pour exprimer ces droits et par un patient travail d'invention des techniques et des modes de développement qui mettent en valeur et protègent notre patrimoine planétaire »[231]

---

[231] Cité en FRANK-DOMINIQUE VIVIEN, *Le développement soutenable*, Paris, La Découverte, 2005 en pages 13-14.

C'est alors qu'est instituée la Commission mondiale sur l'environnement et le développement présidée par Gro Harlem Brundtland, première ministre de Norvège pendant une dizaine d'années. Cette commission remet son rapport *Notre avenir à tous!* en 1987. Elle professe solennellement que développement et écologie ne s'opposent pas, mais qu'il faut viser un autre développement, un développement soutenable, car « nous n'avons qu'une seule et unique biosphère pour nous faire vivre ». Mais alors, comment définir ce développement durable?

« Le développement soutenable n'est pas un état d'équilibre, mais plutôt un processus de changement dans lequel l'exploitation des ressources, le choix des investissements, l'orientation du développement technique, ainsi que le changement institutionnel, sont déterminés en fonction des besoins tant actuels qu'à venir. »

Cela signifie qu'il faut tenir compte de l'équité entre les générations : il ne serait pas équitable que les générations de la fin du XXᵉ siècle gaspillent toutes les ressources de la planète et n'en laissent pas assez aux futures générations. On peut donc définir le développement durable comme celui « qui répond aux besoins du présent sans compromettre la capacité des générations futures de répondre aux leurs. » Un tel développement répond à trois impératifs : celui de la croissance économique, celui social de la réduction de la pauvreté, de même que l'impératif environnemental.[232]

Cette définition sera reprise par le Sommet de la Terre que la Commission Brundtland avait souhaité. Cette grande rencontre internationale se tiendra à Rio du 3 au 14 juin 1992, réunissant

---

[232] Voir VIVIEN, ibidem, en pages 5, 12 à 21.

40 000 personnes de 172 pays différents, dont 108 chefs d'états. Maurice Strong en est encore le secrétaire général; il a l'idée d'inviter aussi les gens d'affaires et d'organiser un forum parallèle pour les ONG. La Déclaration de Rio reprend la vision de Stockholm; mais on lui annexe un plan d'action, l'Agenda 21, un volumineux document de 800 pages avec toutes sortes d'idées, de concepts, de propositions et d'expériences, mais sans valeur juridique. À Rio, deux conventions sont signées par les chefs d'état, la première sur les changements climatiques et la seconde sur la diversité biologique.[233]

En effet, un Groupe international d'étude du climat (GIEC) avait été créé en 1988; car on commençait à diagnostiquer un effet de serre, l'amincissement de la couche d'ozone et un réchauffement global de l'atmosphère. Ce groupe, institué par les Nations Unies, devait rassembler toutes les données scientifiques disponibles et tenter de créer un consensus scientifique sur les changements climatiques. Ce groupe a remis, au début des années 2000, divers rapports qui confirment scientifiquement les changements dans le climat et ses conséquences désastreuses sur l'environnement.

Quelle est donc cette vision écologique du développement? Il n'y a pas d'activités économiques sans utilisation des ressources de la planète, sous la forme de matières premières, d'énergie ou de travail humain. Mais une fois consommés, les produits ne peuvent pas être entièrement recyclés; il y a toujours une perte! On évalue ainsi que depuis 1950 les humains ont consommé plus que toutes les générations qui les ont précédés!

---

[233] Voir en ibidem, en pages 23-24. Voir aussi Serge LATOUCHE, *Survivre au développement*, Paris, Fayard, 2004 en pages 83-84 et SACHS, ibidem, en pages 28-29.

On ne peut continuer à un tel rythme, il faut lier économie et environnement, il faut développer de manière à ce que la terre puisse renouveler les ressources consommées. Est ainsi introduit un facteur de limitation dans la croissance économique et le développement humain. On remplace une vision quantitative par une vision qualitative du développement.

Parmi les propositions pratiques, on doit mentionner la régionalisation des économies – il n'est plus efficace de faire venir ces aliments de l'autre bout du monde; et le commerce équitable, qui diminue les intermédiaires entre producteurs et consommateurs et veille à la qualité des produits et services.[234]

Mais encore plus concrètement, comment concilier production et respect de l'environnement? La Fondation ZERI est experte en ce domaine. Dans son livre, le *Forum on Globalization* cite un projet qu'il a appuyé, concernant la production de café en Colombie. Les prix du café ayant dramatiquement baissé, les petits caféiculteurs se trouvaient dans une situation précaire, quand on constata qu'ils n'utilisaient que 3,7 % du caféier; pouvait-on valoriser le reste? Je cite le résumé de ces recherches :

« Quand les cerises de café sont récoltées, le reste de la plante est utilisé pour la culture des champignons shiitaké (un mets délicat qui se vend très cher); avec les déchets des champignons (riches en protéines), on nourrit des vers de terre, des bovins et des porcs; les vers de terre nourrissent des poulets; le fumier des bovins et des porcs produit du biogaz et une sorte de boue

---

[234] J'ai trouvé particulièrement inspirant un forum tenu à Arezzo (Italie) en octobre 1997 et dont les actes ont été publiés : F. LOTTI, N. GIANDOMENICO et R. LEMBO, *Per un'economia di giustizia*, Trieste, Asterios, 2001, surtout les pages 156 à 162.

qui sert d'engrais pour la plantation de café et les potagers environnants. L'énergie du biogaz est nécessaire à la culture des champignons. »

Ainsi les producteurs ne comptent pas seulement sur le café, mais vont chercher d'autres revenus avec l'exportation des champignons. Tout cela « ne nécessite pas de lourds investissements et les paysans ne sont pas contraints d'abandonner leur gagne-pain à cause de la volatilité des marchés d'exportation. »[235]

J'ai trouvé un exemple semblable dans le livre de Frank-Dominique Vivien qui parle de l'éco-parc industriel de Kalundborg au Danemark :

« Une raffinerie (a) utilise la chaleur perdue par une centrale thermique (b) et vend le soufre extrait du pétrole à une usine chimique. La raffinerie fournit aussi du sulfate de calcium à un producteur de plaques murales (c) en remplacement du gypse que celui-ci achète habituellement. La vapeur excédentaire de la centrale chauffe aussi l'eau d'une société aquacole (d), ainsi que des serres et des habitations (e). À l'image des décomposeurs qui, dans les écosystèmes, se nourrissent des déchets et dépouilles des autres espèces, les sous-produits et déchets des entreprises servent de matière première pour la production d'autres firmes. Cet ensemble d'échanges énergétiques et matériels qui relient les principales entreprises de la zone industrielle de Kalundborg permet d'économiser les ressources et de produire moins de déchets finals. Plutôt que de mettre en œuvre une approche en bout de chaîne, qui traite après coup les pollutions et les déchets, il s'agit d'éviter d'en produire et d'en émettre à la source. »[236]

---

[235] On y parle aussi d'un projet de brasserie en Namibie, intégrée à des porcheries et à un élevage de poissons, de même qu'à la production de champignons et de méthane : voir Forum on Globalization, ibidem, en pages 276-277.

[236] VIVIEN ibidem, en pages 77 et 78.

Depuis trente ans, la conception écologique du développement s'impose presque partout. Les nouvelles générations l'ont particulièrement bien assimilée.

LES THÉORIES POSTDÉVELOPPEMENTALES

À la suite de Ivan Illich, selon les Gustavo Esteva, Arturo Escobar, Majid Rahnema et Serge Latouche, un développement intégral, un développement qui respecte l'environnement, tout cela n'est pas suffisant. Il faut aller au-delà du développement et, carrément, proposer, non plus la croissance, mais la décroissance.

Leur principal argument vient de quelques études anthropologiques qui ont démontré que les humains des sociétés prééconomiques, dites de subsistance, n'étaient pas malheureux, bien au contraire ! En fait, ces « primitifs » avaient tout le nécessaire pour vivre et leurs besoins fondamentaux étaient satisfaits ! On cite des études réalisées auprès des Bushmen du Kalahari et des Yahgan de la Terre de Feu : ces populations possèdent peu, mais ne sont pas pauvres, leur richesse n'est pas matérielle et elle ne se mesure aucunement avec des indicateurs économiques.[237] En fait, c'est l'économisation de nos sociétés qui a créé la soif de biens et de « développement ». Si on rejette cette conception économique de la vie, si on revient à un style de vie modeste et austère, on y gagne en qualité de vie, prétendent ces auteurs.

Mais n'est-ce pas revenir en arrière ? Presque tout le monde accepte de dépasser une vision seulement économique du développement, mais pour retrouver le bonheur, doit-on retourner dans la situation d'antan ? Pas vraiment... Des propositions sont faites :

---

[237] Voir RAHNEMA, ibidem en pages 3-17.

- ce qui crée bonheur et bien-être, ce sont avant tout les relations entre les personnes et leur vie culturelle;
- pour ce faire, il est préférable de vivre dans des communautés aux dimensions réduites;
- la plupart des besoins sont satisfaits au niveau des communautés locales;
- dans ces groupes, il y a production de biens et de services à partir des ressources disponibles sur place,
- on admet que ce qui fait l'humain, ce n'est pas d'abord son travail, mais davantage les activités gratuites et bénévoles.[238]

Est-on revenu au débat entre Gandhi et Nehru? On se souvient que Nehru souhaitait que les grandes compagnies viennent s'installer dans son pays pour le développer. Telle n'était pas la vision de Gandhi qui rêvait que chaque village soit autosuffisant et satisfasse les besoins de sa population. Il affirmait : « La vraie économie, c'est celle de la justice ».[239]

Un forum des ONG a proposé les six R :
« Réévaluer, Restructurer, Redistribuer, Réduire, Réutiliser, Recycler. Ces six objectifs interdépendants enclenchent un cercle vertueux de décroissance conviviale et soutenable. Réévaluer, cela signifie revoir les valeurs auxquelles nous croyons et sur lesquelles nous organisons notre vie et changer celles qui doivent l'être. Restructurer, cela signifie adapter l'appareil de production et les rapports sociaux en fonction du changement des valeurs. Redistribuer s'entend de la répartition des richesses et de l'accès au patrimoine naturel. Réduire veut dire diminuer

[238] Voir en RAHNEMA, ibidem, pages 114-115.
[239] Ibidem, en pages 306-307.

l'impact sur la biosphère de nos modes de produire et de consommer. Pour ce faire, réutiliser au lieu de jeter les appareils et les biens d'usage et, bien sûr, recycler les déchets incompressibles de notre activité. Tout cela n'est pas nécessairement antiprogressiste ni antiscientifique. On pourrait même parler d'une autre croissance en vue du bien commun, si le terme n'était trop galvaudé. Il n'y a pas de honte pour nous Occidentaux à partager le rêve progressiste occidental. Toutefois, après avoir pris conscience des méfaits du développement, il s'agit d'aspirer à une meilleure qualité de vie et non à une croissance illimitée du PIB. »

Hervé-René Martin a expliqué alors :

« Une personne heureuse ne consomme pas d'antidépresseurs, ne consulte pas de psychiatres, ne tente pas de se suicider, ne casse pas les vitrines des magasins, n'achète pas à longueur de journées des objets aussi coûteux qu'inutiles, bref, ne participe que très faiblement à l'activité économique de la société. »[240]

En France, Serge Latouche est un des principaux exposants de ce mouvement anti-développement ou postdéveloppemental.

Faut-il donc abandonner l'idée ou le concept de développement ? Personnellement, je trouve les critiques postdéveloppementales inspirantes et sources de défis prometteurs, mais je ne crois pas que le concept de développement doive être abandonné. Il ne faut pas glisser dans une querelle de mots ; le concept de développement se réfère à une réalité fondamentale de l'existence

---

[240] Cités dans Serge LATOUCHE, Survivre au développement, Paris, Fayard, 2004 en pages 98-100.

humaine et de tout le cosmos qu'on ne peut pas faire semblant d'ignorer.

DES MODÈLES DE DÉVELOPPEMENT

Faut-il suivre le modèle américain, européen ou japonais ? En effet, l'examen des conditions concrètes à travers lesquelles les pays ont évolué permet d'avancer la notion de modèle de développement.

Des économistes parlent de sept modèles de développement : 1. le modèle états-unien, centré sur la libre entreprise et le capital, 2. le modèle soviétique, où toute l'économie était centralisée et planifiée, 3. un modèle mitoyen qui impose des règles aux entreprises (Canada, Norvège...), 4. le modèle japonais et 5. celui des nouveaux pays industrialisés comme Singapour[241] et la Corée du Sud, 6. le modèle islamique où l'usure est interdite, et 7. le modèle chinois, fondé sur la surpopulation, un contrôle politique et de multiples petites initiatives, outre celles de l'état centralisé.[242]

Dans son livre *Pour l'Afrique,* un ancien ministre français chargé de la Coopération avec les pays du Tiers-Monde à la Commission des communautés européennes, Edgar Pisani, suggère même des modèles africains de développement :

- la lente transition vers une économie plus monétarisée afin de favoriser l'épargne et les investissements,
- les coopératives dont les méthodes sont plus participatives et associatives,
- une administration décentralisée à partir des

[241] Voir Rodolphe DE KONINCK, *Singapour. La cité-état ambitieuse,* Paris, Bélin, 2006.

[242] Ces différents modèles sont étudiés et comparés dans l'œuvre magistrale : Paul KNOX & John AGNEW, *The Geography of the World Economy,* London, Arnold, 1998 ; voir aussi Marta HARNECKER, ibidem, en pages 170 à 174.

ethnies, plus que des frontières artificielles des colonies,

- un système de droit qui repose non pas sur les individus, mais sur les communautés.[243]

Il y a diverses théories du développement, il y a aussi divers modèles. Que conclure ?

[243] Voir Edgar PISANI, *Pour l'Afrique*, Paris, Odile Jacob, 1988 en pages 79 à 83.

CONCLUSIONS À LA DEUXIÈME PARTIE

Certes il y a de fausses prémices du développement. Sachs fait allusion aux illusions suivantes :
- la supériorité du monde occidental et sa prétention à devenir universel,
- l'impérialisme des États-Unis,
- la viabilité de l'industrialisation,
- la croyance en une parfaite égalité.[244]

Mais cela ne suffit pas pour proclamer haut et fort que l'âge du développement est dépassé.[245]

Un accord peut-il se dessiner sur un autre développement ? *La Commission on Global Governance* indique les éléments suivants comme des points de repère de tout véritable développement :
- une plus grande épargne et un haut taux d'investissement à l'intérieur de chaque pays,
- la maximisation des ressources locales,
- la mise en valeur du secteur privé en ne l'accablant pas d'une multitude de règlements

---

[244] Voir en SACHS, ibidem, en pages 1-4.
[245] Voir en ibidem, en page 1.

et de contrôles bureaucratiques, mais en garantissant l'ordre et la sécurité,[246]
- la stabilité politique et économique
- et un fort intérêt social des gouvernements qui mettent l'accent sur l'éducation, la santé et les familles.[247]

Le premier point parlait d'épargne; aujourd'hui, les économistes parlent beaucoup de capitalisation, ce qui pose le problème de l'économie informelle. L'économiste colombien Hernando De Soto souligne l'importance du secteur informel; dans certains pays, entre le tiers et la moitié de la production n'est pas comptabilisée dans les statistiques officielles. Il faut trouver des solutions pour formaliser cette économie.[248] Pourquoi est-ce que cela pose problème? C'est que si votre travail n'est pas comptabilité ou vos avoirs non officialisés, il vous est impossible d'obtenir un prêt pour accroître votre productivité. C'est pourquoi, Muhammad Yunus a raison qui prête aux pauvres avec sa Banque Grameen.[249]

Il y a quarante ans déjà, René Dumont prétendait qu'il n'y avait pas un modèle unique de développement, mais renchérit Jacques Gélinas, cela ne nous empêche pas de discerner des points de repère valides pour tout effort de développement. En terminant cette partie, je cite cette page magistrale du sociologue québécois qui résume

---

[246] Calderisi donne de bons exemples d'excès de réglementation et de bureaucratie en Afrique : Robert CALDERISI, *L'Afrique peut-elle s'en sortir ?* Montréal, Fides, 2006 en pages 225 et 226.

[247] The Commission on Global Governance, *Our Global Neighborhood*, Oxford University Press, 1995, en page 189. Le 2 mars 2005, un forum organisé par l'OCDE a émis une Déclaration de Paris sur l'efficacité de l'aide au développement : voir au site www.oecd.org.

[248] Hernando DE SOTO, *The Mystery of Capital*, New York, Basic Books, 2000. Jacques Gélinas, sur plusieurs pages, explique que le véritable moteur du développement, c'est l'épargne et l'investissement: voir GÉLINAS, ibidem, en pages 125-147 et 173-177.

[249] Muhammad YUNUS avec Alan JOLIS, *Vers un monde sans pauvreté*, Jean-Claude Lattès, 1997.

bien un certain consensus actuel sur la pratique du développement :

« +1 L'agriculture vivrière comme base

De nombreuses populations reviennent à cette sagesse fondamentale du *primum vivere* qui pour elles se traduit par d'abord manger. La terre étant le premier capital naturel disponible sur place, c'est d'elle que les collectivités en éveil tirent leur subsistance et leurs premiers surplus. C'est aussi leur première école technique pour la mise en valeur de l'être humain, à la fois outil et chef d'œuvre à parfaire, qui a besoin d'une nourriture adéquate pour fonctionner efficacement et s'épanouir.

+2 Le secteur informel de nouveau valorisé

Des régions marginalisées du Tiers-Monde doivent leur survie et un certain progrès socioéconomique au secteur informel, cet espace économique où, relativement à l'abri des interventions et des ponctions de l'État, elles peuvent se mobiliser et s'organiser pour vivre sans avoir à mendier une aide extérieure quelconque.

+3 L'épargne intérieure investie sur place

L'épargne existe en quantité suffisante, même dans les pays les plus pauvres, pour amorcer un développement autoentretenu et autogéré; toutefois, il ne reste pratiquement sur place que l'épargne volontaire, informelle et populaire, qui soit investie dans des activités productives.

+4 La participation des femmes

L'apport des femmes dans les activités informelles d'épargne et de crédit, dans la production et la conservation des aliments, dans l'éducation et les services sociaux est d'ores et déjà prépondérant dans le Tiers-Monde profond.

+5 Priorité à l'organisation coopérative
Le système coopératif, mutualiste ou traditionnel, de collecte de l'épargne et d'investissement s'avère le plus productif et le plus sûr ; inaliénable, il se dresse comme un rempart efficace contre la fuite des capitaux.

+6 Un encadrement juridique minimal
Un code de dépôts et d'investissements respecté de tous assure la stabilité des activités d'épargne et de crédit, tant dans le domaine coopératif que dans le secteur informel.

+7 Le contrôle décisionnel des organisations locales
Le contrôle des organisations locales sur la gestion de l'épargne, la formation, l'investissement, la production, la technologie et la commercialisation apparaît comme une condition indispensable à l'adhésion des masses à un projet collectif d'autodéveloppement.

+8 La maîtrise d'un certain noyau technologique
La remontée de la filière technologique à partir des techniques maîtrisées localement s'impose comme un préalable nécessaire à l'intégration efficace d'une technologie importée. À cette condition, tout apport extérieur est enrichissant.

+9 La constitution progressive de réseaux financiers
La mise en réseau progressive des ressources humaines et financières, à l'échelon local d'abord, puis régional, national et continental,

voire international, est une tendance que l'on observe dans les mouvements associatifs du Tiers-Monde, lesquels ne sont pas portés à se replier sur eux mêmes.

+10 Place à l'initiative privée
L'initiative privée, moteur de ce nouveau dynamisme, prend le contre-pied des mégaprojets d'une bourgeoisie étatique téléguidée de l'extérieur. Ce phénomène marque un retour aux valeurs fondatrices de l'économie libérale. Entreprise privée et système coopératif se marient bien ; ils ont toujours formé un couple fécond dans l'histoire du développement humain.

+11 Le nécessaire apprentissage de la démocratie
L'apprentissage de la démocratie commence sur le terrain dans la gestion des affaires communales à partir des ressources de la communauté. La remontée de la filière démocratique, de la démocratie économique à la démocratie politique, passe par le développement autofinancé et autogéré et donc, par la gestion des ressources internes. »[250]

Cela signifie-t-il qu'il faille abandonner toute aide au développement ? Jacques Gélinas se pose la question, mais j'estime que sa réponse n'est pas claire. Néanmoins il insiste qu'au moins « une nouvelle conception de la coopération pour le développement » est nécessaire. Pourrions-nous, au moins, formuler la proposition suivante : tout projet d'une communauté locale qui va dans le sens d'une ou de plusieurs des onze balises qui

---

[250] Voir en ibidem, en pages 210-213.

viennent d'être énumérées est un projet de développement qui mérite d'être encouragé et aidé.

Monsieur Gélinas revient alors à la contribution des ONG :

« D'aucuns, surtout les coopérants, les bénévoles et ces milliers de praticiens de l'aide qui se dévouent au sein des ONG, seront peut-être déçus de ne point trouver au terme de cette réflexion des réponses précises à leurs interrogations. L'intervention des organisations non gouvernementales est-elle utile dans la gestation lente et souvent douloureuse d'une nouvelle pratique du développement ? La contribution de celles-ci, qui consiste surtout en dons et en assistance technique, présente-t-elle une solution de rechange à l'aide-endettement ?

La question qu'il faut se poser est la suivante : le service particulier de telle ONG s'inscrit-il dans le cadre d'un appui aux forces vives du milieu engagées dans la mobilisation des ressources locales pour l'investissement productif ? Cette condition étant respectée, toute collaboration est positive et elle peut prendre des formes fort diverses. Il ne faut pas être plus puriste que les populations en éveil qui n'hésitent pas à travailler dans les entrailles de l'ancien système pour mettre en oeuvre des mécanismes inédits de survie et d'autodéveloppement. »[251]

Oui, je suis déçu. Mais Jacques Gélinas reconnaît que certaines collaborations peuvent être « positives ». Est-ce le cas des projets missionnaires ? Tel est l'objet de la troisième et dernière partie de notre étude.

---

[251] Ibidem, en pages 222 et 223.

TROISIÈME PARTIE

MISSION ET DÉVELOPPEMENT

Au vu et au su de la deuxième partie de notre étude, il devient légitime de se demander ce que les missionnaires allaient faire dans cette galère. S'il y a autant de problèmes avec la théorie et la pratique du développement, alors pourquoi le Hall Notre-Dame a-t-il aidé autant de projets de développement?

D'une manière toute théorique et abstraite, on pourrait répondre de la manière suivante : les processus de développement sont une entreprise humaine, et comme tout ce qui est humain, ils sont un mélange de bien et de mal, d'ombres et de lumières. Si le peuple de Dieu s'y engage, c'est précisément pour que la lumière de l'Évangile transforme ces efforts en vie et paix, en justice et amour, en partage et en tolérance...

Il n'en reste pas moins un malaise, un inconfort qui vient des critiques légitimes aux entreprises de développement. Cette troisième partie de notre étude va essayer d'y répondre en deux moments :

- nous tenterons d'éclaircir le discours de l'Église qui a encouragé les missionnaires à s'engager dans ces voies; pourquoi? Quelles sont les raisons du magistère ecclésiastique pour inviter les missionnaires à s'impliquer dans le développement ? Un premier chapitre explorera l'aide aux missions et au développement, tandis que le suivant suivra l'évolution dans la compréhension et la pratique de la mission elle-même.

- Le dernier chapitre de notre réflexion proposera des éléments d'évaluation de la contribution des Églises et des missions à l'œuvre du développement.

CHAPITRE 1

LE DISCOURS ECCLÉSIAL SUR L'AIDE
AUX MISSIONS ET AU DÉVELOPPEMENT

Nous parcourrons l'enseignement des papes et des évêques tout d'abord. Pourquoi ? Les documents pontificaux et épiscopaux ne sont pas seulement une expression, selon certains la seule expression officielle, de la pensée de l'Église, mais ils témoignent des mouvements et des courants qui la traversent. En effet, si les papes et les évêques enseignent ceci ou cela, c'est qu'ils perçoivent que cela a un sens dans la quête spirituelle de leurs ouailles. Ne réduisons donc pas cet enseignement à un mouvement unique : ce n'est pas seulement l'Église enseignante qui éclaire ses fidèles, cet enseignement témoigne aussi de ce que les pasteurs écoutent et dialoguent avec le peuple de Dieu. Car si les papes et les évêques enseignent ainsi, c'est aussi parce qu'ils ont d'abord dialogué et écouté l'expérience du peuple de Dieu. Les enseignements du magistère sont aussi un reflet des préoccupations du peuple de Dieu.[252]

---

[252] Il y a aussi une raison pratique pour se concentrer sur l'enseignement du magistère : il est facile d'accès.

Dans l'enseignement des papes depuis une centaine d'années, il y a deux filons que nous suivrons d'abord chronologiquement pour ensuite en offrir une synthèse plus thématique. Le premier filon, plus traditionnel, c'est celui de l'aide aux missions; le deuxième, surtout à partir de Vatican II, axe sa réflexion sur la promotion humaine et le développement.

Très explicitement, le premier filon, celui de l'aide aux missions, couvre toute la première moitié du XXᵉ siècle et ne sera jamais effacé du discours pontifical. Il faut se rappeler que les missions se sont extraordinairement développées dans le dernier quart du XIXe siècle et au début du XXᵉ, surtout en Afrique : multiplication des missions, donc multiplication des besoins. Les rapports qui proviennent d'Afrique font état de la misère des populations indigènes et des efforts des missionnaires dans des conditions particulièrement difficiles; au cours de ces décennies, nombreux seront-ils à mourir de maladies tropicales, en particulier du paludisme. La réaction était toute naturelle : il faut faire quelque chose pour encourager les missionnaires et soulager les populations locales.

C'est en 1919 que le pape Benoît XV (1914-1922) publie sa Lettre apostolique *Maximum Illud.* C'est probablement la première expression officielle de cette prise de conscience des besoins des missions et de la nécessité pour tous les fidèles de les aider : « Les aides qu'on peut porter aux missions et que les missionnaires ne cessent d'implorer sont de trois types. Le premier est à la portée de tous; c'est de prier le Seigneur de se rendre propice aux missionnaires. Déjà plus d'une fois, nous avons observé que l'œuvre missionnaire restera stérile et vaine si elle n'est pas fécondée par la grâce divine [...] C'est pour cela qu'a été institué l'Apostolat de la prière [...][253] En deuxième lieu, il faut suppléer à l'insuffisance des missionnaires. On l'avait déjà perçue avant la guerre, mais elle est beaucoup plus visible après, de sorte que de nombreux secteurs de la vigne du Seigneur n'ont pas assez de travailleurs. Nous faisons donc appel à votre diligence, vénérables frères[254]; vous accomplirez une œuvre de charité envers la religion si vous alimentez dans le clergé et chez les élèves du sanctuaire la vocation aux missions étrangères dès qu'on en discerne chez eux les premiers signes [...] Mais pour soutenir les missions, il faut aussi des moyens matériels, et pas en petite quantité, spécialement aujourd'hui que les besoins ont beaucoup augmenté après la guerre qui a dévasté et détruit écoles et hospices, hôpitaux, dispensaires et d'autres œuvres de charité. Nous faisons donc un vibrant appel à toutes les bonnes personnes pour que, dans les limites de leurs propres forces, elles acceptent largement d'y pourvoir. Celui qui « a des biens de ce monde et voit son frère dans le besoin, mais ferme son cœur à la compassion, il n'a pas en lui la charité de Dieu » (1 Jean 3,17). C'est ainsi que l'apôtre saint Jean parlait de la pauvreté et de l'indigence matérielle du prochain. Cette loi de la charité, il faut l'observer encore plus puisqu'il s'agit non seulement de secourir une foule immense de gens qui se débattent dans la misère et la faim, mais aussi d'arracher cette foule énorme d'âmes à l'esclavage du démon pour la conquérir à la liberté

---

[253] Cela existe encore aujourd'hui sous la forme des intentions missionnaires de prières à chaque mois. Ici au Canada, le mensuel *Prions en Église* en fait presque toujours mention.

[254] Les lettres apostoliques et les encycliques des papes sont généralement adressées aux évêques.

des enfants de Dieu. C'est pour cela que nous désirons que soient particulièrement aidées par la générosité des catholiques ces œuvres qui ont été spécialement créées en faveur des missions, et en premier lieu l'Oeuvre de la Propagation de la foi [...] »[255]

Au départ, il s'agit donc d'une aide aux missions et aux missionnaires. Et en faisant référence à la lettre de Jean, celle qui développe le thème : Dieu est amour, le Pape fonde cette aide sur la charité qui sait reconnaître les besoins des frères et sœurs, besoins qui ont spécialement augmenté à cause de la première guerre mondiale. Ensuite, Benoît XV explique que l'aide aux missions peut prendre trois formes :
- la prière pour l'œuvre missionnaire,
- la promotion vocationnelle des personnes qui se sentent appelées à devenir missionnaires
- et l'aide financière, que la plupart du temps on appelle des aumônes.

Autre élément : le Pape suggère que les Œuvres pontificales missionnaires de la Propagation de la Foi, de Saint-Pierre-Apôtre et de la Sainte Enfance coordonnent et canalisent ces aides et sensibilisent le peuple de Dieu à la coopération missionnaire.

Ce discours deviendra traditionnel et ne subira presqu'aucun changement.

C'est une encyclique que publia Pie XI le 28 février 1926 : *Rerum Ecclesiae*. De nouveau l'Évêque de Rome fait appel à l'aide aux missions : « [...] il est nécessaire que le peuple chrétien vienne

---

[255] Pour ces documents, je possède une édition italienne que le traduis moi-même en français : *Enchiridion della Chiesa missionaria*, Bologne, Dehoniane, 1997 (que j'abrégerai *Enchiridion*), ici numéros 115 à 117. On a ajouté une numérotation progressive à l'ensemble de cet enchiridion.

au secours avec une libéralité qui égale les multiples besoins des missions actuelles et de celles qui s'ajouteront à l'avenir. »

Recommandation est de nouveau faite de passer par les Œuvres pontificales. Le Pape ajoute à l'intention des évêques à qui sa lettre est adressée : « N'ayez pas honte et qu'il ne vous déplaise pas, vénérables frères, de devenir comme des mendiants pour le Christ et le salut des âmes. »

Pour la première fois, me semble-t-il, le Pape détaille quelques œuvres missionnaires : il parle des écoles et des dispensaires et recommande que les nouvelles églises et chapelles construites en missions ne soient ni somptueuses ni coûteuses.[256]

Le 2 juin 1951, avec les deux premiers mots *Evangelii Praecones*, c'est au tour de Pie XII de publier une encyclique missionnaire. Il y consacre plusieurs paragraphes à expliciter quelles sont ces œuvres que les missionnaires établissent en missions : un article parle des écoles et des imprimeries, des centres littéraires, scientifiques et artistiques : « Les écoles et les collèges sont très utiles pour réfuter toutes les erreurs qui sont diffusées aujourd'hui [...] Tout aussi utile est la production et la diffusion de la bonne presse. »

En second lieu viennent les œuvres dans le domaine de la santé : les hôpitaux, les léproseries, les dispensaires, les hospices pour les vieux et d'autres centres destinés aux femmes enceintes et aux enfants... « Ces œuvres nous semblent les plus belles fleurs du jardin fleuri de la charité missionnaire. »

Un autre paragraphe est consacré aux œuvres d'assistance sociale que Pie XII introduit de la manière suivante :
« Nous passons maintenant à une autre question

---

[256] *Enchiridion*, ibidem, nos 127 et 142.

pas moins importante et grave : nous voulons donc préciser quelques normes concernant l'ordre chrétien de la société selon les principes de la justice et de la charité [...] Il est absolument nécessaire de mettre en pratique avec la plus grande attention et avec enthousiasme les saints principes de la sociologie telle qu'enseignée par l'Église [...] La charité pourra certes remédier à quelques injustices sociales, mais cela ne suffit pas ; de plus il faut que fleurisse et soit réellement appliquée la vertu de la justice. »

Pour mettre en pratique ces principes, l'encyclique recommande des associations et des institutions sociales et économiques ; il est suggéré aux missionnaires d'employer des laïques pour ces œuvres.[257]

En 1959, Jean XXIII signa l'encyclique *Princeps Pastorum*. Le bon pape Jean y rappelle les nombreuses initiatives sociales et d'assistance des missionnaires, mais il ajoute une mise en garde : « La diffusion de la vérité et de la charité de Jésus Christ est la vraie mission de l'Église [...] Mais dans les territoires de missions, elle pourvoit, avec toute la largesse possible, aussi à des initiatives de caractère social et d'assistance [...] Qu'on veille cependant à ne pas encombrer l'apostolat missionnaire avec un ensemble d'institutions purement profanes. Qu'on se limite aux services qui sont indispensables, faciles d'entretien et qui pourront rapidement être remis dans les mains du personnel local ; on fera en sorte que le personnel proprement missionnaire ait la possibilité de consacrer le meilleur de ses énergies au ministère de l'enseignement, de la sanctification et du salut. »

Pour Jean XXIII, dans l'ensemble de ces œuvres

---

[257] *Enchiridion*, ibidem, nos. 240 à 253

missionnaires, c'est la charité chrétienne qui se rend visible. Il rappelle aussi l'importance des écoles et, ici aussi, on introduit la question du sociopolitique :

« Le bon combat (2 Tim 4,7) pour la foi se joue non seulement dans le secret des consciences ou l'intimité des maisons, mais aussi dans la vie publique sous toutes ses formes. Dans tous les pays du monde se posent aujourd'hui des problèmes de nature diverse dont les solutions sont recherchées en faisant souvent appel aux seules ressources humaines et en obéissant parfois à des principes qui s'opposent à la foi chrétienne. »

Le Pape fait donc appel aux laïques chrétiens pour qu'ils s'engagent « dans le champ des activités publiques » et travaillent aussi au sein d'organisations internationales catholiques.[258]

Paul VI est le premier pape de l'ère moderne qui voyagea de par le monde. Après un premier périple en Afrique en 1967, il publia, le 29 octobre, le message *Africae Terrarum*. La section quatre est dédiée au développement et à l'aide, mais l'Évêque de Rome ne parle plus seulement des missions, il traite aussi des sociétés : elles ont des plans de développement pour lesquels il leur faut des experts et des techniciens. De plus, il faut lutter contre l'analphabétisme et favoriser l'agriculture :

« Les conditions générales du développement économique de l'Afrique ne sont pas changées avec la simple déclaration d'indépendance des nouveaux états. Au contraire, celle-ci a rendu parfois plus difficiles les relations avec les pays riches ; on a parfois craint que les aides financières et l'assistance technique conditionnent la liberté et l'autonomie obtenues avec l'indépendance. »

---

[258] *Enchiridion*, ibidem, nos 343, 360 et 368-372.

Paul VI rejette donc une nouvelle forme de colonialisme, un néocolonialisme de nature économique. Il maintient la nécessité de l'aide, mais « la dignité des peuples qui reçoivent l'aide doit être pleinement respectée » et il insiste que ces peuples sont les premiers responsables et les vrais artisans de leur développement économique et social.

En cinquante ans, on est donc passé des missions aux Églises locales et aux États. De l'aide aux missions, on a évolué vers l'aide au développement des peuples. Le discours qui faisait appel à la charité chrétienne pour aider ces « misérables » met de plus en plus l'accent sur la justice.[259]

Les messages pour la Journée missionnaire mondiale

La Journée missionnaire mondiale, instituée en 1926 et célébrée dans toutes les paroisses catholiques l'avant-dernier dimanche d'octobre de chaque année, donne lieu, depuis ses tout débuts, à un appel de la Sacrée Congrégation De Propaganda Fide qui deviendra, à partir de 1965, un message pontifical. Le message de 1936 rappelait qu'en missions les missionnaires s'occupent un peu de tout et qu'ils ont besoin du soutien de tous les fidèles catholiques.[260] En 1965, dans son premier message, Paul VI parle des « œuvres de charité des missions ».[261] L'année suivante il rappelle que c'est la charité qui nous pousse à aider : « Répétons-nous, nous ne pouvons pas demeurer indifférents devant les problèmes de l'Église missionnaire; on ne peut pas dormir tranquille tout en sachant que beaucoup d'âmes risquent

---

[259] *Enchiridion*, ibidem, nos 663 à 670.

[260] *Enchiridion*, ibidem, no. 3129-3130.

[261] *Enchiridion*, ibidem, no 3309.

de rester loin de Dieu uniquement parce que les missionnaires ne reçoivent pas l'aide matérielle que nous pouvons leur donner avec un tout petit sacrifice ; on ne peut pas jouir des admirables progrès de la vie économique et sociale en sachant que des milliers de souffrants, de lépreux, de mal nourris et d'affamés, parmi lesquels il y a surtout des enfants innocents, sont condamnés à la mort en manquant des plus élémentaires ressources, qui abondent ailleurs. »

En 1968, son message détaille les besoins des missions :

« Les besoins des territoires de mission sont immenses, de quelque côté qu'on se tourne. Il faut des écoles, des hôpitaux, des églises, des chapelles, des léproseries, des séminaires, des centres de formation et de repos, des voyages sans fin. Ce qui accable le plus, ce n'est pas la construction des édifices, mais leur fonctionnement, lequel suppose annuellement des dépenses élevées pour la conservation des installations, pour l'entretien du personnel et pour l'œuvre d'assistance. »[262]

Les enseignements des papes ont toujours mis l'accent sur l'aide aux missions : les fidèles aidant les missionnaires à accomplir leurs œuvres. C'est Jean-Paul II qui dans son *Message pour la Journée missionnaire mondiale* de 1982 initiera une nouvelle vision d'une aide à deux sens :

« Voici donc se dessiner un nouveau concept de coopération, non plus comprise dans un sens unique, comme l'aide fournie aux Églises plus jeunes par les Églises fondées plus anciennement, mais comme un échange réciproque et fécond d'énergies et de biens, au sein de la fraternelle communion d'Églises sœurs, dépassant ainsi le dualisme Églises riches – Églises pauvres, comme

[262] *Enchiridion*, ibidem, nos 3309, 3316, 3327 et 3333.

s'il y en avait deux sortes distinctes : les Églises qui donnent et celles qui seulement reçoivent. En réalité, il y a une vraie réciprocité en autant que la pauvreté d'une Église qui reçoit de l'aide rend toute l'Église plus riche quand celle-ci se prive en donnant. La mission devient ainsi non seulement aide généreuse d'Églises riches à des Églises pauvres, mais elle est aussi grâce pour toutes les Églises, condition de renouveau, loi fondamentale de vie. »[263]

L'aide aux missions, d'abord à sens unique, est maintenant devenue partage, échange, partenariat, communion.

DES CHAPITRES DE MISSIOLOGIE

Deux documents du plus haut magistère ecclésial clôturent et résument l'évolution de son enseignement sur l'aide aux missions : le *Décret sur l'activité missionnaire de l'Église* que le concile Vatican II promulgue le 7 décembre 1965 et l'encyclique *Redemptoris Missio* de Jean-Paul II, signée le 7 décembre 1990. Dans les deux documents, il y a tout un chapitre sur la coopération missionnaire. Ce chapitre termine le décret conciliaire, alors qu'il est l'avant-dernier de l'encyclique, y étant suivi par le chapitre VIII sur la spiritualité missionnaire.

La même solennelle déclaration inaugure les deux documents : tout le Peuple de Dieu est missionnaire et doit donc contribuer à l'effort missionnaire. Citons le décret conciliaire, d'ailleurs lui-même cité par l'encyclique :

« L'Église étant tout entière missionnaire, et l'oeuvre de l'évangélisation étant le devoir fondamental du Peuple de Dieu, le Saint Concile invite

---

[263] *Enchiridion*, ibidem, no. 3572.

tous les chrétiens à une profonde rénovation intérieure, afin qu'ayant une conscience vive de leur propre responsabilité dans la diffusion de l'Évangile, ils assument leur part dans l'oeuvre missionnaire auprès des païens.

Comme membres du Christ vivant, auquel ils ont été incorporés et configurés par le Baptême ainsi que par la Confirmation et l'Eucharistie, tous les fidèles sont tenus de coopérer à l'expansion et au développement de Son Corps, pour l'amener le plus vite possible à sa plénitude (Eph. 4, 13) » (articles 35 et 36).

Le Concile parle donc d'un devoir fondamental et de l'obligation de coopérer. L'encyclique exprime la même idée en affirmant que tous les membres de l'Église sont coresponsables de l'activité missionnaire (article 77).

Le décret explicite ensuite les tâches particulières du peuple de Dieu et des communautés chrétiennes, des évêques et des prêtres, des instituts de perfection et des laïques. L'article sur les laïques distingue leur contribution en pays chrétiens comme en territoires de missions ; un paragraphe est consacré à la coopération au développement :

« Dans les terres déjà chrétiennes, les laïques coopèrent à l'oeuvre de l'évangélisation en développant en eux-mêmes et chez les autres la connaissance et l'amour des missions, en faisant naître des vocations dans leur propre famille, dans les associations catholiques et les écoles, en offrant des subsides de toute sorte, afin que le don de la foi, qu'ils ont reçu gratuitement, puisse être aussi donné à d'autres.

Dans les territoires de missions, les laïques, soit étrangers, soit autochtones, doivent enseigner dans les écoles, avoir la gestion des affaires temporelles, collaborer à l'activité paroissiale et diocésaine, établir et promouvoir les diverses formes de l'apostolat pour que les fidèles des jeunes Églises puissent assumer le plus vite possible leur propre part dans la vie de l'Église.

Enfin, les laïques doivent apporter volontiers leur coopération économico-sociale aux peuples en voie d'évolution ; cette coopération est d'autant plus à louer qu'elle vise à fonder des instituts qui influencent les structures fondamentales de la vie sociale ou sont destinés à la formation de ceux qui ont la responsabilité des affaires publiques » (article 41).

Mention spéciale est faite des laïques qui font de la recherche et oeuvrent dans des universités.

Après la déclaration initiale sur le devoir de coopérer à l'effort missionnaire, l'encyclique poursuit de manière plus classique, en parlant des trois formes d'aide que sont la prière et les sacrifices, la promotion des vocations et les offrandes pour les missions :

« Les besoins matériels et économiques des missions sont nombreux, non seulement pour fonder l'Église avec un minimum de structures (chapelles, écoles de formation des catéchistes et des séminaristes, logements), mais aussi pour soutenir les œuvres de charité, d'éducation et de promotion humaine, champ d'action immense, spécialement dans les pays pauvres. L'Église missionnaire donne ce qu'elle reçoit, elle distribue aux pauvres ce que ses fils mieux pourvus de biens matériels mettent généreusement à sa disposition. Je voudrais ici remercier tous ceux qui donnent, en se sacrifiant, pour l'œuvre missionnaire: leurs privations et leur participation sont indispensables pour édifier l'Église et témoigner de la charité.

À propos de l'aide matérielle, il est important de voir avec quel esprit on donne. Et pour cela, il faut réfléchir à son propre style de vie: les missions ne demandent pas seulement une aide, mais aussi un partage pour l'annonce missionnaire et la charité envers les pauvres. Tout ce que nous avons reçu de Dieu - la vie comme les biens matériels - n'est pas à nous: cela est mis à notre disposition. La générosité avec laquelle on donne doit toujours être éclairée et inspirée par la foi; alors, vraiment, il y a plus de bonheur à donner qu'à recevoir.

La Journée mondiale des missions, destinée à sensibiliser les fidèles au problème missionnaire, mais aussi à recueillir des fonds, est un rendez-vous important dans la vie de l'Église, car elle enseigne comment donner: dans la célébration eucharistique, c'est-à-dire comme offrande à Dieu, et pour toutes les missions du monde » (article 81).

L'article 82 suggère de nouvelles manières de contribuer à l'œuvre missionnaire :
- dans le tourisme international,
- par les coopérants qui vont travailler dans des pays de missions,
- en accueillant les travailleurs migrants
- et dans la coopération internationale en politique, économie, culture ou journalisme, de même que dans les grandes organisations internationales.

Cette encyclique, par l'article qui suit, est le seul document pontifical de ce niveau qui parle explicitement de l'animation missionnaire; elle est présentée comme une œuvre de formation et d'information et on y décrit quelques instruments de cette animation :

« Animation et formation missionnaires du Peuple de Dieu.

La formation missionnaire est l'œuvre de l'Église locale avec l'aide des missionnaires et de leurs Instituts, ainsi que du personnel des jeunes Églises. Cette tâche doit être considérée non pas comme marginale, mais comme centrale dans la vie chrétienne. Même pour la nouvelle évangélisation des peuples chrétiens, le thème missionnaire peut aider grandement: le témoignage des missionnaires conserve en effet son attrait même auprès de ceux qui sont loin et auprès des non-croyants, et il transmet des valeurs chrétiennes. Que les Églises locales utilisent donc l'animation missionnaire comme élément clé de leur pastorale courante dans les paroisses, les associations et les groupes, surtout de jeunes ![...] Les activités d'animation doivent toujours être orientées vers leurs fins spécifiques: informer et former le Peuple de Dieu en ce qui concerne la mission universelle de l'Église, faire naître des vocations ad gentes, susciter la coopération à l'évangélisation. Il ne faut pas donner une image réductrice de l'activité missionnaire, comme si elle consistait principalement à aider les pauvres, à contribuer à la libération des opprimés, à promouvoir le développement, à défendre les droits de l'homme. L'Église missionnaire est également engagée sur ces fronts, mais sa tâche principale est autre: les pauvres ont faim de Dieu, et pas seulement de pain et de liberté, et l'activité missionnaire doit avant tout témoigner du salut en Jésus Christ et annoncer ce salut, en fondant les Églises locales qui sont ensuite des instruments de libération, dans tous les sens du terme.»

Citons encore l'article 85 de l'encyclique qui reprend une idée apparue dans le Message de 1982 pour la Journée missionnaire mondiale :
« Coopérer à la mission veut dire non seulement donner, mais aussi savoir recevoir. Toutes les Églises particulières, jeunes et anciennes, sont appelées à donner et à recevoir pour la mission universelle, et aucune ne doit se refermer sur elle-même. « En vertu de cette catholicité - dit le Concile -, chacune des parties apporte aux autres et à l'Église tout entière le bénéfice de ses propres dons, en sorte que le tout et chacune des parties s'accroissent par un échange mutuel universel et par un effort commun vers la plénitude dans l'unité [...] De là, entre les diverses parties de l'Église, des liens de communion intime quant aux richesses spirituelles, aux ouvriers apostoliques et aux ressources matérielles. J'exhorte toutes les Eglises et les pasteurs, les prêtres, les religieux et les fidèles à s'ouvrir à l'universalité de l'Église, écartant toutes les formes de particularisme, d'exclusivisme ou de sentiment d'autosuffisance. Les Églises locales, tout en étant enracinées dans leur peuple et dans leur culture, doivent maintenir concrètement ce sens de l'universalité de la foi, en offrant aux autres Églises et en recevant d'elles dons spirituels, expériences pastorales de première annonce et d'évangélisation, personnel apostolique et moyens matériels. »

Au départ, l'aide aux missions est apparue comme une œuvre de charité, et bientôt comme l'expression de la justice. Pourquoi les missionnaires sont-ils dans cette galère? Les premières réponses sont donc là : parce que dans leurs missions ils tentent de vivre la charité du Christ et la justice du Royaume. C'est tout le peuple de Dieu qui leur permet d'accomplir cette charité et cette justice par leurs prières, leur promotion des vocations et leur soutien financier.

Dois-je faire remarquer que parmi les instruments d'animation missionnaire, l'encyclique *Redemptoris Missio* mentionnait l'aide aux pauvres, la contribution à la libération des opprimés, la promotion du développement et la défense des droits humains ? La liste que nous avons trouvée dans les documents des papes au début du XXe siècle s'est donc considérablement rallongée. Il ne s'agit plus seulement d'aide aux missionnaires.

Pour comprendre ces nouvelles dimensions de la coopération missionnaire, il faut donc faire un détour par l'évolution de la compréhension et de la pratique de la mission.

CHAPITRE 2

QU'EST-CE QUE LA MISSION ?

Nous cherchons à comprendre pourquoi les missionnaires sont devenus des « quêteux » du développement. Dans un premier temps, nous avons entendu le magistère encourager l'aide aux missions comme une question de charité et de justice. Cette première réponse est apparue insuffisante déjà au milieu du XXᵉ siècle. Ce qui se met à évoluer à ce moment-là, c'est la compréhension même de l'œuvre missionnaire.

Au début du XXᵉ siècle, les missionnaires allaient prêcher l'Évangile pour sauver les âmes des païens, puisque sans cette conversion ces infidèles risquaient d'aller en enfer ! Là en territoires de missions, les missionnaires ont rencontré des personnes souffrantes et misérables et ont multiplié les œuvres de charité. Mais s'agissait-il d'une œuvre secondaire, d'un à-côté de la mission, ou ces œuvres en étaient-elles une dimension constitutive ? C'est le débat qu'on voit se développer dans les années 1950. Souvenons-nous de Jean XXIII qui avertit de ne pas trop céder à ces œuvres profanes pour ne pas détourner d'énergies de la vraie fonction missionnaire qui est d'évan-géliser et de sauver les âmes.

Ce débat fera un pas décisif avec le *Décret sur l'activité missionnaire de l'Église,* promulgué le 7 décembre 1965, à la veille de la clôture du concile Vatican II. Le décret s'ouvre avec une déclaration solennelle selon laquelle la mission est envoi aux peuples pour leur annoncer l'Évangile :

« Envoyé par Dieu aux peuples pour être « le sacrement universel du salut» (1), l'Église, en vertu des exigences intimes de sa propre catholicité, et obéissant au commandement de son Fondateur (cf. Mc 16, 15), est tendue de tout son effort vers la pré-dication de l'Évangile à tous les êtres humains. »

Mais dès le premier chapitre, cette vision se dilate : il s'agit maintenant de continuer la mission que le Père a confiée à son fils Jésus avec le Saint-Esprit, encore mieux, il s'agit de l'accomplissement, tout au long de l'histoire et jusqu'à la fin des temps, du dessein éternel de Dieu, plan commencé avec la création, poursuivi avec la rédemption en Jésus et qui se prolonge maintenant dans le temps de l'Église :

« La mission de l'Église s'accomplit donc par l'opé-ration au moyen de laquelle, obéissant à l'ordre du Christ et mue par la grâce du Saint-Esprit et par la charité, elle devient un acte plénier présent à tous les hommes et à tous les peuples, pour les amener, par l'exemple de sa vie, par la prédication, par les sacrements et les autres moyens de grâce, à la foi, à la liberté, à la paix du Christ, de telle sorte qu'elle leur soit ouverte comme la voie libre et sûre pour participer pleinement au mystère du Christ » (article 5).

Comment s'effectue cette œuvre? Le deuxième chapitre tente de répondre à cette interrogation. L'article premier est consacré au témoignage chrétien; c'est ici qu'on parle de la présence de charité qui se manifeste à travers de multiples œuvres et activités : on y mentionne explicitement les affaires économiques et sociales. Puis, dans le deuxième article, sont mentionnées les deux tâches qui résumaient auparavant la mission : la prédication de l'Évangile et le rassemblement du Peuple de Dieu. La formation de la communauté chrétienne, ce qui implique l'établissement d'un clergé local et la promotion de la vie religieuse, apparaît en troisième lieu. Ainsi sont établies des Églises dites particulières qui sont l'objet du troisième chapitre du décret.

Le quatrième chapitre parle des missionnaires et de leur formation, le cinquième de l'organisation de l'activité missionnaire. Nous avons déjà parcouru le sixième et dernier chapitre qui porte sur la coopération de tout le peuple de Dieu à l'œuvre de la mission.

Il est ainsi devenu clair que la mission, ce n'est pas seulement la prédication missionnaire, mais aussi le témoignage de la charité. Avant Vatican II, les papes avaient remarqué que les missionnaires non seulement allaient prêcher la Bonne Nouvelle, mais que face aux souffrances et détresses des humains, ils avaient développé un ensemble d'œuvres qui exprimaient leur charité envers ces personnes et se transformaient de plus en plus en combat pour la justice.

Constitution pastorale sur l'Église dans le monde moderne

Car le concile Vatican II lui-même a élargi ses horizons en passant de l'activité missionnaire à la place de l'Église dans l'histoire et dans le monde. Car

> « les joies et les espoirs, les tristesses et les angoisses des hommes de ce temps, des pauvres surtout et de tous ceux qui souffrent, sont aussi les joies et les espoirs, les tristesses et les angoisses des disciples du Christ, et il n'est rien de vraiment humain qui ne trouve écho dans leur cœur [...] La communauté des chrétiens se reconnaît donc réellement et intimement solidaire du genre humain et de son histoire » (article 1).

Tous les disciples du Christ, et donc les missionnaires aussi, partagent les joies et les souffrances des autres humains et avec eux cheminent. La perspective s'agrandit aussi du fait que le Concile considère, non seulement les individus, mais aussi les sociétés et toute l'humanité : « C'est en effet l'homme qu'il s'agit de sauver, la société humaine qu'il faut renouveler » (article 3).

> Pour accomplir cette tâche, l'Église
> « a le devoir, à tout moment, de scruter les signes des temps et de les interpréter à la lumière de l'Évangile, de telle sorte qu'elle puisse répondre, d'une manière adaptée à chaque génération, aux questions éternelles des hommes sur le sens de la vie présente et future et sur leurs relations réciproques » (article 4).

Parmi ces signes des temps, le Concile énumère la pauvreté, les inégalités et les violences ; mais au même moment,

> « la conviction grandit que le genre humain peut et doit non seulement renforcer sans cesse

sa maîtrise sur la création, mais qu'il peut et doit en outre instituer un ordre politique, social et économique qui soit toujours plus au service de l'homme, et qui permette à chacun, à chaque groupe, d'affirmer sa dignité propre et de la développer » (article 9).

Les nations en voie de développement veulent elles aussi participer
« aux bienfaits de la civilisation moderne tant au plan économique qu'au plan politique » (article 9).

Aussi l'Église discerne-t-elle des ombres et des lumières, dans un monde marqué par le péché.
Quel est donc le rôle et la place de l'Église ? La première partie de la Constitution pastorale explique comment l'Église conçoit la vocation des personnes humaines et celle de leurs communautés, et comment elle entend cheminer avec l'humanité. L'amour est le premier et le plus grand commandement ; cette charité prend aujourd'hui le chemin de la quête du bien commun :
« Il faut donc rendre accessible à l'homme tout ce dont il a besoin pour mener une vie vraiment humaine, par exemple : nourriture, vêtement, habitat, droit de choisir librement son état de vie et de fonder une famille, droit à l'éducation, au travail, à la réputation, au respect, à une information convenable, droit d'agir selon la droite règle de sa conscience, droit à la sauvegarde de la vie privée et à une juste liberté, y compris en matière religieuse. » (article 26).

« Au surplus, en dépit de légitimes différences entre les hommes, l'égale dignité des personnes exige que l'on parvienne à des conditions de vie justes et plus humaines. En effet, les inégalités économiques et sociales excessives entre les membres ou entre les peuples d'une seule famille humaine font scandale et font obstacle à la justice sociale, à l'équité, à la dignité de la personne humaine ainsi qu'à la paix sociale et internationale » (article 29).

Le quatrième et dernier chapitre de cette première partie de la Constitution pastorale (articles 40 à 45) tente de mieux spécifier la place de l'Église. Réaliste, le Concile reconnaît que le Peuple de Dieu reçoit du monde, mais qu'il lui donne aussi quelque chose d'irremplaçable. Car il y a une « compénétration de la cité terrestre et de la cité céleste » (article 40) : « Qu'elle aide le monde ou qu'elle reçoive de lui, l'Église tend vers un but unique: que vienne le règne de Dieu et que s'établisse le salut du genre humain. D'ailleurs, tout le bien que le Peuple de Dieu, au temps de son pèlerinage terrestre, peut procurer à la famille humaine, découle de cette réalité que l'Église est « le sacrement universel du salut «, manifestant et actualisant tout à la fois le mystère de l'amour de Dieu pour l'humanité » (article 45).

Dans la vision de cette Constitution pastorale, la mission de l'Église s'est donc considérablement agrandie : il s'agit d'accomplir, non pas pour, mais avec l'humanité, le plan fondateur du Dieu créateur et de son fils rédempteur. Quand un missionnaire veut collaborer au plan de Dieu sur l'humanité, il ne peut pas se contenter de prêcher et de rassembler des communautés. C'est avant tout par une lecture des signes des temps inspirée des valeurs évangéliques que le missionnaire discernera les ministères, c'est-à-dire les services, que Dieu l'appelle à rendre à l'humanité.

La deuxième partie de la Constitution examine quelques-uns de ces problèmes plus urgents : d'abord le mariage et la famille, puis la culture, en troisième lieu la vie économique et sociale, en quatrième la vie de la communauté politique et enfin la sauvegarde de la paix et la construction de la communauté des nations. Chacun de ces cinq chapitres commence avec un diagnostic et une analyse avant de suggérer des recommandations. Je me contenterai de citer quelques passages du plus haut magistère de l'Église, car le Concile indique non seulement des voies nouvelles à la mission, mais aussi comment toujours se mettre à l'écoute des nouveaux besoins de l'humanité et du monde.

Une section est consacrée au développement économique ; il vaut la peine d'en citer un long extrait ; on y reconnaîtra sans peine des échos des débats sur la nature du développement :

> « Aujourd'hui plus que jamais, pour faire face à l'accroissement de la population et pour répondre aux aspirations plus vastes du genre humain, on s'efforce à bon droit d'élever le niveau de la production agricole et industrielle, ainsi que le volume des services offerts. C'est pourquoi il faut encourager le progrès technique, l'esprit d'innovation, la création et l'extension d'entreprises, l'adaptation des méthodes, les efforts soutenus de tous ceux qui participent à la production, en un mot tout ce qui peut contribuer à cet essor. Mais le but fondamental d'une telle production n'est pas la seule multiplication des biens produits, ni le profit ou la puissance ; c'est le

service de l'homme: de l'homme tout entier, selon la hiérarchie de ses besoins matériels comme des exigences de sa vie intellectuelle, morale, spirituelle et religieuse; de tout homme, disons-nous, de tout groupe d'hommes, sans distinction de race ou de continent. C'est pourquoi l'activité économique, conduite selon ses méthodes et ses lois propres, doit s'exercer dans les limites de l'ordre moral afin de répondre au dessein de Dieu sur l'homme.

Le développement doit demeurer sous le contrôle de l'homme. Il ne doit pas être abandonné à la discrétion d'un petit nombre d'hommes ou de groupes jouissant d'une trop grande puissance économique, ni à celle de la communauté politique ou à celle de quelques nations plus puissantes. Il convient au contraire que le plus grand nombre d'humains, à tous les niveaux, et au plan international l'ensemble des nations, puissent prendre une part active à son orientation. Il faut de même que les initiatives spontanées des individus et de leurs libres associations soient coordonnées avec l'action des pouvoirs publics, et qu'elles soient ajustées et harmonisées entre elles.

Le développement ne peut être laissé ni au seul jeu quasi automatique de l'activité économique des individus ni à la seule puissance publique. Il faut donc dénoncer les erreurs aussi bien des doctrines qui s'opposent aux réformes indispensables au nom d'une fausse conception de la liberté, que des doctrines qui sacrifient les droits fondamentaux des personnes et des groupes à l'organisation collective de la production.

Par ailleurs, les citoyens doivent se rappeler que c'est leur droit et leur devoir (et le pouvoir civil doit lui aussi le reconnaître) de contribuer selon leurs moyens au progrès véritable de la communauté à laquelle ils appartiennent. Dans les pays en voie de développement surtout, où l'emploi de toutes les disponibilités s'impose avec un caractère d'urgence, ceux qui gardent leurs ressources inemployées mettent gravement en péril le bien commun; il en va de même de ceux qui privent leur communauté des moyens matériels et spirituels dont elle a besoin, le droit personnel de migration étant sauf.

Pour répondre aux exigences de la justice et de l'équité, il faut s'efforcer vigoureusement, dans le respect des droits personnels et du génie propre de chaque peuple, de faire disparaître le plus rapidement possible les énormes inégalités économiques qui s'accompagnent de discrimination individuelle et sociale; de nos jours elles existent et souvent elles s'aggravent. De même, en bien des régions, étant donné les difficultés particulières de la production et de la commercialisation dans le secteur agricole, il faut aider les agriculteurs à accroître cette production et à la vendre, à réaliser les transformations et les innovations nécessaires, à obtenir enfin un revenu équitable: sinon ils demeureront, comme il arrive trop souvent, des citoyens de seconde zone. De leur côté, les agriculteurs, les jeunes surtout, doivent s'appliquer avec énergie à améliorer leur compétence professionnelle, sans laquelle l'agriculture ne saurait progresser » (articles 64-65 et 66).

Le Concile s'arrête aux mouvements migratoires, avant d'explorer la problématique du travail, des travailleurs et de leur organisation, de même que des entreprises. Cette section se

termine par un rappel de la destination universelle des biens :

« Dieu a destiné la terre et tout ce qu'elle
contient à l'usage de tous les humains et de
tous les peuples, en sorte que les biens de la
création doivent équitablement affluer entre
les mains de tous, selon la règle de la justice,
inséparable de la charité. Quelles que soient
les formes de la propriété, adaptées aux légitimes institutions des peuples, selon des circonstances diverses et changeantes, on doit
toujours tenir compte de cette destination universelle des biens. C'est pourquoi l'être humain,
dans l'usage qu'il en fait, ne doit jamais tenir
les choses qu'il possède légitimement comme
n'appartenant qu'à lui, mais les regarder aussi
comme communes : en ce sens qu'elles puissent
profiter non seulement à lui, mais aussi aux
autres. D'ailleurs, tous les êtres humains ont
le droit d'avoir une part suffisante de biens
pour eux-mêmes et leur famille. C'est ce qu'ont
pensé les Pères et les docteurs de l'Église qui
enseignaient que l'on est tenu d'aider les
pauvres, et pas seulement au moyen de son
superflu. Quant à celui qui se trouve dans
l'extrême nécessité, il a le droit de se procurer
l'indispensable à partir des richesses d'autrui.
Devant un si grand nombre d'affamés de par
le monde, le Concile insiste auprès de tous et
auprès des autorités pour qu'ils se souviennent
de ce mot des Pères: « Donne à manger à celui
qui meurt de faim car, si tu ne lui as pas donné
à manger, tu l'as tué «; et que, selon les possibilités de chacun, ils partagent et emploient
vraiment leurs biens en procurant avant tout
aux individus et aux peuples les moyens qui

leur permettront de s'aider eux-mêmes et de se développer.

Fréquemment, dans des sociétés économiquement moins développées, la destination commune des biens est partiellement réalisée par des coutumes et des traditions communautaires, garantissant à chaque membre les biens les plus nécessaires. Certes, il faut éviter de considérer certaines coutumes comme tout à fait immuables, si elles ne répondent plus aux nouvelles exigences de ce temps; mais, à l'inverse, il ne faut pas attenter imprudemment à des coutumes honnêtes qui, sous réserve d'une saine modernisation, peuvent encore rendre de grands services. De même, dans les pays économiquement très développés, un réseau d'institutions sociales, d'assurance et de sécurité, peut réaliser en partie la destination commune des biens. Il importe de poursuivre le développement des services familiaux et sociaux, principalement de ceux qui contribuent à la culture et à l'éducation. Mais, dans l'aménagement de toutes ces institutions, il faut veiller à ce que le citoyen ne soit pas conduit à adopter vis-à-vis de la société une attitude de passivité, d'irresponsabilité ou de refus de service » (article 69).

Dans la section suivante, il y a un passage sur la difficile problématique de la propriété de la terre :

« Dans plusieurs régions économiquement moins développées, il existe des domaines ruraux étendus et même immenses, médiocrement cultivés ou mis en réserve à des fins de spéculation, alors que la majorité de la population est dépourvue de terres ou n'en détient qu'une quantité dérisoire et que, d'autre part, l'accroissement de la production agricole présente un caractère d'urgence évident. Souvent, ceux qui sont employés par les propriétaires de ces grands domaines, ou en cultivent des parcelles louées, ne reçoivent que des salaires ou des revenus indignes de l'homme; ils ne disposent pas de logement décent et sont exploités par des intermédiaires. Dépourvus de toute sécurité, ils vivent dans une dépendance personnelle telle qu'elle leur interdit presque toute possibilité d'initiative et de responsabilité, toute promotion culturelle, toute participation à la vie sociale et politique. Des réformes s'imposent donc, visant, selon les cas, à accroître les revenus, à améliorer les conditions de travail et la sécurité de l'emploi, à favoriser l'initiative, et même à répartir les propriétés insuffisamment cultivées au bénéfice de personnes capables de les faire valoir. En l'occurrence, les ressources et les instruments indispensables doivent leur être assurés, en particulier les moyens d'éducation et la possibilité d'une juste organisation de type coopératif. Chaque fois que le bien commun exigera l'expropriation, l'indemnisation devra s'apprécier selon l'équité, compte tenu de toutes les circonstances » (article 71).

Vatican II considère normal que des chrétiens s'engagent dans le développement économique et social :

« Les chrétiens actifs dans le développement économico-social et dans la lutte pour le progrès de la justice et de la charité doivent être persuadés qu'ils peuvent ainsi beaucoup pour la prospérité de l'humanité et la paix du monde. Dans ces diverses activités, qu'ils brillent par leur exemple, individuel et collectif. Tout en s'assurant la compétence et l'expérience absolument indispensables, qu'ils maintiennent, au milieu des activités terrestres, une juste hiérarchie des valeurs, fidèles au Christ et à son Évangile, pour que toute leur vie, tant individuelle que sociale, soit pénétrée de l'esprit des Béatitudes, et en particulier de l'esprit de pauvreté. Quiconque, suivant le Christ, cherche d'abord le Royaume de Dieu, y trouve un amour plus fort et plus pur pour aider tous ses frères et pour accomplir une œuvre de justice sous l'impulsion de l'amour » (article 72).

Parmi celles et ceux qui « suivent le Christ », il y a aussi les missionnaires ; comme lui, ils cherchent le Royaume de Dieu et mettent en pratique la loi de l'amour universel et de la justice.

Le Concile œcuménique, au cinquième chapitre de cette deuxième partie de *Gaudium et Spes*, a aussi rappelé que :

> « la paix n'est pas une pure absence de guerre et elle ne se borne pas seulement à assurer l'équilibre de forces adverses ; elle ne provient pas non plus d'une domination despotique, mais c'est en toute vérité qu'on la définit « oeuvre de justice « (Is. 32, 17). Elle est le fruit d'un ordre inscrit dans la société humaine par son divin Fondateur, et qui doit être réalisé par des hommes qui ne cessent d'aspirer à une justice plus parfaite. En effet, encore que le bien commun du genre humain soit assurément régi dans sa réalité fondamentale par la loi éternelle, dans ses exigences concrètes il est pourtant soumis à d'incessants changements avec la marche du temps : la paix n'est jamais chose acquise une fois pour toutes, mais sans

cesse à construire. Comme de plus la volonté humaine est fragile et qu'elle est blessée par le péché, l'avènement de la paix exige de chacun le constant contrôle de ses passions et la vigilance de l'autorité légitime.

Mais ceci est encore insuffisant. La paix dont nous parlons ne peut s'obtenir sur terre sans la sauvegarde du bien des personnes ni sans la libre et confiante communication entre les hommes des richesses de leur esprit et de leurs facultés créatrices. La ferme volonté de respecter les autres personnes et les autres peuples, ainsi que leur dignité et la pratique assidue de la fraternité, sont absolument indispensables à la construction de la paix. Ainsi la paix est-elle aussi le fruit de l'amour qui va bien au-delà de ce que la justice peut apporter.

La paix terrestre qui naît de l'amour du prochain est elle-même image et effet de la paix du Christ qui vient de Dieu le Père. Car le Fils incarné en personne, prince de la paix, a réconcilié toute l'humanité avec Dieu par sa croix, rétablissant l'unité de tous en un seul peuple et un seul corps. Il a tué la haine dans sa propre chair et, après le triomphe de sa Résurrection, il a répandu l'Esprit de charité dans le coeur des hommes.

C'est pourquoi, accomplissant la vérité dans la charité, tous les chrétiens sont appelés avec insistance à se joindre aux personnes véritablement pacifiques pour implorer et instaurer la paix » (article 78).

La constitution conciliaire ajoute que

« la course aux armements est une plaie extrêmement grave de l'humanité et lèse les pauvres d'une manière intolérable » (article 81).

À la fin du document, peut-être le plus important du vingtième siècle, une section est consacrée à la construction de la communauté internationale :

> « La solidarité actuelle du genre humain impose aussi l'établissement d'une coopération internationale plus poussée dans le domaine économique. En effet, bien que presque tous les peuples aient acquis leur indépendance politique, il s'en faut de beaucoup qu'ils soient déjà libérés d'excessives inégalités et de toute forme de dépendance abusive, et à l'abri de tout danger de graves difficultés intérieures.
> La croissance d'un pays dépend de ses ressources en hommes et en argent. L'éducation et la formation professionnelle doivent préparer les citoyens de chaque nation à faire face aux diverses tâches de la vie économique et sociale. Ceci demande l'aide d'experts étrangers : ceux qui l'apportent ne doivent pas se conduire en maitres, mais en assistants et en collaborateurs. Quant à l'aide matérielle aux nations en voie de développement, on ne pourra la fournir sans de profondes modifications dans les coutumes actuelles du commerce mondial. D'autres ressources doivent en outre leur venir des nations évoluées, sous forme de dons, de prêts ou d'investissements financiers ; ces services doivent être rendus généreusement et sans cupidité d'un côté, reçus en toute honnêteté de l'autre » (article 85).

Les évêques du concile Vatican II ont alors suggéré quelques règles pour cette coopération internationale :

- les nations en développement doivent chercher l'épanouissement intégral de toutes leurs populations, s'appuyant non pas seulement sur l'aide étrangère, mais avant tout sur « sur la pleine mise en oeuvre des ressources de ces pays ainsi que sur leur culture et leurs traditions propres » (article 86).

- Les pays riches « ont le très pressant devoir d'aider ».
- Dans les négociations internationales, il faut tenir compte avant tout de l'intérêt des plus pauvres.
- Le Concile approuve la création d'institutions internationales « capables de promouvoir et de régler le commerce international ».
- « Il est urgent de procéder à une refonte des structures économiques et sociales » (article 86).

Dans l'article suivant, la constitution pastorale examine la question du développement en relation à la croissance démographique, avant de préciser de nouveau le rôle des chrétiennes et des chrétiens dans l'entraide internationale :

« Les chrétiens collaboreront de bon gré et de grand cœur à la construction de l'ordre international [...] Il appartient à tout le peuple de Dieu, entraîné par la parole et l'exemple des évêques, de soulager, dans la mesure de ses moyens, les misères de ce temps ; et cela, comme c'était l'antique usage de l'Église, en prenant non seulement sur ce qui est superflu, mais aussi sur ce qui est nécessaire. Sans être organisée d'une manière rigide et uniforme, la manière de collecter et de distribuer les secours doit être cependant bien conduite dans les diocèses, dans les nations et au plan mondial » (article 88).

Voilà donc, exprimé par la plus haute instance de l'Église catholique, un concile œcuménique, qui a réuni à Rome pendant quatre années les évêques du monde entier, pourquoi les missionnaires « sont tombés dans cette galère » : comme tous les disciples du Christ, les missionnaires sont invités à coopérer au plan de Dieu sur l'humanité...

La question sociale

Deux encycliques permettent d'aller plus loin dans la réflexion : l'encyclique *Populorum Progressio* publiée le 26 mars 1967 par le pape Paul VI et l'encyclique *Sollicitudo Rei Socialis* de Jean-Paul II du 30 décembre 1987. Dans ces deux documents, les Évêques de Rome jettent un regard critique sur la question du développement des peuples. Pourquoi ? L'Église ne peut qu'être intéressée par cette question sociale ; elle veut interpréter les événements à la lumière de la Parole de Dieu et avec l'assistance de l'Esprit (SRS 1) dans le but de faire un appel en vue d'une action concertée et internationale « pour le développement intégral de l'homme et le développement solidaire de l'humanité » (PP 5).

Paul VI estime que les puissances coloniales ont normalement cherché leur propre intérêt, même s'il faut reconnaître des « fruits heureux » dans l'éducation et la santé (PP 7). Mais aujourd'hui, la situation s'est globalisée et il faut une action concertée par l'ensemble des nations. Paul VI propose alors sa vision du développement et du rôle de l'Église :

« Fidèle à l'enseignement et à l'exemple de son divin fondateur qui donnait l'annonce de la Bonne Nouvelle aux pauvres comme signe de sa mission, l'Église n'a jamais négligé de promouvoir l'élévation humaine des peuples auxquels elle apportait la foi au Christ. Ses missionnaires ont construit, avec des églises, des hospices et des hôpitaux, des écoles et des universités. Enseignant aux indigènes le moyen de tirer meilleur parti de leurs ressources naturelles, ils les ont souvent protégés de la cupidité des étrangers. Sans doute leur œuvre, pour ce qu'elle avait d'humain, ne fut pas parfaite, et certains purent mêler parfois bien des façons de penser et de vivre de leur pays d'origine à l'annonce de l'authentique message évangélique. Mais ils surent aussi cultiver les institutions locales et les promouvoir. En maintes régions, ils se sont trouvés parmi les pionniers du progrès matériel comme de l'essor culturel. Qu'il suffise de rappeler l'exemple du père Charles de Foucauld, qui fut jugé digne d'être appelé, pour sa charité, le «Frère universel» et qui rédigea un précieux dictionnaire de la langue touareg. Nous nous devons de rendre hommage à ces précurseurs trop souvent ignorés que pressait la charité du Christ, comme à leurs émules et successeurs qui continuent d'être, aujourd'hui encore, au service généreux et désintéressé de ceux qu'ils évangélisent.

Mais désormais, les initiatives locales et individuelles ne suffisent plus. La situation présente du monde exige une action d'ensemble à partir d'une claire vision de tous les aspects économiques, sociaux, culturels et spirituels. Experte en humanité, l'Église, sans prétendre aucunement s'immiscer dans la politique des États, «ne vise qu'un seul but: continuer, sous l'impulsion de l'Esprit consolateur, l'œuvre même du Christ venu dans le monde pour rendre témoignage à la vérité, pour sauver, non pour condamner, pour servir, non pour être servi». Fondée pour instaurer dès ici-bas le royaume des cieux et non pour conquérir un pouvoir terrestre, elle affirme clairement que les deux domaines sont distincts, comme sont souverains les deux pouvoirs ecclésiastique et civil, chacun dans son ordre. Mais, vivant dans l'histoire, elle doit «scruter les signes des temps et les interpréter à la lumière de l'Évangile ». Communiant aux meilleures aspirations des hommes et souffrant de les voir insatisfaites, elle désire les aider à atteindre leur plein épanouissement, et c'est pourquoi elle leur propose ce qu'elle possède en propre: une vision globale de l'homme et de l'humanité.

Le développement ne se réduit pas à la simple croissance économique. Pour être authentique, il doit être intégral, c'est-à-dire promouvoir tout homme et tout l'homme » (articles 12, 13 et 14).

Jean-Paul II complète cette vision de la manière suivante :

- le développement n'est pas un processus linéaire et automatique, comme si le progrès résultait automatiquement d'une augmentation des productions;
- le seul développement économique ne suffit pas pour apporter le bonheur aux humains;
- il peut aussi y avoir un surdéveloppement, quand des groupes humains deviennent esclaves des biens matériels et de leur consommation, ce qui suppose souvent une multiplication des déchets et des rebuts;

- il faut chercher l'être et non pas l'avoir ; c'est un surplus d'être qui donne sens à la vie humaine : « Le mal ne consiste pas dans l'avoir en tant que tel, mais dans le fait de posséder d'une façon qui ne respecte pas la qualité ni l'ordre des valeurs des biens que l'on a, qualité et ordre des valeurs qui découlent de la subordination des biens et de leur mise à la disposition de l'être de l'homme et de sa vraie vocation » ;
- néanmoins le développement « a nécessairement une dimension économique » (SRS 28) ;
- dans ce contexte on peut dire que la notion de développement n'est pas que profane, elle est aussi religieuse « comme une expression moderne d'une dimension essentielle de la vocation de l'homme » (article 30).[264]

Ces deux encycliques permettent donc d'aller plus loin pour répondre à la question : que font les missionnaires et l'Église dans ce secteur du développement ? Paul VI a souligné que, de cette manière, l'Église imite et suit son Fondateur dans la promotion humaine. Quant à Jean-Paul II,

[264] Presque en blague, d'autres chercheurs ont souligné que la Banque mondiale avait une conception « religieuse » du développement : dans les religions, on distingue l'ici-bas et l'au-delà, dans le développement, la BM distingue le monde développé du monde sous-développé ; les prescriptions de la BM vont apporter le salut aux pays pauvres ; ce développement possède son magistère dans les documents des institutions de Bretton Woods, dont les règlements sont les nouvelles tables de la loi et dont les experts internationaux sont le nouveau clergé allant en mission aux quatre coins du monde ; il y a aussi une théologie du péché qui souligne les erreurs des pays sous-développés ; la BM reconnaît que ses plans d'ajustement structurel imposent de faire des « sacrifices » ; on souligne aussi le dogmatisme de la BM : voir J. MIHEVC, *The Market Tells Them So*, Penang & Accra, Third World Network, 1995 en pages 22 à 34. Le magistère catholique n'est pas le seul à souligner que le développement ne peut pas être qu'économique ; en janvier 1995, la Maison universelle de justice des Bahais a publié *The Prosperity of Humankind* qui reprend la même argumentation : une vision matérialiste du développement est incomplète et ne permettra pas aux humains et aux sociétés de réaliser leur plein potentiel, car la dimension spirituelle est essentielle à l'humanité ; en quelque sorte, l'humanité est actuellement technologiquement développée, en même temps que spirituellement sous-développée : voir en www.bahai.org.

il résume ainsi les motivations qui poussent l'Église, les chrétiens et les missionnaires à œuvrer dans ce secteur ;

- il s'agit d'abord de se mettre au service du plan de Dieu sur le monde, car la mission, c'est avant tout faire advenir le Royaume de Dieu : « En outre, la conception de la foi éclaire bien les raisons qui poussent l'Église à se préoccuper du problème du développement, à le considérer comme un devoir de son ministère pastoral, à stimuler la réflexion de tous sur la nature et les caractéristiques du développement humain authentique. Par ses efforts, elle veut d'une part se mettre au service du plan divin visant à ce que toute chose soit ordonnée à la plénitude qui habite dans le Christ (cf. Col 1, 19) et qu'il a lui-même communiquée à son Corps, et d'autre part répondre à sa vocation fondamentale de «sacrement», c'est-à-dire «signe et moyen de l'union intime avec Dieu et de l'unité de tout le genre humain » ;

- les disciples de Jésus ont tous le devoir de soulager les misères : « C'est ainsi que fait partie de l'enseignement et de la pratique la plus ancienne de l'Église la conviction d'être tenue par vocation - elle-même, ses ministres et chacun de ses membres - à soulager la misère de ceux, proches ou lointains, qui souffrent, et cela non seulement avec le superflu, mais aussi avec le nécessaire. En cas de besoin, on ne peut donner la préférence à l'ornementation superflue des églises et aux objets de culte précieux ; au contraire, il pourrait être obligatoire d'aliéner ces biens pour donner du pain, de la boisson, des vêtements et une maison à ceux qui en sont privés » (SRS 31).

- Jean-Paul II conclut donc à une obligation de travailler au développement : « L'obligation de se consacrer au développement des peuples n'est pas seulement un devoir individuel, encore moins individualiste, comme s'il était possible de le réaliser uniquement par les efforts isolés de chacun. C'est un impératif pour tous et chacun des hommes et des femmes, et aussi pour les sociétés et les nations ; il oblige en particulier l'Église catholique, les autres Églises et communautés ecclésiales, avec lesquelles nous sommes pleinement disposés à collaborer dans ce domaine » (SRS 32).
- Le Pape peut donc conclure : « La collaboration au développement de tout l'homme et de tout homme est en effet un devoir de tous envers tous. » (SRS 32) Cela inclut les missionnaires, les congrégations missionnaires et le Hall Notre-Dame.

Les deux encycliques proposent toute une série de recommandations pour un authentique développement. Mentionnons-en quelques-unes :
- il faut changer les attitudes spirituelles, car le devoir d'aider les plus pauvres est fondamental à la vie humaine (SRS 38) ;
- une réforme du système commercial et du système financier est nécessaire (SRS 43) ;
- comme la propriété privée ne peut pas être considérée comme absolue, des réformes agraires peuvent être opportunes (PP 23)[265] ;
- les pays pauvres doivent devenir plus actifs et prendre plus d'initiatives, surtout dans les domaines de l'alphabétisation et de l'édu-

---

[265] Voir Gregory BAUM, *Étonnante Église. L'émergence d'un catholicisme solidaire*, Montréal, Bellarmin, 2006 en pages 92-93.

cation; cela peut impliquer une réforme de leurs structures politiques pour devenir plus démocratiques (SRS 44 et PP 35);

- il faut arrêter non seulement la production, mais aussi le commerce des armes (SRS 24); PP51 avait suggéré un Fonds mondial alimenté par une taxe sur les dépenses militaires.

Les deux pontifes soulignent que la doctrine sociale de l'Église n'est pas une troisième voie entre le capitalisme et le socialisme, mais doit inspirer une réforme de tous les systèmes économiques (PP 26 et SRS 20 et 21). Selon Paul VI, la règle du libre échange ne peut pas régir à elle seule les relations internationales (PP 58); il y faut aussi des conventions internationales qui assurent une certaine égalité des chances entre les pays (PP 61). Tous les deux favorisent la voie ni de la violence ni de la révolution, mais de la réforme (PP 30 à 32) et du dialogue des civilisations (PP 73).

Paul VI conclut : « Le développement est le nouveau nom de la paix » (PP 76); pour Jean-Paul II, « la paix est le fruit de la solidarité » (SRS 39), « ni le désespoir ni le pessimisme ni la passivité ne peuvent se justifier » (SRS 47).

Documents extrêmement stimulants et inspirants pour toutes celles et tous ceux qui oeuvrent dans le développement, au service de la justice et de la paix.

EVANGELII NUNTIANDI

Un des passages des Évangiles les plus cités pour expliquer l'œuvre missionnaire est celui de la finale de l'Évangile de Marc : « Allez par le monde entier et proclamez l'Évangile à toutes les créatures » (Marc 26,15). Clairement la mission implique un envoi, c'est le sens du mot mission, de même qu'une tâche, celle de proclamer l'Évangile, ce qu'on appelle l'évangélisation. Les missionnaires sont avant tout des évangélisateurs. Mais qu'est-ce que l'évangélisation ?

Au XIXe siècle, on en avait une conception qui résumait cette tâche à la prédication et au catéchisme ; typique de ce paradigme est l'œuvre de saint Vincent de Paul qui a fondé les Prêtres de la Mission pour aller prêcher et catéchiser les campagnes de France ; mais il fonda aussi les Sœurs de la Charité pour s'occuper des pauvres. Il est donc normal qu'au début du XXe siècle, on demande aux missionnaires de consacrer leurs énergies à la prédication de l'Évangile. Mais en missions, surtout en Afrique, ces missionnaires rencontrent la misère ; leur sens de la charité leur impose de soulager ces misères et toute l'Église les soutient dans ce premier élargissement de leur tâche. Très vite, on se rend compte que de tels secours d'urgence ne suffisent pas ; en conséquence, les missionnaires cherchent des moyens pour élever le niveau de vie des populations, comme les écoles et les dispensaires. C'est au milieu du XXe siècle que les missionnaires s'engagent dans le développement ; elles ou ils avaient des bienfaitrices et des bienfaiteurs dans leurs pays d'origine et ont pensé d'aider leurs gens en trouvant le financement de toutes sortes de projets de développement. Accompagnant la réflexion humaine sur les succès et les échecs du développement, l'Église et les missionnaires ont de plus en plus reconnu qu'il y avait des « structures de péché » dans les systèmes économique et financier qui gèrent le monde ; ainsi a pris forme un combat contre les injustices et en faveur de la paix. C'est ainsi qu'on passe d'une conception étroite de l'évangélisation à une vision plus épanouie et holistique.

L'Exhortation apostolique *Evangelii Nuntiandi* du pape Paul VI résume l'élargissement du concept d'évangélisation; elle fut promulguée le 8 décembre 1975. Pour son auteur, le concept d'évangélisation fait référence à tout ce que l'Église est appelée à offrir au monde et à l'humanité :

> « Nous voulons confirmer une fois de plus que la tâche d'évangéliser tous les hommes constitue la mission essentielle de l'Église, tâche et mission que les mutations vastes et profondes de la société actuelle ne rendent que plus urgentes. Évangéliser est, en effet, la grâce et la vocation propre de l'Église, son identité la plus profonde. Elle existe pour évangéliser, c'est-à-dire pour prêcher et enseigner, être le canal du don de la grâce, réconcilier les pécheurs avec Dieu, perpétuer le sacrifice du Christ dans la sainte messe, qui est le mémorial de sa mort et de sa résurrection glorieuse » (article 14).

Mais pour Paul VI, l'évangélisation ne se rapporte pas à une activité spécifique, elle qualifie l'ensemble des actions de l'Église en faveur de l'humanité. Aussi explique-t-il que dans l'action d'évangéliser, il y a toutes sortes d'aspects et d'éléments :

> « Aucune définition partielle et fragmentaire ne donne raison de la réalité riche, complexe et dynamique qu'est l'évangélisation, sinon au risque de l'appauvrir et même de la mutiler. Il est impossible de la saisir si l'on ne cherche

pas à embrasser du regard tous ses éléments essentiels » (article 17).

Il s'agit :

- tout d'abord de transformer les humains et leurs cultures du dedans (articles 18, 19 et 20), pas seulement les personnes, mais aussi leur culture : car « la rupture entre Évangile et culture est sans doute le drame de notre époque » (article 20);
- évangéliser, c'est aussi le témoignage de vie (article 21);
- il faut « une annonce claire, sans équivoque, du Seigneur » qui suscite une adhésion vitale et communautaire (article 22);
- enfin « celui qui a été évangélisé évangélise à son tour. C'est là le test de vérité » (article 24).

Comme on rend témoignage de l'amour du Père, le message doit concerner toute la vie :

« C'est pourquoi l'évangélisation comporte un message explicite, adapté aux diverses situations, constamment actualisé, sur les droits et les devoirs de toute personne humaine, sur la vie familiale sans laquelle l'épanouissement personnel n'est guère possible, sur la vie en commun dans la société, sur la vie internationale, la paix, la justice, le développement ; un message particulièrement vigoureux de nos jours sur la libération » (article 29).

En effet, c'est aussi un message de libération pour conforter les peuples qui sont engagés

« dans l'effort et le combat de dépassement de tout ce qui les condamne en marge de la vie » (article 30).

Car « entre évangélisation et promotion

humaine, développement et libération, il y a en effet des liens profonds » (article 31).

La conception de l'évangélisation proposée par Paul VI rejoint ainsi la vision de la mission esquissée par le Décret sur l'activité missionnaire de l'Église du concile Vatican II.

À partir de là, on verra se multiplier les présentations globales et englobantes de la mission et de l'évangélisation :

- dans son discours inaugural à la troisième Conférence générale de l'épiscopat latino-américain en octobre 1992, Jean-Paul II déclarera que « le service des pauvres est le signe privilégié, quoique non exclusif, de notre marche à la suite du Christ » ;[266]
- dans le même discours, l'Évêque de Rome ajoute : « Opposer la promotion authentiquement humaine et le projet de Dieu sur l'humanité est une grave distorsion » ;[267]
- « L'accomplissement du ministère de l'évangélisation dans le domaine social, qui fait partie de la fonction prophétique de l'Église, comprend aussi la dénonciation des maux et des injustices », explique l'encyclique *Sollicitudo Rei Socialis* (RSR 41) ;
- qu'on me permette, ici, de citer la Déclaration des Évêques canadiens pour le XXᵉ anniversaire de Développement et Paix, l'organisme qu'ils avaient créé pour s'occuper de développement international :

« Le personnel de Développement et Paix, ceux et celles qui y apportent leur contribution, sont vraiment l'Église. Vous êtes activement impli-

---

[266] Voir CELAM, *Nouvelle Évangélisation promotion humaine culture chrétienne*, Paris, Cerf., 1992 en page 36.

[267] Ibidem, en page 34.

qués dans ce travail d'évangélisation qu'est le développement. »[268]

On ne peut pas être plus clair; travailler au développement, c'est faire œuvre d'évangélisation.

LE SYNODE ÉPISCOPAL DE 1971

Comment omettre cette déclaration du Synode des évêques de 1971?

« Le combat pour la justice et la participation à la transformation du monde nous apparaissent pleinement comme une dimension constitutive de la prédication de l'Évangile qui est la mission de l'Église pour la rédemption de l'humanité et sa libération de toute situation oppressive. »[269]

Si l'exhortation apostolique *Evangelii Nuntiandi* sanctionne l'élargissement de la conception de l'évangélisation et de la mission, la deuxième Assemblée générale du Synode des Évêques, tenue à Rome du 30 septembre au 6 novembre 1971, ratifie l'évolution qui voit les missionnaires passer de l'exercice de la charité vers le combat pour la justice et contre toutes les formes d'oppressions.

Au début du document présenté au Saint-Père et approuvé par lui, les évêques expliquent qu'ils se sont interrogés « sur la mission du Peuple de Dieu pour la promotion de la justice dans le monde. » Ils ont aussi jeté un regard critique sur le monde, y constatant de « graves injustices », comme aussi « un mouvement surgi des profondeurs » qui exprime une prise de conscience des injustices et des engagements en faveur de la justice. Conséquemment:

---

[268] Cité dans Union pontificale missionnaire, *Les missionnaires du troisième millénaire*, Leçon 4, Rome, 1990 en page 9.

[269] *La Documentation Catholique*, no 1600 du 2 janvier 1972, en page 12.

« Entendant le cri de ceux qui souffrent violence et sont écrasés par les systèmes et les mécanismes injustes, tout comme le défi d'un monde dont la corruption contredit le plan du Créateur, nous avons pris conscience ensemble de la vocation de l'Église à être présente au cœur du monde pour annoncer aux pauvres la Bonne Nouvelle, aux opprimés la délivrance, aux affligés la joie. Les espoirs et les forces qui travaillent le monde en profondeur ne sont pas étrangers à la dynamique de l'Évangile qui, par la puissance de l'Esprit saint, libère les humains de leur péché personnel et de ses conséquences dans la vie sociale. »

La page suivante applique ce ministère au travail en faveur du développement :

« Face aux systèmes internationaux de domination, la réalisation de la justice est de plus en plus liée à une volonté de promotion [...] Cette aspiration à la justice s'affirme dans le passage du seuil où commence la conscience d'un « valoir plus et être plus » pour tout l'homme et pour tous les hommes ; elle s'exprime dans la prise de conscience du droit au développement. »[270]

Le document synodal explique alors comment l'Église conçoit sa mission dans ce secteur en l'articulant explicitement sur son devoir d'évangéliser :

« L'Église a reçu du Christ la mission de prêcher le message évangélique, qui comprend la vocation à se convertir du péché à l'amour du Père, la fraternité universelle et, par là, l'exigence de justice dans le monde. C'est pourquoi, l'Église a le droit et le devoir de proclamer la justice à l'échelle sociale, nationale et internationale, et de dénoncer les situations d'injustice quand

---

[270] Ibidem, en pages 12 et 13.

les droits fondamentaux et le salut même de l'homme l'exigent. L'Église n'est pas seule responsable de la justice dans le monde ; dans ce domaine, cependant, elle a une responsabilité spécifique et propre qui s'identifie à sa mission de rendre témoignage devant le monde de l'exigence d'amour et de justice contenu dans le message chrétien, témoignage qu'elle devra réaliser dans ses propres institutions ecclésiales et dans la vie des chrétiens. »[271]

Le synode fait quelques propositions concrètes :
- qu'on renforce le système des droits humains
- et qu'on appuie les Nations Unies et les organisations internationales qui oeuvrent en faveur du désarmement, contre la production et le commerce des armes.
- « Que les buts de la seconde décennie du développement – entre autres le transfert d'un pourcentage précis du revenu annuel des pays développés aux pays en voie de développement, des prix équitables pour les matières premières, l'ouverture des marchés des pays développés et, dans certains domaines, un traitement préférentiel pour l'exportation des produits manufacturés des pays en voie de développement – soient encouragés comme première ébauche d'une imposition progressive d'un système économique et social pour le monde entier. »
- Que les processus de démocratisation soient consolidés dans les pays en voie de développement ;
- qu'on reconnaisse l'importance et le rôle des Nations Unies,
- que les gouvernements continuent et augmentent leur aide, surtout multilatérale

---

[271] Ibidem, en page 15.

- et qu'on avance dans les voies d'un développement qui respecte l'environnement.[272]

Le synode suggère aux conférences épiscopales de créer des centres de recherche sociale et théologique et des commissions Justice et Paix.

AUTRES DOCUMENTS ÉPISCOPAUX

Nous devrions consacrer tout un chapitre à des hérauts de cette nouvelle vision de la mission et de l'évangélisation, comme Dom Helder Camara, archevêque de Recife (Brésil) et monseigneur Leonidas Proaño, évêque de Riobamba (Équateur).[273]

Contentons-nous ici de rappeler les documents de la Conférence générale de l'épiscopat latino-américain, spécialement dans ses rencontres à Medellin, à Puebla et à Saint-Domingue.

À Medellin, en 1968, on établit clairement l'option en faveur des pauvres et la lutte contre tous les esclavages; les communautés de base furent encouragées. Le combat pour la justice est clairement présenté comme faisant partie de la mission de l'Église, puisque Dieu a créé l'humanité et lui a donné de poursuivre le perfectionnement de cette création; Jésus de Nazareth a lui-même ressenti sa vocation comme une libération de tous les esclavages dus au péché :

« C'est pourquoi, pour notre vraie libération, nous avons tous besoin d'une conversion profonde afin que vienne à nous le royaume de justice, d'amour et de paix [...] L'originalité du message chrétien ne réside pas directement dans l'affirmation de la

---

[272] Voir en ibidem, en pages 17 et 18.
[273] Voir par exemple Helder CAMARA, *Terzo Mondo defraudato*, Bologne, EMI, 1968 et L. PROAÑO, *Pour une Église libératrice*, Paris, Cerf, 1973.

nécessité d'un changement de structures, mais d'abord dans l'insistance sur la conversion des humains qui, du fait même, appelle ce changement [...] Ce n'est qu'à la lumière du Christ que le mystère de la personne s'éclaire vraiment. Dans l'histoire du salut, l'œuvre divine est une action de libération intégrale et de promotion de l'humain dans toutes ses dimensions, avec l'amour pour seul mobile. »[274]

Medellin réclame la participation de toutes et de tous à ces transformations sociales ; souligne le rôle des familles, des travailleurs, des paysans, des ouvriers et des syndicats. Il enseigne que ni le système libéral capitaliste ni le système marxiste n'engendre tous les fruits souhaités en Amérique latine. On parle aussi des réformes agraires et de l'industrialisation avant de mentionner la nécessité de changements politiques.[275]

Dans la dernière de ces conférences, celle de Saint-Domingue, une section est consacrée à l'écologie (169 et 170), une autre détaille la problématique de la propriété de la terre et des politiques agraires (171 à 177) et une troisième réaffirme l'option pour les pauvres (178 à 181) ; les articles 194 à 203 critiquent les politiques des institutions de Bretton Woods et le néolibéralisme.[276]

[274] Cité dans *Repères pour la mission chrétienne. Cinq siècles de tradition missionnaire*, Paris, Cerf-Labor et Fides, 2000, en page 151.

[275] Voir en ibidem, en pages 152 à 159.

[276] Voir en *Enchiridion*, ibidem, nos. 2596-2597, 2609 et 2610, et 2620.

CONCLUSIONS

En un peu plus d'un siècle, et sa pratique, ont beaucoup changé. Surtout elles se sont élargies. Dans ce long processus, l'Église a redéfini son role dans le monde et dans l'histoire ; étape cruciale de cette évolution a été le deuxième concile œcuménique du Vatican qui s'est rassemblé à Rome de 1962 à 1965.

L'évolution de l'enseignement de l'Église a accompagné et, en quelque sorte, reflété des changements qui s'accomplissaient sur le terrain : les missionnaires eux-mêmes n'évangélisaient plus comme au siècle précédent, ils ne se limitaient plus à la prédication, au catéchisme et aux sacrements, mais avaient multiplié les œuvres de charité, les projets en faveur du développement et les ministères de paix et de justice : l'accompagnement des pauvres, la contribution au développement et le combat contre toutes les formes de violences et d'injustices avaient été intégrés à l'évangélisation et à la mission. Non pas que les missionnaires prétendent avoir la solution à tous les problèmes ou une expertise spéciale pour concevoir des solutions techniques, mais forts de la Parole de Dieu et de l'expérience de leur foi, ils entendent accompagner l'humanité dans sa marche vers plus de vie, plus de paix, plus d'amour, plus de justice et de vérité. La fonction sociale de l'Église et de la mission ne concurrence pas celle des États ou des experts, mais elle apporte une contribution spécifique, toujours inspirée par l'amour et poussée par cet Esprit qui pousse l'humanité, consciemment ou pas, à construire le Royaume de Dieu.

On aura ainsi constaté combien ce concept du Royaume de Dieu à construire est devenu central à cette nouvelle conception de la mission. C'est pourquoi nous terminerons cette section en revenant à l'encyclique *Redemptoris Missio*, publié par Jean-Paul II le 7 décembre 1990. Au début, le document pontifical explique que l'Église accomplit sa mission parce qu'elle croit que Jésus de Nazareth est venu porter la Bonne Nouvelle du salut à toute l'humanité. C'est le deuxième chapitre qui présente la mission comme l'actualisation du Royaume du Père. Car c'est bien cela que Jésus est venu accomplir ici-bas : inaugurer ce Royaume qu'il a proclamé déjà présent, mais non encore achevé :

« C'est dans une perspective d'ensemble qu'il faut comprendre la réalité du Royaume. Certes, il exige la promotion des biens humains et des valeurs que l'on peut bien dire évangéliques, parce qu'elles sont intimement liées à la Bonne Nouvelle. Mais cette promotion, à laquelle l'Église tient, ne doit cependant pas être séparée de ses autres devoirs fondamentaux ni leur être opposée, devoirs tels que l'annonce du Christ et de son Évangile, la fondation et le développement de communautés qui réalisent chez les humains l'image vivante du Royaume » (article 19).

Si Jésus a progressivement actualisé le Royaume par ses paroles et par ses œuvres, son Église et ses missionnaires poursuivent la même tâche : construire le Royaume par leurs paroles et par leurs œuvres. Ainsi la réponse finale à la question, qu'est-ce que les missionnaires sont allés faire dans les domaines du développement, est la suivante : avec tous les disciples du Christ et les humains de bonne volonté, les missionnaires veulent construire le Règne de Dieu...[277]

Il reste encore une question : dans cette coopération à l'entreprise humaine du développement, les missionnaires ont-ils fait un bon travail ? Le dernier chapitre de notre étude entend proposer quelques éléments d'évaluation de cette collaboration des missionnaires au développement des peuples.

---

[277] Pour compléter une étude sur l'enseignement ecclésial en ces matières, de multiples autres documents devraient être cités. En particulier, il faudrait mentionner la coopération du Saint-Siège à de nombreuses conférences internationales, souvent en tant que membres, observateurs ou experts ; ces conférences permettent au Vatican d'intervenir directement et elles sont aussi l'occasion d'un message spécial du Pape. Donnons quelques exemples ; une intervention du Vatican à l'assemblée générale des Nations unies le 5 décembre 2001 explique qu'il n'y aura pas de développement sans paix, ni développement et paix sans démocratie. À Porto Alegre (Brésil) en mars 2006, une conférence internationale fut organisée sur la réforme agraire et le développement rural ; l'envoyé du Saint-Siège y a fait une intervention remarquée et a déposé une Note technique préparée par le Vatican. Il y a eu des interventions du Vatican à toutes les réunions de la CNUCED et presque toujours aux grandes assemblées de l'UNESCO, de la FAO et de l'OMS. Signalons aussi le *Compendium de la doctrine sociale de l'Église*, une magistrale étude du Conseil pontifical Justice et Paix, qui s'étend sur plusieurs centaines de pages et donne une exposition détaillée de la doctrine sociale des derniers papes et du Concile œcuménique en tous ses aspects.

CHAPITRE 3

ÉVALUATION DE LA CONTRIBUTION DES MISSIONNAIRES AU DÉVELOPPEMENT

Il est maintenant temps de proposer une évaluation de la collaboration des missionnaires et des églises au développement des peuples. Certes, une telle évaluation n'est pas facile et nous ne prétendrons pas offrir ici une appréciation globale ou définitive, nous nous limiterons à quelques éléments d'évaluation.

Certes, on peut penser que la charité et la solidarité humaine ne s'évaluent pas ! C'est vrai, mais ici nous ne jugerons pas les cœurs et leurs intentions, nous regarderons les projets concrets : en effet, on peut vérifier si un projet a été accompli, s'il a atteint ses objectifs, si on l'a réalisé au meilleur coût et s'il est efficace dans son fonctionnement.[278]

---

[278] Voir A. HOUZIAUX dir. *L'aide au Tiers-Monde, à quoi bon ?* Paris, Atelier, 2005 en pages 88-89. Pour une évaluation plus globale par des experts britanniques : Robert CASSEN ed., *Does Aid Work ? Report to an Intergouvernemental Task Force*, Oxford, Clarendon, 1994.

Est-ce la pratique des missionnaires, c'est-à-dire ce qu'ils vivaient sur le terrain, ou la réflexion des papes et des évêques qui a provoqué ce formidable élargissement dans la compréhension de la mission? Personnellement j'ai tendance à croire que l'expérience précède la pensée. J'estime aussi qu'on ne peut tout simplement pas affirmer que l'enseignement du magistère a « suivi » les pratiques missionnaires; il est certes plus vrai d'affirmer que pratique et réflexion se sont mutuellement nourries et enrichies.

Au début du XXᵉ siècle, l'enseignement et la pratique classiques avaient réduit la mission à une annexe de la vie chrétienne. Le renouveau, qui s'est déployé à partir de la fin du XIXᵉ siècle, a remis la mission au cœur de la vie et de l'enseignement de l'Église. Ceci a été particulièrement vrai dans l'Église catholique romaine, mais pas seulement. La *summa missiologica* de David J. Bosch montre que des évolutions semblables se sont produites dans d'autres Églises chrétiennes.[279]

Ces évolutions parallèles ont-elles permis un enrichissement réciproque des différentes traditions chrétiennes? J'avance ici une première évaluation: l'élargissement de la théorie et de la pratique missionnaires n'est pas achevé, parce que les diverses traditions chrétiennes ne se sont pas encore réellement entrecroisées sur ce sujet, et elles n'ont pas non plus rencontré les autres traditions spirituelles et religions. Je suis convaincu, en cette ère où le dialogue interreligieux devient fondamental à la pratique missionnaire, comme à toute expérience religieuse, que cette rencontre avec les autres traditions

---

[279] David J. BOSCH, *Dynamique de la mission chrétienne*, Paris, Karthala, 1995.

religieuses et spirituelles va engendrer une nouvelle compréhension et pratique de la mission. Je crois, par exemple, que l'intériorité des traditions asiatiques ne peut que fertiliser l'activisme occidental, et vice versa...

Des encycliques comme *Mater et Magistra et Pacem in Terris* de Jean XXIII, *Populorum Progressio* de Paul VI et *Sollicitudo Rei Socialis* de Jean-Paul II ont eu un retentissement non seulement auprès des catholiques, mais même auprès de l'opinion internationale.

Nous avons souligné comment, au sein des grandes institutions et organisations internationales, la définition et la pratique du développement avaient évolué tout au long des décennies. Un des agents déterminants de cette évolution a été l'enseignement des papes, d'une manière tout à fait disproportionnée au nombre des catholiques dans la population mondiale.

Deux aspects de cette évolution doivent être mentionnés :

- les premières définitions du développement, surtout auprès des institutions de Bretton Woods, mettaient l'accent sur sa dimension économique. Il est certain que l'économie est un aspect essentiel du développement. Mais à plusieurs reprises, les papes ont expliqué qu'on ne pouvait pas réduire le développement à sa dimension économique. Ils ont été entendus. Aujourd'hui personne, ni expert ni organisation internationale, ne sera tenté de soutenir une vision purement économique du développement. Au contraire, tout le monde parle désormais de développement humain et durable, de développement de toute la personne humaine, dans tous les aspects de sa personnalité, et du développement de tous les humains.

- On peut faire remonter à la réflexion et à la pratique des missionnaires et des Églises une deuxième évolution dans la vision du développement : l'aide au développement ne peut pas être conçu uniquement comme une assistance humanitaire ou charitable envers les plus pauvres et démunis, car il faut s'attaquer non seulement aux symptômes, mais aussi aux causes du sous-développement ou du mal développement. En conséquence, on est passé d'une vision d'assistance et d'aide à une quête de réformes des structures des systèmes économiques et financiers mondiaux. Sur cette voie, il reste encore beaucoup de chemin à parcourir. Les crises financières et économiques, à partir de 2008, les ont remises à l'ordre du jour.

Quelle définition pour le développement ?

Il n'y a pas de réponse simple, facile ou exhaustive à cette question. Mais à partir de l'expérience de ces soixante dernières années, on peut signaler les éléments suivants.

En fait, la psychologie va plus loin qui enseigne qu'il faut reconstruire à chaque génération. Le développement est un processus jamais achevé, toujours à reprendre, à chaque génération et pour chaque dimension de la réalité humaine.

+ Pourquoi développer ? Tout d'abord, admettons que l'être humain, dont le destin est de croître, ne peut trouver un sens à sa vie que dans cette quête et ce cheminement. Pour les chrétiennes et chrétiens, il y a une deuxième raison, cette fois théologique, puisqu'elle découle de leur foi : la Parole de Dieu révèle en effet que le Créateur n'a pas terminé sa création, mais qu'il a appelé les humains à poursuivre son projet :

« Dieu créa l'humain à son image, à l'image de Dieu il les créa : mâle et femelle il les créa. Dieu les bénit et leur dit : Soyez féconds et prolifiques, remplissez la terre et dominez-la. Soumettez les poissons de la mer, les oiseaux du ciel et toute bête qui remue sur la terre » (Genèse 1, 27-28).

Les prophètes ont montré qu'on ne peut pas construire ce monde n'importe comment et qu'il y a des politiques, des stratégies et des attitudes qui vont à l'encontre du plan du Créateur. À ces motivations anthropologique et théologique, il faut en ajouter une troisième qui découle des signes des temps : aujourd'hui plus que jamais, il y a une telle interdépendance entre les peuples et les humains que leur survie apparaît impossible sans une solidarité tout aussi universelle.

+ En ce sens, aujourd'hui, il y a un devoir et un droit au développement. Le *Catéchisme de l'Église catholique enseigne* : « Le développement est la synthèse de tous les devoirs sociaux » (article 1908). La *Déclaration des Nations Unies sur le développement* affirme : « Le droit au développement est un droit inaliénable de l'homme en vertu duquel toute personne humaine et tous les peuples ont le droit de participer et de contribuer à un développement économique, social, culturel et politique dans lequel tous les droits humains et toutes les libertés fondamentales puissent être pleinement réalisés, et de bénéficier de ce développement. »

Un droit et un devoir : mes frères humains peuvent venir à moi et réclamer leur dû. En tant que disciple du Christ, j'ai l'obligation de les aider à se développer. Une obligation, est-ce plus qu'un devoir ?

+ Que développe-t-on ? La meilleure réponse serait : tout change, tout est en croissance ou décroissance! Tout, pas seulement l'économie. Au cœur des préoccupations du développement, il doit y avoir la personne humaine. C'est un regard compassionnel et passionné vers la personne humaine, c'est une écoute de ses angoisses et de ses joies, de ses attentes et de ses souffrances, c'est à partir de ce respect fondamental de ce qu'est l'humain et de ce qu'il vit, c'est à partir de ce dialogue attentif avec ce que sont les humains, leurs sociétés et leurs cultures, c'est à partir de l'humain et de l'humanité que tout développement doit se construire. Les humains et les groupes humains ne sont pas seulement la source ou le point de départ du développement, ils en sont aussi la finalité : tout développement doit viser l'humain dans son humanité.

+ Le développement est humain aussi parce que c'est la personne humaine qui est la première responsable et le premier agent de son propre développement. Combien ai-je vu de projets missionnaires qui ont échoué parce que les missionnaires, à la force de leur charité et de leur sens de la justice, les avaient conçus et réalisés pour leurs gens, et non pas avec eux. Cette réflexion vaut aussi pour les gouvernements et pour les ONG : quand on fait du développement pour les gens, cela ne dure pas, il faut un développement qui parte des gens, soit accompli par eux et pour eux. Jean-Paul II a aussi appelé cela une relation de subsidiarité : « L'État ne doit pas supplanter l'initiative et la responsabilité que les individus et les groupes sociaux inférieurs sont capables de prendre dans leurs domaines respectifs; au contraire, il doit favoriser activement ces espaces de liberté; mais en même temps, il doit ordonner leur déploiement et veiller à leur insertion adéquate dans l'ensemble du bien commun. »[280] Pour être rentable, tout développement est d'abord un autodéveloppement. Cela implique un volet d'éducation dans tout projet de développement : la formation est une dimension nécessaire à n'importe quel développement authentique.

+ Tout l'humain : cela suppose aussi son ouverture à la transcendance, quelque soit le nom qu'on lui donne ou les attributs qu'on lui reconnaisse. Les derniers évêques de Rome, en particulier Jean-Paul II, ont réitéré qu'il n'y a pas de développement authentique sans intégrer cette dimension spirituelle et religieuse. Même dans les milieux séculiers du développement, on admet plus volontiers que la personne humaine, pour atteindre le bien-être et le bonheur, a besoin de sens et de valeurs ; ce sens et ces valeurs, ce ne sont pas seulement les religions et les traditions spirituelles qui

---

[280] *La Documentation Catholique*, no 1939 du 3 mai 1987, en page 490.

les nourrissent et les entretiennent, il y a aussi la philosophie, mais le rôle des institutions religieuses demeure fondamental.

+ Il y a donc une éthique du développement. S'il y a une voie au développement, il y a aussi des voies au mal développement et au sous-développement ; il y a des chemins meilleurs que d'autres. Une telle évaluation n'est pas que technique et scientifique, elle est aussi éthique. Le vrai développement suppose la liberté et l'autonomie, la solidarité, le sens des initiatives et des responsabilités, la fraternité et la compassion... Dans son encyclique Quadragesimo Anno de mai 1931, Pie XI soulignait les rapports entre la morale et l'économie. Dans un discours fait au Chili le 3 avril 1987, Jean-Paul II a fait une référence au sociologue Max Weber quand il a déclaré :

« Les causes morales de la prospérité dans le cours de l'histoire sont bien connues. Elles résident dans une constellation de vertus : ardeur au travail, compétence, ordre, honnêteté, sens de l'initiative, sobriété, sens de l'épargne, esprit de service, fidélité à la parole donnée, audace : en somme, l'amour pour un travail bien fait. Aucun système ou structure sociale ne peut résoudre, comme par magie, le problème de la pauvreté sans ces vertus. »[281]

David Sogge consacre lui aussi plusieurs pages aux principes éthiques de l'aide au développement ; il ne faut ni falsifier ni contraindre ni nuire, mais respecter les aptitudes et encourager les talents.[282]

---

[281] *La Documentation Catholique*, no 1939 du 3 mai 1987, en pages 491 et 492. Voir aussi Enrique COLOM, *Chiesa e società*, Roma, Armando, 1996.

[282] Voir David SOGGE, *Les mirages de l'aide internationale*, Enjeux Planète, 2003 en pages 252-260.

+ Il y a des dizaines de théories du développement et autant de modèles. Au XXᵉ siècle, l'humanité a presque tout essayé. Chaque théorie dit quelque chose de vrai et chaque modèle a ses succès. Aujourd'hui, on reconnaît qu'il n'y a pas de théorie ou de modèle qui serait valide pour tout le monde en toute circonstance. Ce qui fonctionne en Amérique latine peut être un obstacle en Asie, ce qui a été un échec en Europe peut s'avérer un avantage en Afrique.

+ Il n'y a pas de développement sans paix et il n'y a pas de paix sans développement. Combien de destructions ai-je vu en Afrique par les violences et les guerres ? Le sous-développement est fauteur d'injustices et les injustices engendrent haine et violence. Plusieurs fois, les papes ont enseigné comment il est important de limiter ou même d'arrêter la production et le commerce des armes. D'une manière semblable, notre expérience du développement enseigne qu'il n'y a ni paix ni développement sans justice, sans la construction quotidienne d'un monde, d'une culture, d'un pays, d'une région, d'une ville et d'un village plus justes.[283]

MACRO ET MICRO ÉCONOMIES

C'est la macro-économie qui se reflète dans la plupart des indicateurs de développement publiés par la Banque mondiale et le Programme des Nations Unies pour le développement ; ces indicateurs mesurent l'ensemble de la production économique des biens et des services d'un pays,

---

[283] Bon ensemble de propositions pour le développement chez Calderisi et par le Forum sur la globalisation : Robert CALDERISI, *L'Afrique peut-elle s'en sortir ?* Montréal, Fides, 2006 en pages 318 à 331 et Forum on Globalization, *Alternatives à la globalisation économique*, Montréal, Écosociété, 2005 en pages 128 à 161.

les taux de fertilité, de mortalité, de scolarisation des populations...

Les projets missionnaires de développement n'ont pas eu beaucoup d'impact dans cette macro-économie. Les taux d'intérêt des banques et la productivité des entreprises n'ont pas été bouleversés par les projets du Hall Notre-Dame. Mais reconnaissons que ces miniprojets ont eu un impact non négligeable dans la vie quotidienne de milliers de femmes et d'hommes du Tiers-Monde. Des femmes n'ont plus eu à marcher pendant des heures pour aller chercher l'eau à la source ; les paysannes n'ont plus eu à pilonner pour moudre leur grain ou leur café, mais simplement à se présenter à un moulin et, moyennant une petite contribution, ils ont eu leur production moulue en quelques minutes. De même les futures mamans n'ont plus eu à être transportées sur des dizaines de kilomètres pour rejoindre un dispensaire ou l'hôpital. Des enfants passent leur enfance sur les bancs d'école...[284]

Les projets des Églises et des missionnaires ne changent pas l'économie d'un pays, mais ils améliorent, à petites doses, la vie quotidienne des gens, surtout des plus pauvres, des plus démunis et des plus souffrants, et ce d'une manière significative. Certaines études estiment que les projets catholiques ont atteint entre 200 et 300 millions de personnes.

Aide publique versus aide privée

On peut calculer que, depuis 30 ans, le Hall Notre-Dame a accordé une aide à des projets pour

[284] Un exemple de plus gros projets réalisés par un missionnaire (sic !), c'est le complexe de santé que le cardinal Paul-Émile Léger a construit au Cameroun. Dans sa biographie, Micheline Lachance rapporte la critique qui en a été faite et qui aurait atterrée le cardinal : Micheline LACHANCE, *Paul-Émile Léger, Le dernier voyage*, Montréal, Éditions de l'homme, 2000 en pages 141-152.

un total d'environ 6 millions de dollars canadiens, soit une moyenne de près de 200 000 $ par année! L'aide du Hall Notre-Dame fait partie de l'aide privée, la distinguant ainsi de l'aide publique au développement.

Pendant une vingtaine d'années, l'aide privée totale au développement se chiffrait à entre 10 et 15 % de l'aide totale; surtout depuis dix ans, avec l'institution des grandes fondations américaines, elle est maintenant passée à environ 30 %. Actuellement on parle d'une aide publique d'environ 125 milliards de dollars et d'une aide privée de près 40 milliards.[285] L'augmentation de l'aide privée est essentiellement due à l'arrivée massive de grandes fondations états-uniennes dans ce secteur; tout le monde a entendu parler des fondations de Bill Gates et de sa femme Melinda, de même que de la fondation créée en 1990 par Ted Turner, le fondateur de CNN.[286] En 2006, ces fondations auraient accordées près de 30 milliards de dollars d'aide, dont 24 % en éducation, 17 % en santé et 15 % pour des services de proximité.

On peut remarquer que l'aide publique au développement a diminué depuis dix ans et que l'aide privée a augmenté; les gouvernements donnent moins, les personnes et les sociétés privées donnent plus. Plusieurs fois, des évaluations ont été faites qui suggéraient que l'aide privée était plus efficace que l'aide publique; souvent l'aide publique, étant accordée à des gouvernements, se perd en corruption et en bureaucratie, alors que l'aide privée rejoint davantage les gens

---

[285] Il n'est pas toujours facile de mesurer cette aide privée, car encore aujourd'hui certains indicateurs y incluent les investissements directs à l'étranger, les crédits à l'exportation, les prêts bancaires et les allègements ou annulations de dettes.

[286] Cette dernière gère actuellement une campagne de 200 millions de dollars contre la malaria en Afrique.

à la base, correspond à leurs besoins et soulage plus de souffrances.[287] C'est aussi l'opinion de Robert Calderisi, cet expert qui a œuvré au sein de la BM et qui a donc vu des projets publics, aussi bien que privés :

« Les inconvénients de l'aide de gouvernement à gouvernement sont aujourd'hui évidents, mais des individus et des organisations caritatives continuent de faire une contribution importante au développement de l'Afrique. Les contacts de personne à personne sont porteurs de valeurs et constituent un exemple encourageant qui va au-delà des effets immédiats des petits projets. L'aide privée n'est pas toujours plus efficace que l'aide publique, mais ses motivations sont claires et elle est offerte avec courage et détermination. »[288]

Résumons : 125 milliards pour l'aide publique, 40 milliards pour l'aide privée, 200 000$ pour le Hall Notre-Dame! Mais peut-être qu'à cause de son efficacité, l'aide privée vaille tout autant que l'aide publique. Faut-il ajouter qu'au même moment les pays du G8 dépensaient 1 204 milliards en armement! L'aide au développement n'arrive même pas à 10% des dépenses pour acheter les armes et payer les militaires!

L'aide du Hall Notre-Dame est une goutte dans la mer, mais elle n'en est pas moins significative, parce qu'effectivement, par elle, les bienfaitrices et les bienfaiteurs des Missionnaires de la Consolata au Québec ont réellement contribué à soulager des souffrances et des misères bien concrètes et à poser quelques jalons sur la longue route du

---

[287] Voir par exemple les recommandations du Groupe de travail parlementaire sur les Relations Nord-Sud (Chambre des Communes, Canada), *Rapport à la Chambre des Communes sur les Relations entre pays développés et pays en développement*, 1980 en page 56.

[288] Robert CALDERISI, *L'Afrique peut-elle s'en sortir ?*, Montréal, Fides, 2006 en page 268.

développement des peuples et pour l'avancement de la cause missionnaire.

DÉVELOPPEMENT ET MISSION

En Allemagne, l'Église catholique a créé deux grandes organisations, Misereor, qui s'occupe du développement, et Missio pour l'aide aux missions. Au Canada, la Conférence des Évêques catholiques (CECC) a institué Développement et Paix qui se consacre au développement international et se spécialise dans la formation et l'animation. Néanmoins la Commission épiscopale des Missions de la CECC a commencé en 1973 un Fonds pastoral canadien pour l'évangélisation, dont le budget est fort limité. L'aide de l'Église canadienne pour les missions passe essentiellement par les Œuvres pontificales missionnaires ; cette aide frisait les 10 millions de dollars, mais elle est maintenant autour de 5 millions de dollars par année. Aux États-Unis, le *Catholic Relief Services* s'occupe des secours d'urgence et des projets de développement, tandis que l'aide aux missions est gérée par les Œuvres pontificales missionnaires.

Dans plusieurs pays, on a donc distingué l'aide au développement de l'aide aux missions ; s'agit-il d'une séparation acceptable ou regrettable ? Si ce sont des catholiques qui aident les missions catholiques, n'importe qui peut participer à l'aide au développement ; effectivement, parmi les bienfaiteurs du Hall Notre-Dame, il y a quelques non chrétiens ou non catholiques. Parmi les différents types de projets aidés par le Hall Notre-Dame, il n'y a pas que des projets ecclésiastiques ; des non catholiques peuvent donc choisir d'aider un projet d'animation sociale ou d'artisanat ! D'après mes calculs, sur toute l'aide envoyée en missions par le

Hall Notre-Dame, entre le quart et le tiers est allé à des projets dits ecclésiastiques. Cette distinction demeure donc opportune, parce qu'elle permet à nos bienfaitrices et bienfaiteurs de choisir le type de projets qu'elles ou ils veulent aider. Faut-il rappeler que, pour leur subsistance personnelle et les activités ordinaires de l'évangélisation, les missionnaires ont encore besoin du soutien financier de leurs parents, amis et bienfaiteurs; c'est cela qui constitue l'aide aux missions, en tant que distincte de l'aide au développement.

Cela soulève le problème de l'autofinancement des Églises du Tiers-Monde; on sait que le Synode sur l'Afrique a recommandé aux Églises de devenir plus indépendantes financièrement. De ce point de vue, les Églises protestantes sont plus avancées que les catholiques. Il n'est pas totalement faux d'estimer que les missionnaires catholiques ont moins travaillé pour atteindre cet objectif et que le fait d'avoir encore autant d'aide ne les incite pas à cette autosuffisance.

NON PAS POUR, MAIS AVEC LES GENS

Les projets missionnaires ont-ils aidé les gens à devenir autonomes et à se prendre en main? Deux réflexions peuvent être faites à ce propos.

On peut évaluer que les missionnaires ont souvent eu tendance à œuvrer pour leurs gens, au lieu de travailler avec eux. Or toutes les évaluations signalent que lorsqu'on donne sans solliciter une participation, on apporte quelque soulagement temporaire, mais qui, normalement, ne dure pas. Cela conduit plutôt à la dépendance. Cela devient un business et un style de vie : dans les rues de nos grandes villes d'Occident, des mendiants s'automutilent pour attirer la compassion des passants! Pour eux, mendier est devenu une profession! Un phénomène analogue peut se produire avec l'aide qui est transmise aux populations pauvres du Tiers-Monde par les missionnaires et les ONG qui les soutiennent.

C'est pourquoi la plupart des projets financés par le Hall Notre-Dame exigent qu'une partie des coûts soit assumée par la population locale; souvent il s'agit du sable, des pierres ou des briques, du ciment ou de main d'œuvre non spécialisée, qui peuvent être fournis sur place par les gens. Est-ce assez? Quelques experts répondent que non; ceux-là recommandent que les gens s'organisent eux-mêmes, par exemple en formant un comité qui gère le projet ou, mieux encore, une petite ONG locale qui s'occupera non seulement de ce premier projet de développement, mais planifiera, avec les autorités locales et l'ensemble de la population, un programme de développement échelonné sur plusieurs années. Quand les gens sur place réussissent à s'impliquer, à s'entendre et à s'organiser, les transformations sociales, politiques et économiques sont plus significatives et durables. Plusieurs missionnaires, qui aiment souvent être les patrons dans leur paroisse, ont de la difficulté à entrer dans ce courant de pensée.

Par contre, et c'est là la deuxième réflexion, on peut estimer que les Églises et les missionnaires ont contribué aux mouvements de démocratisation, surtout en Amérique latine dans les années 1980 et en Afrique dans les années 1990. Des évêques, des prêtres et des groupes de Justice et Paix y ont joué un rôle déterminant. Rappelons l'importance du cardinal Sin et de la Radio Veritas dans la chute du dictateur Marcos aux Philippines et celle, divisée, de l'Église et du père Aristide en Haïti. Au Mozambique, nous avons financé des projets des diocèses qui expliquaient à la population comment voter, de même que les droits humains.

LES TYPES DE PROJETS

Dans la première partie de notre étude, nous avons distingué plus d'une dizaine de types de projets gérés et/ou financés par les Églises et les missions. Quels éléments d'appréciation peut-on proposer par rapport à ces divers types de projets ? Dans quels types de projets ont-ils mieux réussis ?

Les missions et les Églises se sont lancées dans un certain nombre de projets plus économiques : en artisanat et en agriculture... Mais ce n'est pas dans ces secteurs qu'ils ont excellé. Mon évaluation est que les missions ont excellé dans trois types de projets :

- d'abord pour les projets en faveur des femmes, des mères et de leurs enfants ;
- ensuite dans les programmes en faveur des plus pauvres ;
- et enfin dans les projets concernant l'éducation et la formation.

Il y a plus de femmes missionnaires que d'hommes. Ce sont surtout elles, quelques laïques mais surtout des religieuses, qui ont élaboré et géré des projets en faveur des femmes. Leur plus grande victoire est peut-être la diminution importante et, dans certaines régions, la disparition des mutilations sexuelles ; cette évolution est le résultat d'une conscientisation générale, mais les missionnaires en ont été des agentes et des promotrices. Tout cela passait, la plupart du temps, par des centres mères-enfants où ces questions étaient abordées et discutées, en même temps que l'on parlait de propreté et d'une meilleure alimentation des enfants. Au Kivu où j'ai été missionnaire à la fin des années 1970, la malnutrition causait encore un nombre très élevé de morts d'enfants ; les religieuses ont alors multipliés les centres de nutrition où on enseignait aux mamans à donner à leurs jeunes enfants – le problème se posait quand elle cessait d'allaiter – des biscuits enrichis de protéines de soya ; les rencontres servaient non seulement à montrer des recettes de biscuits de soya ou à en distribuer, mais elles devenaient de formidables occasions d'échanges entre femmes...

L'option pour les pauvres est aussi une caractéristique des projets missionnaires. Quand les missionnaires ont rencontré des pauvres et des misérables, ils ont canalisé vers eux une partie de leur action d'assistance et de développement. J'ai la conviction que l'idéologie et les controverses sur l'option préférentielle pour les pauvres sont venues plus tard. Néanmoins, il faut admettre que soulager la misère et la souffrance n'est pas la meilleure façon de contribuer au développement.

La contribution des missionnaires à l'éducation a été particulièrement significative avant 1960, quand de nombreux pays nouvellement indépendants ont nationalisés leur système scolaire. Avant cette époque, près de 90 % des institutions d'enseignement étaient dans les mains des missions et des Églises. Encore aujourd'hui, les missionnaires sont présents dans le secteur de l'éducation, mais sous des formes plus spécialisées : institutions pour les aveugles, les sourds et les handicapés, centres pour les enfants victimes des guerres et des violences, instituts supérieurs de recherche et d'enseignement... On peut estimer que cette orientation est une conséquence de la priorité reconnue à la personne, à toutes les personnes, surtout aux petits et aux démunis...

Il me semble devoir considérer à part les projets d'animation sociale. Il n'est pas facile d'évaluer leur efficacité, mais, indéniablement, ce sont ces projets qui ont le plus d'influences sur les groupes humains, les sociétés et leurs cultures.

DU DÉVELOPPEMENT À LA JUSTICE

Face aux biens matériels, la très grande majorité des religions recommandent la modération et la sobriété. Mais elles ne sont pas unanimes dans leur attitude face à l'économique :

- le groupe fondamentaliste insiste pour spiritualiser le rôle des religions et des Églises : l'Église n'est pas de ce monde et doit s'occuper des choses de l'au-delà, enseignent les fondamentalistes ; ce sont eux qui demandent de respecter les autorités civiles et de leur obéir, puisque toute autorité vient de Dieu ;
- un deuxième groupe est plus pragmatique et, reconnaissant que les religions vivent dans le monde, admet qu'elles ont besoin de conditions matérielles pour vivre et progresser ; elles ont donc un rôle à jouer dans les secteurs économiques, sociaux, culturels et politiques ;
- la troisième attitude est prophétique et a donné naissance aux théologies de la libération et à l'option préférentielle en faveur des pauvres. Ici les religions, les Églises et les missionnaires non seulement collaborent, mais aussi dénoncent, normalement par des voies non violentes ; ces prophètes vont jusqu'à s'impliquer activement avec les pauvres,

même en politique, exigeant la réforme des structures et des systèmes.[289]

Traditionnellement, les missionnaires oscillent entre les deux premières attitudes. Depuis trente ans, surtout à cause d'une réflexion latino-américaine et dans les Églises du Sud, se laissent entrevoir des changements considérables. On se rend de plus en plus compte que la résolution des problèmes économiques ne suffit pas; de la même manière qu'il y a cinquante ans, le monde missionnaire s'est rendu compte que la charité et l'assistance ne suffisaient pas, aujourd'hui ces mêmes milieux prennent conscience que le développement ne suffit pas. De charitables et d'économistes, les missionnaires se font justes et prophétiques, dénonçant les structures injustes et inéquitables de l'économie et des systèmes mondiaux.

Pourquoi? Parce que le sous-développement est en grande partie le résultat de structures économiques et financières incrustées dans le système en place. Il ne suffit donc pas de développer, il faut aussi réformer ces structures qui sont causes de pauvretés et d'injustices.

Un pas de géant a été fait avec les Nations Unies et leurs agences spécialisées. Mais pour des raisons historiques et politiques, les institutions de Bretton Woods, c'est-à-dire la Banque mondiale, le Fonds monétaire international et l'Organisation mondiale du commerce, ne font pas partie du système des Nations Unies; il en résulte, par exemple, que ces organisations n'ont pas à respecter les Conventions promues par les

---

[289] Voir Chantal VERGER, *Pratiques de développement. L'action des chrétiens et des Églises dans les pays du Sud*, Paris, Karthala, 1995 en page197.

Nations Unies et les Chartes des droits humains. Il y a là un anachronisme qu'il faut corriger.

Je joins mon humble voix à ce mouvement qui revendique une réforme du système économique et financier international, comme aussi des grandes organisations internationales, y compris celles des Nations Unies. Il faut réformer ces systèmes afin qu'ils soient plus équitables et permettent une meilleure égalité des chances entre toutes les nations du monde.

Développement et culture

On se souvient que quelques chercheurs soutiennent que le développement est occidental et que tout effort de développement aboutit à occidentaliser les gens du Sud et à détruire leurs cultures. Même à l'intérieur de l'Église, des voix se sont levées qui accusent les missionnaires de « romaniser » leurs fidèles.[290]

L'accusation est bien argumentée.[291] J'estime qu'elle s'adresse davantage aux grands projets de développement de l'aide publique qu'aux miniprojets missionnaires. Dès le début du XXᵉ siècle, nombreux sont les missionnaires qui ont contribué aux sciences ethnologiques et anthropologiques ; les premiers musées d'art et d'artisanat des cultures non occidentales ont souvent été l'œuvre de missionnaires. Depuis Vatican II, la thématique du respect des cultures, de l'inculturation et de l'interculturalité est omniprésente en missiologie et dans les conversations des missionnaires. Je crois même que les missionnaires ont été sensibilisés à cette question avant la plupart des experts ! Mais ont-ils transféré cette

---

[290] Leonardo Boff est parmi ceux-là.
[291] Voir Achille MBEMBE, *Afriques indociles*, Paris, Karthala, 1989.

sensibilité dans leurs projets ? Il est difficile de répondre à cette question, mais voici un premier commentaire : parce que la majorité des projets missionnaires visent une amélioration des conditions de vie des personnes dans leur vie quotidienne, ces projets n'ont généralement pas entraînés une occidentalisation des modes de vie. Il ne s'agit pas d'une occidentalisation, mais d'une modernisation : j'appelle modernisation l'adoption de techniques actuelles ou la conformité à des modes de pensée, des attitudes et des valeurs, des styles de vie qui sont plus répandus aujourd'hui.

Depuis environ vingt ans, le Hall Notre-Dame a aussi financé quelques projets de centres culturels dont le premier objectif est précisément de sauver ou de revitaliser des cultures menacées dans leur identité ou dans leur existence.

Pour moi, l'amélioration des conditions de vie est un caractère de la modernisation. Cette modernisation doit clairement être distinguée de l'occidentalisation ; quand j'aide un village à améliorer ses conditions de vie, je n'occidentalise pas, je modernise, je les aide à passer d'une économie de subsistance à une économie plus moderne. Ai-je raison ou tort, je ne sais, mais je suis prêt à en débattre. Étant québécois, je suis sensible à la croissance de toutes les cultures ; mais missionnaire ouvert au monde, j'ai souvent accepté d'évoluer, de m'adapter et même d'adopter de nouveaux us et coutumes qui m'ont paru plus intéressants.

Il y a définitivement un lien entre développement et culture. Les projets missionnaires devraient en tenir compte davantage et contribuer à l'éclaircir pour que l'humanité discerne mieux dans quelle direction avancer. Il n'est pas question que le monde adopte le mode de vie états-unien ou devienne occidental ; mais dans toutes cultures il y a des éléments négatifs à dépasser : intolérance ou préjugés, soumission, dépendance et même mutilation des femmes, individualisme ou surconsommation... C'est dans ce contexte que le concept d'universalité doit être approfondi ; certes, il n'y a pas de culture universelle, mais y a-t-il une religion universelle ? Si oui, dans quel sens ? Les projets missionnaires de développement font-ils du prosélytisme ? Des rumeurs circulent encore que certaines sectes utilisent leurs projets pour attirer des fidèles !

IMPACT SUR LA SENSIBILISATION DES POPULATIONS AU DÉVELOPPEMENT

Dans tous les numéros de la revue du Hall Notre-Dame, *Réveil Missionnaire,* il y a un appel à l'aide qui provient des missions. Mais en plus, très souvent, des articles portent sur la situation sociale, économique, culturelle et politique des pays où sont réalisés les projets. De plus, dans les années 1980, une chronique a porté sur « le mal développement dans le monde » et depuis quelques années il y en a une sur les grandes injustices ! J'opine que l'impact des missionnaires sur la sensibilisation des populations aux questions du développement, de la pauvreté, de la paix et de la justice a été très significative. Lorsque nos bienfaiteurs entendent des politiciens parler du Tiers-Monde, ils se méfient, mais ils prêtent une oreille plus attentive quand ce sont des missionnaires qui parlent !

CONCLUSION

Dans les quelques trente pays du monde où œuvrent les Missionnaires de la Consolata, la générosité de leurs bienfaitrices et bienfaiteurs au Canada est importante; plusieurs fois, des supérieurs IMC ont souligné l'apport significatif du Hall Notre-Dame aux projets IMC.

Pour le développement international, l'effort du Hall Notre-Dame demeure une toute petite gouttelette dans cette immense entreprise humaine. Mais minuscules en termes de macro-économie, les projets financés n'en ont pas moins contribué de manière significative à soulager des souffrances et à améliorer la qualité de vie de milliers d'êtres humains.

Le président de la Commission Justice et Paix à la Conférence des évêques de France, monseigneur Jacques Delaporte, qui parle des projets des Églises et des missions, a bien résumé notre évaluation quand il a écrit :

« On constatera que la contribution de l'Église en matière d'apport à la qualité de la vie (santé, enseignement, promotion féminine...), de transformation des mentalités, d'éducation, n'est pas négligeable. Il resterait à approfondir ces études si l'on voulait vraiment quantifier cet apport de l'Église au développement. Pour le moment, il est pertinent de constater que l'apport de l'Église est précisément important dans le domaine de l'accroissement de la qualité de l'existence. Il est après tout logique que l'Église, c'est-à-dire les acteurs de développement sur le terrain qui se reconnaissent comme chrétiens, ait une conception du développement qui mette l'accent sur le côté humain de ce développement, et en même temps concentre ses efforts sur ce secteur de la promotion humaine, plus que sur une pure augmentation du PNB des pays en développement. »[292]

Je crois que cela vaut parfaitement pour le Hall Notre-Dame, grâce aux milliers de bienfaitrices et de bienfaiteurs qui, depuis cinquante ans, soutiennent et encouragent l'œuvre des Missionnaires de la Consolata au Québec.

---

[292] Cité dans VERGER, ibidem, en page 7.

ÉLÉMENTS DE BIBLIOGRAPHIE

SUR LE DÉVELOPPEMENT ET L'ÉCONOMIE

Samir AMIN, *Le Développement inégal. Essai sur les formations sociales du capitalisme périphérique*, Paris, Éd. de Minuit, 1973

C.A. BAYLY, *La naissance du monde moderne (1780-1914)*, Paris, Atelier, 2006

Jon BENNETT & Susan GEORGE, *La macchina della fame*, Bologna, Mani Tese, 1989

Sophie BESSIS, *L'Occident et les autres. Histoire d'une suprématie*, Paris : La Découverte, 2001

Bertrand CABEDOCHE, *Les Chrétiens et le Tiers-Monde*, Paris, Karthala, 1990

Robert CALDERISI, *L'Afrique peut-elle s'en sortir ?* Montréal, Fides, 2006

Robert CASSEN ed., *Does Aid Work ? Report to an Intergouvernemental Task Force*, Oxford, Clarendon, 1994

J.-P. CHARVET, *Le désordre alimentaire mondial*, Paris, Hâtier, 1987

Malek CHEBEL, *L'esclavage en terre d'Islam*, Paris, Fayard, 2008

Michel CHOSSUDOVSKY, *La mondialisation de la pauvreté*, Montréal, Écosociété, 1998

Rodolphe DE KONINCK, Singapour. *La cité-état ambitieuse*, Paris, Bélin, 2006.

Oswaldo DE RIVERO, *Le mythe du développement*, Enjeux Planète, 2003

Hernando DE SOTO, *The Mystery of Capital*, NY: Basic Books, 2000

René DUMONT, *Pour l'Afrique j'accuse*, Paris, Plon, 1986

René DUMONT et M.-F. MOTTIN, *Le mal développement en Amérique latine*, Paris, Seuil, 1981

René DUMONT avec Marie-France MOTTIN, *L'Afrique étranglée*, Paris, Seuil, 1980.

Pierre ERNY, *L'Enseignement dans les pays pauvres*, Paris, L'Harmattan, 1977

A. G. FRANCK, *Le Développement du sous-développement*, L'Amérique latine, Paris, F. Maspero, 1972

C. FURTADO, *Théorie du développement économique*, Paris, PUF, 1970.

Jacques B. GÉLINAS, *Et si le Tiers-Monde s'autofinançait*, Montréal, Écosociété, 1994

Jacques GÉLINAS, *Dictionnaire critique de la globalisation*, Montréal, Écosociété, 2008

Susan GEORGE, *Un autre monde est possible si...* Paris, Fayard, 2004

David GORDON & Paul SPICKER ed. *The International Glossary on Poverty*, London, Zed, 1999

Marta HARNECKER, *La Gauche à l'aube du XXIe siècle*, Outremont, Lanctot, 2001

A. HOUZIAUX dir. *L'aide au Tiers-Monde, à quoi bon ?* Paris, Atelier, 2005

Bernard JOINET, *Le soleil de Dieu en Tanzanie*, Paris, Cerf, 1977

W. KIEFER & H.T. RISSE, Misereor. *Un'avventura dell'amore cristiano*, Bologne, EMI, 1967

Paul KNOX & John AGNEW, *The Geography of the World Economy*, London, Arnold, 1998

David S. LANDES, *Richesse et pauvreté des nations*, Paris, Albin Michel, 1998

Serge LATOUCHE, *Survivre au développement*, Paris, Fayard, 2004

F. LOTTI, N. GIANDOMENICO et R. LEMBO, *Per un'economia di giustizia*, Trieste, Asterios, 2001

Achille MBEMBE, *Afriques indociles*, Paris, Karthala, 1989.

J. MIHEVC, *The Market Tells Them So, Penang & Accra*, Third World Network, 1995

Julius K. NYERERE, *Man and Development*, London, Oxford University Press, 1974

Richard PEET et E. HARTWICK, *Theories of Development*, London, Guilford, 1999

Agostino PETRELLI, *Villaggi città megalopoli*, Roma, Carocci, 2006

Edgar PISANI, *Pour l'Afrique*, Paris, Odile Jacob, 1988

R. POULIN & P. SALAMA dir. *L'insoutenable misère du monde*, Hull, Vents d'ouest, 1998

M. RAHNEMA & V. BAWTREE ed. *The Post-development Reader*, London, Zed, 1997

Gilbert RIST, Le développement. *Histoire d'une croyance occidentale*, Paris, Sciences Po, 2007

J. RUSS, *La marche des idées contemporaines*, Paris, Armand Colin, 1994

W. SACHS ed. *The Development Dictionary*, London, Zed, 1992

Albert SASSON, *Nourrir demain les humains*, Paris, UNESCO, 1986

Amartya SEN, *The Argumentative Indian*, London, Penguin, 2006

Amartya SEN, *Repenser l'inégalité*, Paris, Seuil, 2000

Amartya SEN, *Development as Freedom*, New York, Anchor Books, 2000

Issa SHIJVI, « *The Changing Development Discourse in Africa* », in www.pambazuka.org no. 224

Stephen SMITH, Négrologie. *Pourquoi l'Afrique meurt ?* Paris, Calmann-Lévy, 2003

David SOGGE, *Les mirages de l'aide internationale*, Enjeux Planète, 2003

Joseph E. STIGLITZ, *La grande désillusion*, Paris, Fayard, 2002

Olivier TODD, *L'illusion économique*, Paris, Gallimard, 1999

Aminata D. TRAORÉ, L'étau. *L'Afrique dans un monde sans frontières*, Babel, 2001

Aminata D. TRAORÉ, *Le viol de l'imaginaire*, Paris, Fayard, 2002

Sylvain URFER, *Socialisme et Église en Tanzanie*, Paris, IDOC-France, 1975

Jan P. VAN BERGEN, *Development and Religion in Tanzania*, Leiden, Interuniversity Institute for Missiological and Ecumenical Research, Department of Missiology, 1981

Frank-Dominique VIVIEN, Le développement soutenable, Paris, La Découverte, 2005

M. WEISBROT et al., *The Emperor Has No Growth: Declining Economic Growth Rates in the Era of Globalization*, Washington (D.C.), Center for Economic and Policy Research (CEPR), 2000

Harold WELLS, *A Future for Socialism ?* Valley Forge (Penns.), Trinity Press, 1996

Muhammad YUNUS avec Alan Jolis, *Vers un monde sans pauvreté*, Jean-Claude-Lattès, 1997

Jean ZIEGLER, *Main basse sur l'Afrique*, Paris, Seuil, 1980

ATTAC, *Le développement a-t-il un avenir ?* Paris, 1001 nuits, 2004

Banque mondiale, *Rapport sur le développement dans le monde 1980*, Washington, 1980

Banque mondiale, Rapport *sur le développement dans le monde 1985, Washington, 1985*

Banque mondiale, *Rapport sur le développement dans le monde 1988*, Washington, 1988

Elio Comarin (sous la direction de), *L'état du Tiers-Monde*, Découverte-Boréal, 1987

Commission on Global Governance, *Our Global Neighborhood*, Oxford University Press, 1995

Conseil pontifical Cor Unum, *La Faim dans le monde. Un défi pour tous : le développement solidaire*, Rome, Vaticana, 1996

Démocratie et gouvernance mondiale, Paris, Unesco-Karthala, 2003

Développement et Paix, « *La Faim et le profit. Crise du système alimentaire »*, disponible sur leur site internet : http://www.devp.org/devpme/main-fr.html.

Forum on Globalization, *Alternatives à la globalisation économique*, Montréal, Écosociété, 2005

Groupe de travail parlementaire sur les Relations Nord-Sud, à la Chambre des Communes du Canada, *Rapport provisoire au parlement sur les relations entre pays développés et pays en voie de développement*, Ottawa, 1980.

Haut Conseil de la coopération internationale, *Les non-dits de la bonne gouvernance*, Karthala, 2001

House of Commons (Canada), Report of The Standing Committee on External Affairs and International Trade, *For Whose Benefit?* Ottawa, 1987

KAIROS (Initiatives canadiennes oecuméniques pour la justice), Le legs de l'extraction des ressources en Afrique. Bénédiction ou calamité pour l'Afrique, Toronto, 2006

Vies et mort du Tiers-Monde 1955-2006, Le Monde diplomatique, Manière de voir no. 87, juin-juillet 2006.

Le krach du libéralisme, Le Monde diplomatique, Manière de voir no 102, décembre 2008-janvier 2009.

OPAM, *Insegnali a pescare*, Bologna, EMI, 1987.

Programme des Nations Unies pour le Développement, *Rapport mondial sur le développement humain 1992*, Paris, Economica, 1992

Programme des Nations Unies pour le Développement, *Rapport mondial sur le développement humain 1994*, Paris, Economica, 1994

World Bank, *World Development Report 2000-2001, Attacking Poverty*, Oxford University Press, 2000

Programme des Nations Unies pour le Développement, *Rapport mondial sur le développement humain 2003*, Paris, Economica, 2003

SUR LES MISSIONNAIRES
DE LA CONSOLATA

C. BONA éd., *Quasi una vita... Lettere scritte et ricevute dal Beato Giuseppe Allamano con testi e documenti coevi* (onze volumes), Roma, Edizioni Missioni Consolata, 1990 et 2002

Lorenzo LAMBERTI, *Perdu dans la forêt*, Montréal, Missionnaires de la Consolata (Canada), 1983

Giuseppe MINA, *Il missionario delle segherie* : Fratel Benedetto Falda, Bologna, EMI, 1980

Jean PARÉ, *Oscar et Antonio. Au cœur de la mission*, Missionnaires de la Consolata (Congo), 2001

Jean PARÉ, *Au service des plus démunis*, Montréal, Missionnaires de la Consolata (Canada), 2007

Ezio ROATTINO, *Alvaro Ulcué Nasa Pal. Sang indien pour une terre nouvelle*, Montréal, Missionnaires de la Consolata, 1996

Nestor SAPORITI, *Nzambe Alalaka Té. Expériences d'un missionnaire argentin au Congo*, Montréal, Missionnaires de la Consolata,1999

Giorgio TORELLI, *Baba Camillo e altre storie d'Africa*, Novara, De Agostini, 1986

Giovanni TEBALDI, *La Missione racconta*, Bologne, EMI, 1999

Istituto della Consolata per le missioni estere, *Costituzioni*, Torino, Edizioni Missioni Consolata, 1960

Istituto Missioni Consolata, *Documenti capitolari*, Torino, Edizioni Missioni Consolata, 1970

Missionnaires de la Consolata, *Actes du Xe chapitre général* Sagana 1999

Consolata Missionaries, *Constitutions. General Directory*, Rome, 2006

SUR L'ÉGLISE, LA MISSION ET L'ÉVANGÉLISATION

Gregory BAUM, *Étonnante Église. L'émergence d'un catholicisme solidaire*, Montréal, Bellarmin, 2006

David J. BOSCH, *Dynamique de la mission chrétienne*, Paris, Karthala, 1995

Claude BOUCHER, « *Zoo jardin et évangile* », dans la revue Univers, avril 1987

Jules CÔTÉ, « *Un projet de coopérative d'habitations* », dans Univers d'août 1989

Helder CAMARA, *Terzo Mondo defraudato*, Bologne, EMI, 1968

Giuseppe CAVALLOTTO, *"Avançons au large" La pensée missionnaire de Jean-Paul II*, Montréal, Missionnaires de la Consolata, 2005

Enrique COLOM, *Chiesa e società*, Roma, Armando, 1996

M. KONATÉ, P. SIMARD, C. GILES et L. CARON, *Sur les petites routes de la démocratie*, Montréal, Écosociété, 1999

Micheline LACHANCE, *Paul-Émile Léger. Le dernier voyage*, Montréal, Éditions de l'homme, 2000

Jean PARÉ, *La pensée missionnaire du Pape Paul VI dans ses messages à l'occasion de la journée mondiale des missions*, Montréal, Missionnaires de la Consolata, 1977

Jean PARÉ, *Esquisse de la pensée missionnaire de Jean-Paul II*, Montréal, Missionnaires de la Consolata, 1984

Jean PARÉ, « *Jacques Couture à Madagascar* », dans Univers de février 1986, pages 15 à 25.

Jean PARÉ, « *Mission et développement. L'expérience originale du père Rodolphe Roy, p.b.* », dans Univers d'avril 1986, pages 24 à 29.

Jean PARÉ, « *Missionnaires d'Amérique du Nord et pour l'Amérique du Nord* », dans Union pontificale missionnaire, Cours de formation missionnaire, leçon 4, Rome, 1990

L. PROAÑO, *Pour une Église libératrice*, Paris, Cerf, 1973

Chantal VERGER, *Pratiques de développement, L'action des chrétiens et des Églises dans les pays du Sud*. Paris, Karthala, 1995

Annuarium Statisticum Ecclesiae 2002, Roma, Vaticana, 2004

Enchiridion della Chiesa missionaria, Bologne, Dehoniane, 1997

Repères pour la mission chrétienne. Cinq siècles de tradition missionnaire, Paris, Cerf-Labor et fides, 2000

Segretario Unitario di Animazione Missionario, *Cooperazione missionaria tra sviluppo e Vangelo*, Bologna, EMI, 1990

CELAM, *Nouvelle Évangélisation promotion humaine culture chrétienne*, Paris, Cerf, 1992

Déclaration de la Communauté internationale Baha'ie, *Vers une humanité prospère*, Thornhill (Ontario), 1995

Table des matières